제 4 권

울 산 대 학 교 의 과 대 학

# 서울아산병원
# 내 과 증 례 집

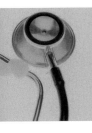

## CASE of the WEEK Vol. 4

편집 : 서울아산병원 내과

군자출판사

울산대학교 의과대학 서울아산병원 내과

# Case of the Week Vol.4

Asan Medical Center Department of Medicine Case of the Week Vol. 4;
Edited by Residency Program Committee, Introduction by Changgi Hong


**첫째판 1쇄 인쇄** 2012년 4월 20일
**둘째판 1쇄 인쇄** 2013년 10월 15일
**셋째판 1쇄 인쇄** 2015년 1월 5일
**넷째판 1쇄 인쇄** 2017년 1월 4일
**넷째판 1쇄 발행** 2017년 1월 12일


**편     집** 서울아산병원 내과
**발 행 인** 장주연
**출 판 기 획** 김도성
**편집디자인** 조원배
**표지디자인** 김재욱
**발 행 처** 군자출판사
　　　　　 등록 제 4-139호(1991. 6. 24)
　　　　　 본사 (10881) 경기도 파주시 회동길 338(서패동 474-1)
　　　　　 전화 (031) 943-1888　　　　 팩스 (031) 955-9545
　　　　　 홈페이지 | www.koonja.co.kr

ISBN 979-11-5955-110-9
정가 45,000원

# 발간사

　울산대학교 의과대학 서울아산병원 내과 Case of the Week 제 4권을 발간하게 된 것을 전체 내과의국원과 더불어서 진심으로 축하합니다.

　2014년 11월에 3권이 발간된 이 후로, 약 2년 동안 Case of the Week에서 모아진 증례들을 다시 정리해서 4권으로 내게 되었습니다. 이 전 권들과 마찬가지로, 내과 전 분과의 증례들이 고루 안배되어 있으며, 교육적인 증례, 희귀한 증례, 또는 비교적 흔하지만 간과하기 쉬운 중요한 교훈을 담고 있는 증례 등 다양한 case들이 수록되어 있습니다.

　이제까지의 Case of the Week 책과 마찬가지로, 이 책은 서울아산병원 내과에 입원했던 환자들이 어떻게 진단되었고 치료를 받았는지에 대해, 진단의 결과 보다는 진단에 이르기까지의 과정에 더 중점을 두고 정리한 책입니다. 이 책을 읽는 분들께서 저희의 경험을 간접적으로 잘 체험하실 수 있도록 정리되어 있으며, 진단에 이르는 과정이 다소 미흡하거나 부족했던 부분까지도 있는 그대로 가감 없이 기록되어 있습니다. 이러한 간접경험 및 피드백 과정에서 얻을 수 있는 지식은 매우 흥미롭고 소중한 것이 되리라고 확신합니다.

　아무쪼록 본 증례집에 수록된 여러 증례들이 여러 선생님들께 조금이라도 도움이 되어서, 이와 유사한 환자들을 진료하실 때 좋은 참고가 되셨으면 하는 바램입니다.

　끝으로 이 책이 나오게 되기까지 수고해 주신 모든 내과 의국원 및 전공의 선생님들께 감사 드립니다. 특히 편집을 위해서 수고해 주신 임채만, 최상호, 이우제, 조경욱 교수님께 감사 드립니다.

2016년 10월

서울아산병원 내과장 유　빈

# Death, a Part of Life: Accepting Our Biological Limits
### (Medical Grand Round, March 17, 2016)

서울아산병원 내과 초대과장 **홍 창 기**

최근에 Google 의 Deep Mind가 이세돌을 이기는 것을 보고 Artificial Intelligence 가 더 발달하면 우리 의료현장은 어떻게 바뀔까 하는 생각이 머리를 떠나지 않았습니다. 혹자가 걱정하는 것처럼 앞으로 의사라는 직업도 사라질 것인지? IBM의 Watson이 MD Anderson Cancer Center 와 Memorial Sloan Kettering Hospital에서 하고 있는 일에 대해서도 들었을 것입니다. 암 환자에서 진단과 예후를 내리는데 있어서 의사들을 능가한다고 합니다. 그러나 환자를 개별적으로 관리 (individual management) 하는 의사의 역할은 AI 가 대치할 수 없을 것이라는 것이 내 생각입니다. 여기서는, 그런 훗날의 걱정보다, 당장 병실에서 겪고 있는 문제에 대해서 같이 생각을 해보고자 합니다.

"Death, A Part of Life: Accepting Our Biological Limits" 로 제목을 정한 배경을 짚고 넘어가야 하겠지요? 얼마 전 우리나라에서도 "존엄사" 에 관한 법이 만들어졌지요. "Dying with dignity" 를 번역한 말인데, 많은 사람이 큰 고통 없이, 사람으로서의 품위를 유지한 채 삶을 마감하기를 원합니다. 그 품위가 어떤 것인지, 왜 그런 말이 나오게 되었는지 이해할 필요가 있습니다. 인류역사를 통해서, 얼마 전까지만 해도 죽음은 일상사의 하나이고, familiar environment에서 가족이 둘러있는 가운데 임종을 하는 것이 보통이었습니다마는, 사회의 변화와 의학의 발전으로 인해, 이제는 낯선 병원에 가서 낯선 사람들에 둘러싸인 채 죽음을 맞이할 뿐 아니라, monitor 와 line를 통하여 온갖 장비와 연결된 채 죽음을 맞이하는 것도 최근에는 흔하게 되었습니다. 이런 것이 과연 우리가 바라는 것인지 하는 성찰에서 "존엄사"라는 개념이 생겼다고 생각합니다. 물론 사고사, 살인, 자살 등의 외인사는 제외하고 말하는 것이지요.

오늘 내가 전하고자 하는 message는 세가지 입니다. 첫째는 인간의 삶에는 내재적으로 한계가 있다는 것이고, 둘째는 현대의 과학적 의학이 아무리 더 발전하더라도 육체의 영생을 보장하지 못할 것이라는 것이고, 셋째는 고령사회로 진입하는 이 시대의 의료는 그 목표를 재정립해야겠다는 것입니다.

지난 150여년간 의사, 그리고 사회가 과학적 의학으로부터 기대하는 것은, 어떻게 해서든 "질병"과 죽음이라는 "적"과 싸워 이겨 그것들을 제거하고, 멀리하는 것으로 보였습니다. (투병이라는 말을 보면 알지요) 150년 전에는 사람을 죽게 하는 질병이 대부분 특정 병원균으로 인한 감염성 질환이었으니 제거해야 할 대상으로 보는 것도 무리가 아니었습니다. 그러나 이제 노령에 이르러 비감염성, 만성 퇴행성, 대사성 질환으로 건강이 상하고, 죽음에 이르게 되었을 때에도 같은 태도가, 즉 무슨 수를 쓰더라도 질병을 제거하고 생명을 연장해 보고자 하는 노력이 유지되고 있음은 비현실적이고 불행한 일이라고 나는 생각합니다.

사망진단에 선행사인으로 "노화"라는 것이 있어야 한다고 생각합니다. 왜냐하면, 젊은이에게는 사망에 이르게 하지 않는 경미한 stressor라도 functional reserve 가 줄어든 노인에서는 회복을 못 하고 사망에 이르게 하는

**Table 1**

| Age Specific Mortality, 2014 | | | | |
|---|---|---|---|---|
| 연령 | mortality/10만 | % mortality | % survival | cum survival % |
| total | 527.3 | | | |
| 0세 | 310.2 | 0.3102 | 100.0000 | 100.0 |
| 1~4세 | 15.4 | 0.0154 | 99.690 | 99.7 |
| 5~9세 | 8.8 | 0.0088 | 99.985 | 99.7 |
| 10~14세 | 8.7 | 0.0087 | 99.991 | 99.7 |
| 15~19세 | 25.9 | 0.0259 | 99.991 | 99.7 |
| 20~24세 | 32.9 | 0.0329 | 99.974 | 99.6 |
| 25~29세 | 46.0 | 0.0460 | 99.967 | 99.6 |
| 30~34세 | 63.5 | 0.0635 | 99.954 | 99.6 |
| 35~39세 | 88.2 | 0.0882 | 99.937 | 99.5 |
| 40~44세 | 129.8 | 0.1300 | 99.912 | 99.4 |
| 45~49세 | 203.6 | 0.2036 | 99.870 | 99.3 |
| 50~54세 | 315.3 | 0.3153 | 99.796 | 99.1 |
| 55~59세 | 439.5 | 0.4395 | 99.685 | 98.8 |
| 60~64세 | 630.2 | 0.6302 | 99.561 | 98.3 |
| 65~69세 | 971.8 | 0.9718 | 99.370 | 97.7 |
| 70~74세 | 1751.2 | 1.751 | 99.028 | 96.8 |
| 75~79세 | 3193.5 | 3.194 | 98.249 | 95.1 |
| 80세이상 | 8597.5 | 8.598 | 96.807 | 92.0 |

원인이 되었다는 것을 표현해야 할 것이기 때문이지요. 이렇게 aging으로 인해서 functional reserve 가 감소됨으로 해서 사람의 수명에는 한계가 있게 마련임을 우리는 받아들여야 할 것이라는 이야기를 하고 싶은 것입니다.

　우리는 우리의 수명이 계속 길어진다는 이야기를 듣고 있습니다. 그 현상을 제대로 이해하기 위해서, 건강과 질병이라는 측면에서 어떠한 변화가 일어났는지 지난 150년의 일을 정확히 검토해 볼 필요가 있어 보입니다. 죽음과 연령의 연관성이 나타나기 시작한 것은 20세기에 들어와 비롯되었습니다. 옛날에는 죽음이 나이와 관계없이 언제고 일어날 수 있었습니다. 노년까지 살아남았다는 사실은 매우 위험한 많은 고비를 무사히 극복했다는 것을 의미했습니다. 17세기 France에서 태어난 아이의 ¼이 만 1세 이전에 사망하였고, 다른 ¼은 20세 이전에 사망하였고, 다른 ¼은 45세 이전에 사망하였습니다. 태어난 사람의 10% 미만 만이 60세까지 살아남았습니다. 평균수명이 80세를 넘는 초고령화 사회로 진입하여 그에 대한 대처방안을 걱정하는 우리가 45세까지 생존할 가능성이 50% 밖에 안 되는 세상을 상상하기란 쉽지 않습니다. 170년 전의 미국도 그랬습니다.

　앞 **Table 1**의 처음 2 columns은 우리나라 통계청에서 얻은 가장 최근

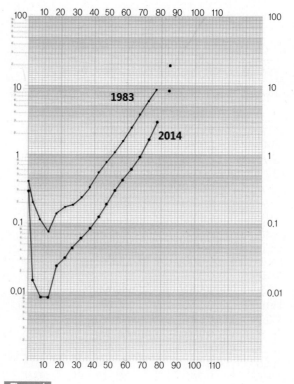

Figure 1

(2014)년의 age-specific mortality rate (일정 연령에 달한 사람 중 앞으로 1년 간에 사망하는 rate) 입니다. 인구 10만명당 사망으로 표기되었습니다. 우리가 다루기 좀 더 편한 %로 변환한 것이 세 번째 column 입니다.

첫 번째 column을 x 축으로, 세 번째 column을 y축으로 해서 graph로 그린 것이 **Figure 1**입니다. y 축이 logarithmic scale 인 것에 주의해 주십시오.

10세에 mortality 가 최저 (0.01%) 가 되었다가 그 후는 계속 증가하는데, 특히 40세 이후에는 거의 직선으로, 즉 exponential하게 증가합니다. 이 직선부분을 연장하면 어떻게 됩니까? 100세 ~ 105 세에 mortality 가 100%에 달한다는 것을 추정할 수 있습니다. 2014년 curve 를 1983년의 curve 와 비교해 보면, 30여년에 걸쳐 모든 연령에서 mortality 가 많이 줄어들었지만 curve의 pattern은 크게 변함이 없고, 후반부의 모양은 역시 거의 직선이고 연장해 보면 대략 같은 점으로 수렴함을 볼 수 있습니다.

다음으로 **Figure 2**는 미국의 1910년과 1970년의 age-specific mortality curve 입니다. 그 모양이 방금 본 우리나라의 graph 와 아주 흡사합니다. 여기서도 mortality 가 감소했음에도 old age의 mortality 부분을 연장해 보면 대략 같은 점으로 수렴되는 것을 봅니다.

다음 **Figure 3**은 여러 나라에서, 여러 시기의 age-specific mortality curve

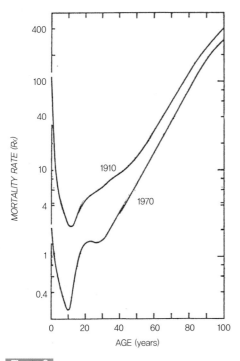

Figure 2

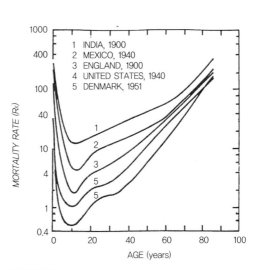

Figure 3

를 superimpose한 것입니다. 역시 비슷한 pattern 을 볼 수 있지요.

이들 age-specific mortality data에서 cumulative survival rate를 계산해 낼 수 있고 그것들을 graph 로 그리면 또 재미있는 현상을 볼 수 있습니다.

이 graph **Figure** 4는 미국의 자료인데 184년부터 1980년까지의 survival curve 입니다. 젊은이의 mortality가 줄어들어 평균수명이 길어지면서 curve 의 모양이 변하지만 (점점 직사각형에 접근한다고 해서 Rectangularization 이라고 부릅니다) 그 종점은 별로 변하지 않습니다. 역시 어느 한 곳으로 수렴되는 것을 봅니다. "이상적인 생존곡선" 이라 함은 모든 premature deaths를 제외 (eliminate) 하였을 경우, 즉 노령에서의 사망만을 가지고 생존곡선을 그린 것입니다.

1840년에서 1940년까지 100년 사이에 평균수명이 43에서 68로 엄청나게 길어졌습니다. 이 100년에 무슨 일이 일어났는지 우리는 medical history에서 배웠습니다. 1840년 영국의 노동자 수명이 평균 22세였고, 상인은 30세, 귀족은 43세였습니다. 산업혁명 이후 전체적으로 경제사정이 좋아졌지만, 빈부의 격차가 심했고, 인구의 도시집중과 그로 인한 전염병의 창궐은 노동자의 짧은 수명에는 전혀 도움이 되지 않았습니다. Charles Dickens의 소설에서 우리는 그 참상을 엿 보았습니다. 이 사회문제에 대한 영국 정부 차원의 대응은 역사적으로 특기할 공중보건사업 (상수도, 하수도, 주택과 작업장 환경개선 등) 이었습니다. 공중보건법 시행 후 불과 5년 사이에 노동자의 평균수명이 29세에서 48세로 연장되었습니다. 거의 동시에 Snow의 전설적인 cholera epidemic의 역학 조사에 의한 감염원(source of infection)의 개념이 공중보건에 도입되었지요.

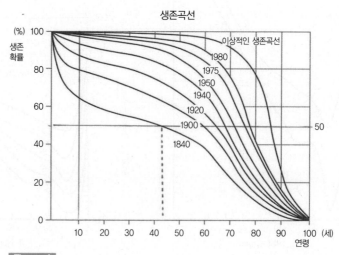

Figure 4

Pasteur의 germ theory, Lister의 소독법, Koch의 결핵균과 cholera균의 발견 등 의과학에서의 성취는 이 공중보건사업 이후의 업적이었습니다. Virchow등에 의한 병리학의 발전으로 환자의 증상과 사후 소견에 대한 clinico-pathological correlation이 알려져 생전에 더 정확하게 진단과 예후를 말할 수 있었어도, 아직도 질병에 대한 설명은, 당시 의사나 환자가 가진 이론체계 즉 humoralism에 의한 것이었으며, 내과적 치료방식은 수백년간 거의 변화가 없이 phlebotomy와 purge였습니다. 20세기 초 까지도, 의학교에서 가르치던 내용을 보면, 의사가 환자에게 해 준 치료는, 지금 우리가 보기에는 별로 효과가 없는 것들이었습니다. 그러나 이상하게도 당시에, 국민건강의 개선에 대한 credit를 공중보건이 아니고 medical sciences (미생물학, 병리학, 화학 등) 와 임상의사가 독차지하였으며, 미래의 희망도 전적으로 과학에 걸게 되는 일이 벌어졌습니다.

19세기말, 대부분의 질병을 이루고 있던 감염성 질환이, 특정 미생물이 특정한 방법으로 감염되어 특정질병을 일으킨다는 것이 확립되었습니다. 그러나 vaccination 으로 예방을 할 수 있게 되고, 항생제로 감염병에 대한 치료를 할 수 있게 되기까지는 좀 더 기다려야 했습니다. 우리가 지금 역사적으로 매우 중요한 발견이라고 생각하는 것들이 발견 당시에는 다른 사람들에게 받아들여지지 않았습니다. 주류를 이루는 학파가 새로운 학설에 대해 서슴없이 비난을 퍼부었습니다. 이런 현상은 최근까지도 일어나고 있습니다. (e.g. H. pylori, low fat and heart disease)

**Figure 5**는 우리나라 1983년과 2014년 자료로 survival curve 를 그린 것입니다.

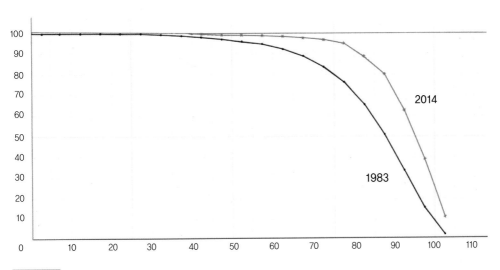

Figure 5

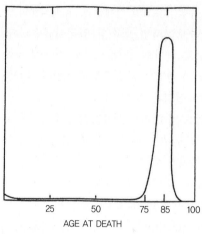

Figure 6

Figure 6은 미국의 "이상적인 생존곡선" 의 마지막 sigmoid section에서, 이 age에서 일어나는 사망의 frequency curve를 수학적으로 유추할 수 있습니다.

이 frequency curve에서 보는 바와 같이, 모든 조기사망이 없는 경우의, 노인에서의 "자연사" (ideal survival curve)는 정규분포를 하며, 그 평균은 85, 표준편차는 4로 나옵니다. 다시 말해 +/- 2 SD를 하면 77 ~ 93 사이에 95%의 사망이 발생한다는 결과입니다. 93세 이후에 사망하는 사람이 2.5% 즉 40명 중 한 사람 꼴로 예상할 수 있다는 것입니다.

지금까지 알려진 최장수는 France의 122세 여인입니다. 그리고 가끔 110세 노인이 사망했다는 뉴스가 나오지요.

위의 정규분포에서 확률을 계산할 수 있습니다. **Table 2**에서 보는 것과 같이 그 확률이 낮아서 그렇지 불가능한 것이 아님을 알 수 있습니다.

**Figure 7**은 경제발전과 더불어 수명이 길어진 것을, 자연환경이 다양한 서

Table 2

| Proportion of population | Expected life span |
| --- | --- |
| 0.5 | ~85 |
| 0.1 | ~90 |
| 0.01 | ~95 |
| 0.0001 | ~100 |
| 0.000001 | ~110 |
| 0.000000001 | ~120 |

양의 16개발국 (일본도 포함) 의 자료로 그린 graph로, 1990년 $ 로 계산한 per capita GDP와 수명의 관계입니다. 1950년까지 빠른 속도로 길어지던 수명이 1980년 이후에는 더 이상 연장되지 않는 현상을 볼 수 있습니다. 2000년에 미국의 GDP는 Italy의 GDP보다 50%가 더 많았는데도, 수명은 미국이 77.3인 반면 Italy는 80세였습니다. 어느 정도 이상의 물질적 풍요는 더 이상 수명을 길게 하지 않습니다. 오히려 부유한 나라에서는 생활 style때문에 어떤 질병이 더 많이 생기고 일찍 사망한다는 해석이 가능하지 않을까요? 우리나라는 이미 2000년에 $20,000이상이었습니다.

Figure 8은 per capita GDP가 아니고, 부유한 나라와 가난한 나라 모두를 포함한 92개국의, 2002년 per capita 의료비와 수명의 관계를 보여줍니다. 역

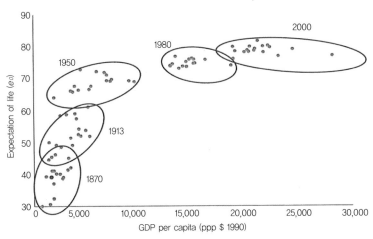

Figure 7

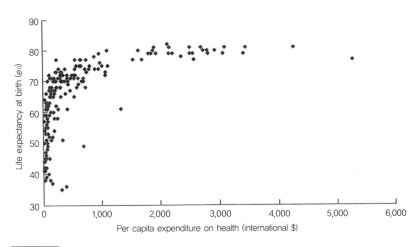

Figure 8

시, 연간 의료비가 한 사람당 $1,000 이하에서는 의료비를 많이 들일수록 수명이 길어지지만, $2,000 이상에서는 의료비 증가와 무관하게, 수명은 더 이상 길어지지 않습니다. 우리나라는 $2,400정도, 일본은 $3,500 정도, 미국은 $5,500 정도임에도 수명에는 별 차이가 없습니다. 이상의 2 Figures는 자연환경과 경제사회적인 환경과 관계없는 어떤 요인이 수명의 최대치를 결정한다는 것을 암시하는데 나는 이것이 biological limits이라고 생각합니다.

그러면 왜 인간의 평균수명이 80 ~ 85를 넘지 못하고 수명의 한계는 110세 전후가 될까요?

아래 **Figure 9**는 남자 (10세 ~ 79세) 의 마라톤 세계기록입니다. 25 ~ 30세에 peak performance를 보이고, 그 이후로는 steady decline을 보입니다. Marathon 경기에 참여한 것을 보면 건강에는 특별한 이상이 없다고 보아야 겠지요. 우리는 이 현상을 physiological aging의 결과라고 볼 수 있습니다.

다음 **Figure 10**은 나이가 들어감에 따른 organ function이 linear하게 decline하는 것을 보여줍니다. Cardiac output, maximum breathing capacity, renal blood flow, BMR 등이 모두 40세 이후에 계속 떨어집니다.

Aging에 따른 변화 즉 homeostatic dysregulation과 body composition의 변화는 stress에 대하여 저항하는 functional reserve를 감소시킵니다. 그런 상태를 우리는 frailty라고 부릅니다.

다음 **Figure 11**은 homeostasis 에 대한 크고 작은 challenge가 생활환경에 random하게 늘 존재하지만, 우리의 physiological reserve의 정도에 따라서 쉽게 overcome하여 건강을 회복하기도 하고, overcome 하지 못하여 치명적인 결과를 가져올 수도 있다는 것을 보여줍니다. Reserve가 큰, 젊었을 때에는 상당히 심한 stress도 잘 tolerate하고 overcome하지만, reserve가 줄어든

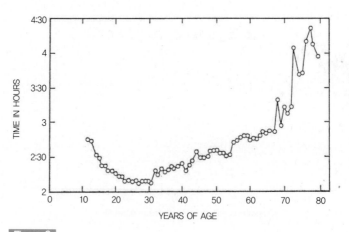

Figure 9

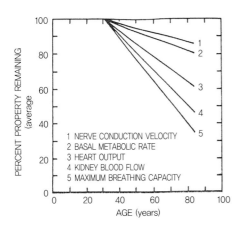

**Figure 10**

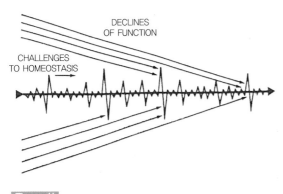

**Figure 11**

노인에게서는, 가벼운 stress도 치명적일 수 있다는 것을 보여줍니다. 그러므로 demography상의 age limit는 생리적 노화에 따라서 초래된 frailty 상태에, 항상 존재하는(ubiquitous) life stress가 superimpose되어서 오는 결과라고 볼 수 있습니다.

그렇다면 human life span에 limit가 있다는 사실은 (내가 전하고자 하는 처음 두 가지 messages), 내과의사가 환자를 진료하는데 어떤 implication을 줄까요?

예로부터 인류사회와 환자와 가족들은, 의사가 사람의 premature death를 예방하고, 환자의 고통(suffering)을 경감해 주고, 가능하면 질병을 치유해 줄 것을 기대해 왔습니다 (goal of clinical medicine). 그러나 현대의 우리 의사들은 질병을 진단하고 치유하는 것, 질병을 제거하는 것을 강조하여, 치유가 불가능하다고 여겨지면, 환자에 대한 관심이 시들어지고, 환자가 사망하면 자기들의 실패라고 느끼는 일이 많고, 따라서 terminal care에는 소홀하게 되는 일이 많습니다. 그러나 임박한 환자의 임종시기야 말로 의사 특히 내과의사가 환자의 남아있는, 하나뿐인 삶에 큰 도움이 될 수 있는 시기입니다 (Setting new goal). 어떻게 하면 그런 도움을 제공할 수 있을까요?

삶이 사람마다 다 다르듯이, 죽음도 사람마다 같을 수 없습니다. 그러나 임종에 가까워지면 대부분의 사람이 중요하다고 느끼는 것이 비슷합니다(new priority). 궁극적인 가치관의 일치 현상이라고나 할까요? 축적한 부나 명예는 이제 더 이상 가치가 없고 (Bill Gaits의 마지막 말), 자기 삶을 되돌아보고, 인간관계에 의미를 부여하고 싶고, 사랑하는, 사랑했던 사람들과의 관계를 소중히 그리워하고, 그들의 "허락"을 받아 삶을 마감하고 싶어하는 것이 보편적이라는 것이 병원사목 (hospital pastoral ministry) 을 하는 종교인의 경험입니다.

내과의사는 이러한 human needs에 민감하게 대처할 수 있어야 합니다. 더 이상 의미 없는 치료로 완치나 연명의 false hope를 주기보다는, 가까운 사람들과의 관계를 잘 정리할 기회를 마련하는 노력을 할 것과 끝까지 돌보아 줄 것을 약속하여, 다른 종류의 희망을 갖도록 하는 것이 더 좋은 일입니다. 희망은 언제나 숨겨진 내적 힘을 끌어냅니다. 임상의사가 이러한 일을 할 수 있도록 수련 받는 것이 중요한 시대에 우리는 살고 있습니다.

Best wishes!

* 이 원고는 서울아산병원 초대 내과 과장님이신 홍창기 교수님께서 2016.5.17일에 내과 Medical Grand Round에서 강의하신 내용을 본 증례집을 위해서 특별히 정리해 주신 것입니다.

# CONTENTS

## Chief Complaints

Abdominal distention  started 7 days ago

## Present Illness

내원 10일 전 양 손이 저리고 손을 찬 물에 담글 때 창백하게 변하는 증상이 시작되었다.

내원 7일 전부터 배가 불러온다고 느꼈으나 소화불량으로 생각하고 경과관찰 하였다.

내원 3일 전부터 배 부른 증상 점점 심해져 ○○병원 방문하였고 CT 상 liver cirrhosis 및 ascites 관찰. 이전 약물 복용력은 없었으며 viral marker negative 소견으로 간경화 및 복수의 원인에 대한 검사와 치료를 위해 본원 내원하였다.

## Past History

diabetes (-) hypertension (-) hepatitis (-)

## Family History

diabetes (-) hypertension (-)  tuberculosis (-)

## Social History

occupation : 어린이 집 교사

smoking : never smoker

alcohol (-)

# Review of Systems

## General

| | |
|---|---|
| generalized weakness (-) | easy fatigability (-) |
| dizziness (-) | weight loss (-) |

## Skin

| | |
|---|---|
| purpura (-) | erythema (-) |

## Head / Eyes / ENT

| | |
|---|---|
| headache (-) | hearing disturbance (-) |
| dry eyes (-) | tinnitus (-) |
| rhinorrhea (-) | oral ulcer (-) |
| sore throat (-) | dizziness (-) |

## Respiratory

| | |
|---|---|
| dyspnea (-) | hemoptysis (-) |
| cough (-) | sputum (-) |

## Cardiovascular

| | |
|---|---|
| chest pain (-) | palpitation (-) |
| orthopnea (-) | dyspnea on exertion (-) |

## Gastrointestinal

| | |
|---|---|
| ⇨ See Present illness | |

## Genitourinary

| | |
|---|---|
| flank pain (-) | gross hematuria (-) |
| genital ulcer (-) | costovertebral angle tenderness (-) |

## Neurologic

| | |
|---|---|
| seizure (-) | cognitive dysfunction (-) |
| psychosis (-) | motor- sensory change (-) |

## Musculoskeletal

| | |
|---|---|
| pretibial pitting edema(-) | tingling sense (+) : both hand |
| back pain (-) | muscle pain (-) |

# Physical Examination

height 164 cm, weight 61.2kg (평소53.5 kg)

body mass index 19.9 kg/cm²

## Vital Signs

BP 134/88 mmHg - HR 80 /min - RR 18 /min - BT 36.5℃

## General Appearance

Not so ill - looking                alert

oriented to time, person, place

## Skin

skin turgor : normal                ecchymosis (-)

rash (-)                            purpura (-)

spider angioma(-)                   palmar erythema(-)

## Head / Eyes / ENT

visual field defect (-)             pinkish conjunctivae

whitish sclerae                     palpable lymph nodes (-)

## Chest

symmetric expansion without retraction    normal tactile fremitus

percussion : resonance              clear breath sound without crackle

## Heart

regular rhythm          normal hearts sounds without murmur

## Abdomen

distended abdomen                   decreased bowel sound

hepatomegaly (+)                    splenomegaly (+)

tenderness (-)                      shifting dullness (-)

## Back and extremities

flapping tremor (-)                 costovertebral angle tenderness(-)

pretibial pitting edema (-/-)

## Neurology

| | |
|---|---|
| motor weakness (-) | sensory disturbance (-) |
| gait disturbance (-) | neck stiffness (-) |

# Initial Laboratory Data

## CBC

| WBC 4~10×10³/mm³ | 7,600 | Hb (13~17 g/dl) | 14.3 |
|---|---|---|---|
| MCV (81~96 fl) | 89.2 | MCHC (32~36 %) | 34.4 |
| WBC differential count | neutrophil 38.4% lymphocyte 38.6% eosinophil 14.7% | platelet (150~350×10³/mm³) | 178 |

## Chemical & Electrolyte battery

| Ca (8.3~10 mg/dL) /P (2.5~4.5 mg/dL) | 8.9/2.3 | glucose (70~110 mg/dL) | 92 |
|---|---|---|---|
| protein (6~8 g/dL)/ albumin (3.3~5.2 g/dL) | 6.8/3.4 | aspartate aminotransferase (AST)(~40 IU/L) /alanine aminotransferase (ALT)(~40 IU/L) | 36 23 |
| alkaline phosphatase (ALP)(40~120 IU/L) | 89 | gamma-glutamyl transpeptidase (r-GT) (11~63 IU/L) | 100 |
| total bilirubin (0.2~1.2 mg/dL) | 1.6 | direct bilirubin (~0.5mg/dL) | 0.7 |
| BUN (10~26mg/dL) /Cr (0.7~1.4mg/dL) | 9/0.59 | estimated GFR (≥60ml/min/1.7m²) | 90 |
| C-reactive protein (~0.6mg/dL) | 0.19 | cholesterol | 151 |
| Na (135~145mmol/L) / K (3.5~5.5mmol/L) / Cl (98~110mmol/L) | 140/4.7/107 | total $CO_2$ (24~31mmol/L) | 23.3 |

## Coagulation battery

| | | | |
|---|---|---|---|
| prothrombin time (PT) (70~140%) | 67.9 | PT (INR) (0.8~1.3) | 1.21 |
| activated partial thromboplastin time (aPTT) (25~35 sec) | 27.0 | | |

## Urinalysis without microscopy

| | | | |
|---|---|---|---|
| specific gravity (1.005~1.03) | 1.025 | pH (4.5~8) | 5.0 |
| albumin (TR) | (-) | glucose (-) | (-) |
| ketone (-) | (-) | bilirubin (-) | (-) |
| occult blood (-) | (-) | nitrite (-) | (-) |
| Urobilinogen | (-) | | |

## Viral marker

| | |
|---|---|
| HAV IgM (-) | HAV IgG (-) |
| HBsAg (-) | HCV Ab (-) |

## Chest PA

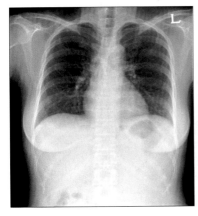 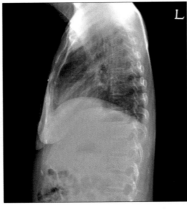

Chest PA 상 특이 소견 관찰되지 않는다.

Hepatosplenomagly 및 복강 내 복수가 관찰된다. 간 실질 내 cirrhotic nodule 관찰되지 않고 surface 역시 nodularity 소견 보이지 않아 image 상 뚜렷한 간경화 소견은 보이지 않는다.

## Outside CT

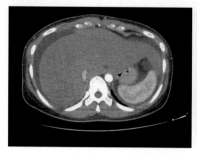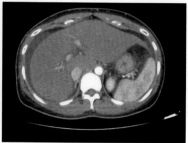

# Initial Problem List

#1. Hepatosplenomegaly

#2. Ascites

#3. Mild hyperbilirubinemia

#4. PT prolongation

#5. Both hand tingling sense and whitish color change

viral marker 약물 복용력, 음주력을 고려할 때 virus, toxic hepatitis, alcoholic liver disease 가능성은 배제하였다.
이 경우 NBNC liver cirrhosis 가능성을 생각해 볼 수 있겠고 환자의 나이와 성별을 고려하였을 때 autoimmune hepatitis 및 Wilson disease 를 의심할 수 있겠다. BMI 가 19.9 kg/cm2 로 높은 편은 아니지만 상대적으로 젊은 나이에서 갑자기 생길만한 간기능 저하의 원인으로 non alcoholic steatohepatitis 역시 생각할 수 있다.

| #1. Hepatosplenomegaly<br>#2. Ascites<br>#3. Mild hyperbilirubinemia<br>#4. PT prolongation | | |
|---|---|
| A) | Non-B, Non-C liver cirrhosis, Child-Pugh class B<br>  d/t autoimmune hepatitis<br>  d/t Wilson disease<br>  d/t non- alcoholic steatohepatitis |
| P) | Diagnostic plan〉<br>autoimmune hepatitis lab(ANA, AMA··· etc.)<br>ceruloplasmin, serum copper<br><br>Treatment plan〉<br>ascites control by diuretics |

전형적 Raynaud phenomenon은 whitish, blue, red color change가 모두 보이지만 whitish color change 만 생기는 경우도 있으며 auto immune disease에서 관찰된다.

| #5. Both hand tingling sense and whitish color change | |
|---|---|
| A) | Raynaud phenomenon |
| P) | Diagnostic plan〉<br>Rheumatoid factor, Anti-CCP Ab<br>Auto Ab including anti nuclear Ab, anti dsDNA Ab |

# Hospital day #2

#1. Hepatosplenomegaly
#2. Ascites
#3. Mild hyperbilirubinemia
#4. PT prolongation

S)   힘이 없어요

| | |
|---|---|
| Anti-Mitochondrial Ab | Negative |
| Anti-Smooth Muscle Ab | Negative |
| LKM1 Ab | Negative |

O)
| | |
|---|---|
| Ig A | 174 |
| Ig G | 1110 |
| Ig M | 155 |
| Ceruloplasmin | 32.5 |

A)   Non-B, Non-C liver cirrhosis, Child-Pugh class B

P)   ascites control by diuretics

Non-B, Non-C liver cirrhosis의 원인으로 생각했던 auto immune hepatitis 및 Wilson disease을 배제하였다.
Non alcoholic steatohepatitis 등에 의한 liver cirrhosis 가능성 생각할 수 있겠지만 확진은 liver biopsy 통해 이뤄지며 현재 상태에서 biopsy 를 하더라도 추후 치료적 계획이 크게 달라지지 않을 것이라고 판단하여 시행하지 않았다.
잠정적으로 원인이 불분명한 liver cirrhosis 라고 판단하고 symptom control 을 위해 이뇨제를 유지하기로 하였다

# Hospital day #3

#5. Raynaud phenomenon

S)   손 끝 저린 건 여전해요

O)
| | |
|---|---|
| ANA titer (serum) | <1:40 |
| RF quantitative | <10.6 |
| Anti-dsDNA | Negative |
| Anti-CCP Ab | Negative |
| Jo-1 Ab | Negative |
| Anti-U1RNP Ab | Negative |
| Anti-Sm Ab | Negative |
| Anti-SSA(Ro) | Negative |
| Anti-SSB(La) | Negative |
| Scl-70 Ab | Negative |
| MPO-ANCA | Negative |
| PR3-ANCA | Negative |

A)   Idiopathic Raynaud phenomenon

P)   Symptomatic control by NSAID

Rheumatological disease를 의심하고 시행한 auto antibody 검사에서 특이 소견은 없었다.

상기 소견을 종합하여 idipathic raynaud phenomenon 으로 판단하고 symptomatic control 하기로 하였다.

# Hospital Day #4

Social drinker 이지만 CT 상 hepatomegaly 가 두드러지며 history 상 ascites 및 기타 Lab 이상 소견을 설명할 만한 특별한 원인을 찾기 힘들어 alcoholic liver disease 로 판단하였다.

#1. Hepatosplenomegaly
#2. Ascites
#3. Mild hyperbilirubinemia
#4. PT prolongation

| | |
|---|---|
| S) | 사실 1주일에 맥주 2-3병 정도는 마셨어요.<br>복수는 점점 줄어들고 있는 것 같아요. |
| O) | Vital signs<br>BP 122/70 mmHg - HR 70 /min - RR 18 /min - BT 36.6℃<br><br>BW 61.2 kg 〉 58.25 kg |
| A) | Alcoholic liver cirrhosis |
| P) | 금주<br>ascites control by diuretics |

이후 환자는 금주하고 diuretics 복용하며 증상 호전 여부를 외래에서 관찰하기로 하였다.

## Outpatient clinic visit

#1. Hepatosplenomegaly
#2. Ascites
#3. Mild hyperbilirubinemia
#4. PT prolongation
>> Alcoholic liver cirrhosis

S) 배가 다시 부풀어 오는 거 같아요

BW 58.25 kg > 60.0 kg
CBC 4900 /mm³ - 15.8 g/dL - 182 k/mm³

Protein/Albumin 7.4/3.9 g/dL
AST/ALT 32/15 IU/L
ALP 73 IU/L, γ-GT 59 IU/L
T-bil / D-bil 3.0/1.6 mg/dL

O)

A) Hepatic infiltrative disease
P) Liver biopsy

금주하였음에도 불구하고 다시 복수가 심해졌으며 lab 상에서도 간 기능 악화소견 보여 alcoholic liver disease 로 생각하기 힘든 상황으로 liver dynamic CT 를 찍기로 하였다

Hepatomegaly와 더불어 arterial phase에서 heterogeneous 한 hepatic enhancement 보인다. amyloidosis 같은 hepatic infiltrative disease를 의심할 수 있는 소견이다

CT 상 hepatic infiltrative disease 의심소견을 보여 이에 대해 liver biopsy를 시행하기 위해 입원하였다.

# Second admission

## Hospital Day #2

#6. suspicious hepatic infiltrative disease by CT

| | |
|---|---|
| S) | 아직 복수 조절이 잘 안되서 불편해요 |
| O) | Hepatic infiltrative disease 를 확인하기 위해 trans jugular liver biopsy를 시도하였지만 Hepatic vein occlusion으로 trans jugular liver Bx 를 시행할 수 없었다. 이에 대하여 Liver Dynamic CT 를 review 하였다.<br><br>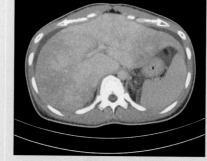<br><br>영상의학과 review<br>- middle and right hepatic vein이 delayed phase까지 opaicification 되지 않는다. Systemic collateral vessel은 없어서 hepatic vein thrombosis에 의한 Budd Chiari syndrome에 합당한 소견이다. |
| A) | Budd Chiari syndrome |
| P) | anticoagulation by warfarin<br>ascites control by diuretics |

〈Budd Chiari syndrome〉
Budd Chiari syndrome은 정의 상 hepatic venous outflow tract obstruction 에 의한 일련의 현상으로 primary Budd Chiari syndrome은 thrombosis 나 phlebitis 에 의해 생기는 primary venous disease이고 secondary Budd Chiari syndrome 은 tumor, abscess, cyst 등에 의한 compression, 또는 vessel invasion 에 의해 생긴다. 치료로는 anticoagulation (INR 2~3), thrombolysis, angioplasty, stenting and liver transplantation 등이 있다.

## Clinical course

환자는 지속적으로 외래 진료를 받으면 와파린 및 이뇨제 복용을 지속하고 있으며 이후 복수 및 황달 모두 호전 추세이다.

## Updated problem list

#1. Hepatosplenomegaly ⇨ Budd Chiari syndrome

#2. Ascites ⇨ See #1

#3. Mild hyperbilirubinemia ⇨ See #1

#4. PT prolongation ⇨ See #1

#5. Both hand tingling sense and whitish color change ⇨ Raynaud phenomenon

#6. Suspicious hepatic infiltrative disease by CT ⇨ See #1

## Lesson of the case

바이러스, 음주 등 간 질환을 일으킬 만한 병력이 없는 환자에서 갑자기 발생한 ascites 및 jaundice의 경우 Wilson's disease, auto immune hepatitis, non alcoholic steatohepatitis 등의 질병을 생각해 볼 수 있다. Budd Chiari syndrome이 liver cirrhosis의 흔한 원인은 아니지만 위의 질병들이 모두 배제되고 CT 상 hepatic venous outflow obstruction 소견이 보일 경우 Budd Chiari syndrome을 의심해 볼 수 있다

# 건강검진에서 우연히 위암이 발견된 74세 남자

## Chief Complaints

Stomach cancer discovered on a health check-up,

1 month ago

## Present Illness

평소 건강하였으며 6주 전 건강검진 목적으로 연고지 병원에서 검사한 위내시경 검사에서 위암 진단되었다. 위암의 병기 평가를 위해 복부 전산화 단층촬영 및 양전자 단층촬영 검사하였고 다발성 임파선 전이와 골 전이 의심되었다.

이에 대한 추가 검사 위해 본원 내원 하였다.

## Past History

Hepatitis/Tuberculosis/Diabetes mellitus/Hypertension (-/-/-/+)

Benign prostatic hyperplasia (6 years ago)

Herniated intervertebral disc, L3-4 s/p OP. (8 years ago)

## Family History

Hepatitis/Tuberculosis/Diabetes mellitus/Hypertension (-/-/-/-)

## Social History

Occupation: 자영업

Smoking: 75 pack-years, ex-smoker, 26년 전 금연

Alcohol: (-)

## Review of Systems

### General

| | |
|---|---|
| general weakness (-) | easy fatigability (-) |
| dizziness (-) | weight loss (-) |

### Skin

| | |
|---|---|
| purpura (-) | erythema (-) |

### Head / Eyes / ENT

| | |
|---|---|
| headache (-) | hearing disturbance (-) |
| dry eyes (-) | tinnitus (-) |
| rhinorrhea (-) | oral ulcer (-) |
| sore throat (-) | dry mouth (-) |

### Respiratory

| | |
|---|---|
| dyspnea (-) | hemoptysis (-) |
| cough (-) | sputum (-) |

### Cardiovascular

| | |
|---|---|
| chest pain (-) | palpitation (-) |
| orthopnea (-) | dyspnea on exertion (-) |

### Gastrointestinal

| | |
|---|---|
| anorexia (-) | dyspepsia (-) |
| nausea (-) | diarrhea (-) |
| vomiting (-) | abdominal pain (-) |
| dysphagia (-) | constipation (-) |
| melena (-) | bowel habit change (-) |
| hematochezia (-) | hematemesis (-) |

### Genitourinary

| | |
|---|---|
| flank pain (-) | gross hematuria (-) |
| genital ulcer (-) | urinary frequency (-) |

### Neurologic

| | |
|---|---|
| seizure (-) | cognitive dysfunction (-) |
| psychosis (-) | motor-sensory change (-) |

## Musculoskeletal

arthralgia (-)        muscle pain (-)

# Physical Examination

height 164 cm, weight 68.8 kg
body mass index 25.5 kg/m²

## Vital Signs

BP 125/80 mmHg -HR 65/min - RR 18/min - BT 37.0℃

## General Appearance

not ill looking        alert
oriented to time, person, place

## Skin

skin turgor: normal        ecchymosis (-)
rash (-)        purpura (-)

## Head / Eyes / ENT

visual field defect (-)        pinkish conjunctivae
whitish sclerae        palpable lymph nodes (-)

## Chest

symmetric expansion without retraction    clear breathing sound without crackle

## Heart

regular rhythm        normal hearts sound without murmur

## Abdomen

soft & flat abdomen        normoactive bowel sound
tenderness(-)        rebound tenderness (-)

## Musculoskeletal

pretibial pitting edema(-)        costovertebral angle tenderness(-/-)

## Neurology

| | |
|---|---|
| motor weakness (-) | sensory disturbance (-) |
| gait disturbance (-) | neck stiffness (-) |

## Initial Laboratory Data

### CBC

| WBC $4\sim10\times10^3/mm^3$ | 6,500 | Hb (13~17 g/dl) | 13.5 |
|---|---|---|---|
| WBC differential count | neutrophil 61.7% lymphocyte 26.3% monocyte 11.3% | platelet $(150\sim350\times10^3/mm^3)$ | 238 |

### Chemical & Electrolyte battery

| Ca (8.3~10 mg/dL) /P (2.5~4.5 mg/dL) | 9.2/3.5 | glucose (70~110 mg/dL) | 161 |
|---|---|---|---|
| protein (6~8 g/dL)/ albumin (3.3~5.2 g/dL) | 6.6/3.8 | aspartate aminotransferase (AST)(~40 IU/L) /alanine aminotransferase (ALT)(~40 IU/L) | 27 18 |
| alkaline phosphatase (ALP)(40~120 IU/L) | 74 | total bilirubin (0.2~1.2 mg/dL) | 0.7 |
| BUN(10~26mg/dL) /Cr (0.7~1.4mg/dL) | 10/0.78 | estimated GFR ( ≥60ml/min/1.7m²) | >90 |
| C-reactive protein (~0.6mg/dL) | 0.1 | cholesterol (~199 mg/dL) | 202 |
| Na(135~145mmol/L) / K(3.5~5.5mmol/L) / Cl(98~110mmol/L) | 140/4.3/102 | total $CO_2$ (24~31mmol/L) | 26.8 |

## Coagulation battery

| | | | |
|---|---|---|---|
| prothrombin time (PT) (70~140%) | 102.3 | PT (INR) (0.8~1.3) | 1.03 |
| activated partial thromboplastin time (aPTT) (25~35 sec) | 25.9 | | |

## Urinalysis without microscopy

| | | | |
|---|---|---|---|
| specific gravity (1.005~1.03) | 1.020 | pH (4.5~8) | .0 |
| albumin (TR) | (-) | glucose | (-) |
| ketone | (-) | bilirubin | (-) |
| occult blood | (-) | nitrite | (-) |
| RBC (0~2/HPF) | 0-2 | WBC (0~2/HPF) | 0-2 |
| squamous cell (0~2/HPF) | 0-2 | Bacteria ( /HPF) | 0 |

## Chest PA

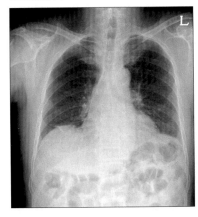 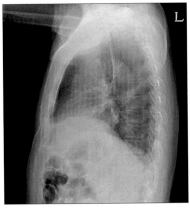

흡기가 충분히 이루어지지 않았으나 정상 chest X-ray 이다.

## Initial ECG

분당 심박수 66 회의 normal sinus rhythm이며, ST segment나 T wave의 이상은 관찰되지 않는다.

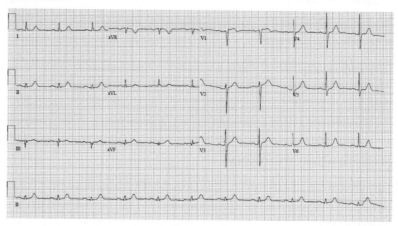

## Outside Esophagogastroduodenoscopy

1.5 cm 크기의 융기된 편평형 점막 병변이 위각 전벽에 관찰된다(화살표).

위내시경에서 조기위암 표면 함몰형 (EGC IIc, superficial depressed type) 소견 보였으며, 위 점막의 미란성 병변에서 실시한 외부 병원 조직 검사 결과 signet ring cell carcinoma로 나왔다.

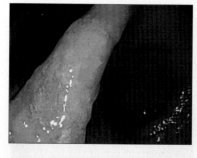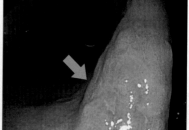

## Outside abdominal CT

내시경에서 관찰되는 위 점막의 병변은 abdominal CT에서 관찰되지 않는다. 우측 사진에서 aortocaval space에 약 2.5 cm 크기의 임파선 종대가 관찰된다(arrow).

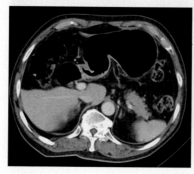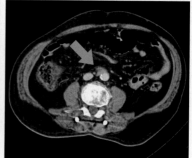

## Outside F-18 FDG PET

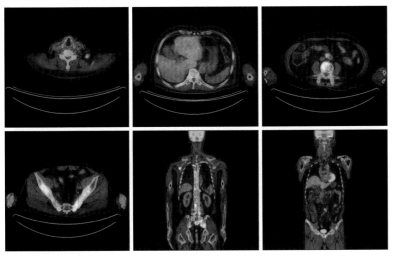

조직 검사로 확진된 위암의 병기 (TNM staging, AJCC 7th ed) 평가를 위해 Fluorine-18 FDG PET 검사를 하였다.
위에서는 악성을 시사하는 비정상적인 FDG uptake는 보이지 않으나, left supraclavicular lymph node, both paraaortic lymph nodes의 다발성 임파선 전이와 ribs, scapula, sternum, spines, sacrum, pelvic bones, both femurs의 다발성 골 전이 의심되었다.

## Initial Problem List

#1. Biopsy proven stomach cancer

#2. Left supraclavicular and aortocaval lymphadenopathy

#3. Multiple bone lesions detected on CT and PET

#4. Hypertension

#5. Benign prostatic hyperplasia (6 years ago)

#6. S/P OP. for herniated intervertebral disc, L3-4 (8 years ago)

임파선과 뼈의 전이가 동반된 진행위암 의심 상태로 근치적 수술 치료보다는 고식적 항암화학 치료가 필요할 것이라고 생각하였다.
진행위암에 대한 표적 항암화학 치료의 가능성 여부를 평가하기 위해 면역조직화학 염색 (immunohistochemistry)을 통한 종양에서의 c-erb B2 과발현 확인이 필요하였다. 외부 병원에서 위내시경 및 조직 검사를 하였으나 c-erb B2 발현을 검사할 만큼 검체가 충분치 않았기에 본원에서 추가로 위내시경 및 조직 검사를 하기로 하였다.

## Assessment and Plan

#1. Biopsy proven stomach cancer

#2. Left supraclavicular and aortocaval lymphadenopathy

#3. Multiple bone lesions detected on CT and PET

A)  Stomach cancer with multiple lymph nodes and bone metastases

Diagnostic plan〉
Esophagogastroduodenoscopy (EGD) 및 endoscopic biopsy, c-erb B2 immunohistochemistry (IHC) 검사
Bone scan

P)  Left supraclavicular lymph node (Lt. SCLN) 에 대하여 ultrasound guided biopsy

Therapeutic plan〉
Lt. SCLN biopsy 에서 malignant cell 나오면 c-erb B2 IHC 결과 확인 후 전이성 위암의 치료에 대하여 종양내과 협진

위내시경의 육안적 소견에서 조기위암으로 관찰되는 병변이 전신의 다발성 전이를 동반하는 경우는 드물기 때문에 임파선과 뼈의 병변이 위암의 전이성 병변 외에 동시에 발생한 다른 조직 기원 악성 종양의 전이 가능성도 배제할 수 없어 뼈 스캔과 임파선 조직 검사를 계획하였다.

# Hospital day #1-4

#1. Biopsy proven stomach cancer
#2. Left supraclavicular and aortocaval lymphadenopathy
#3. Multiple bone lesions detected on CT and PET

S) 불편한 것 없어요

재시행한 위내시경의 육안적 소견은
조기위암에 합당하였다.

Esophagogastroduodenoscopy

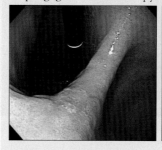 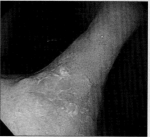

Bone scan

뼈 스캔 결과 right Ilium의
osteoblastic activity를 동반한 뼈
전이가 관찰되었으나, CT와 PET에서
관찰되는 다발성 뼈 전이 소견은 관찰
되지 않는다.
뼈 스캔은 osteoblast의 활동을 영상
화하기 때문에 osteoblastic lesion을
평가하는 데 예민하나, osteolytic
lesion을 평가하는 데는 제한이 있다.

O)

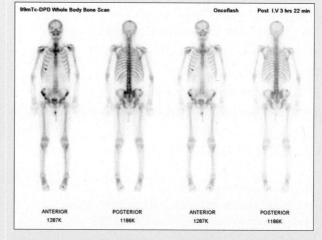

Left supraclavicular lymph node (needle biopsy)

Left supraclavicular lymph node에
서 needle biopsy를 하였다. 오른쪽
사진에서 needle biopsy의 targeting
이 잘 되었음을 알 수 있다 (arrow).
조직 검사 결과 malignant cell은 관찰
되지 않았다.

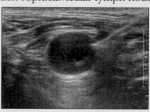 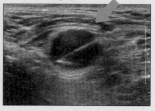

- Lymphoid tissue with negative malignancy

Oncology opinion

Bone lesion들은 prostate cancer의 bone metastasis를 감별해야 하겠습니다. Prostate cancer 병발되어 있는지 비뇨기과에 확인하시는 것이 좋겠습니다. 자문 판독 조직 검사 또는 본원 조직 검사 재시행하여 c-erb B2 immunohistochemistry 시행 부탁드립니다. PSA 등 tumor marker도 확인하시는 것이 좋겠습니다. Prostate cancer 없는 것으로 확인되면 위암에 대해 항암화학 치료 고려하겠습니다.

A) Stomach cancer with bone metastases and suspicious lymph node metastases

P) 전립선 암 유무 확인 위해 PSA 측정 및 비뇨기과 의뢰
전립선 암이 없는 것으로 확인되면 종양내과로 전과하여 항암화학 치료 고려
c-erb B2 검사 시행

임파선 조직 검사에서 malignant cell이 관찰되지 않았으나 뼈 스캔에서 osteoblastic activity를 동반한 뼈 전이가 관찰되었고, 위내시경에서 관찰되는 조기위암에서 원격 전이를 동반한 경우가 드문 점, 그리고 고령의 남성 등을 고려하였을 때 전립선 암의 병발 가능성 배제가 필요하였다.

## Hospital day #5

#1 Biopsy proven stomach cancer
#2 Left supraclavicular and aortocaval lymphadenopathy
#3 Multiple bone lesions detected on CT and PET

| CEA | 2.4 (0-6 ng/mL) | CA 72-4 | 1.5 (0-37 U/mL) |
| CA-19-9 | 2.9 (0-37 U/mL) | PSA | 0.37 (0-3 ng/mL) |

O) Urology opinion

Prostate cancer의 bone metastasis로 보기에는 PSA 수치가 너무 낮습니다. Prostate cancer 의 bone metastasis 가능성은 낮을 것으로 보입니다.

A) Stomach cancer with bone metastasis and suspicious lymph node metastasis
Prostate cancer with bone metastasis, less likely

P) Diagnostic plan〉
CT-guided bone biopsy to right iliac bone lesion
Therapeutic plan〉
Bone biopsy 결과 확인 후 stomach cancer 전이로 나오면 고식적 항암화학 치료 고려

환자의 혈청 전립선 특이항원 (prostate specific antigen) 수치는 정상으로 나왔다.

원격 전이를 동반한 진행위암으로 진단하고 고식적 항암화학 치료를 시작할 수 있었으나, 내시경상 조기위암의 육안적 소견을 보이며 이 경우 원격 전이를 갖는 경우가 드물었기 때문에 다시 한번 뼈 전이에 대한 원인 평가로 조직 검사를 하기로 하였다.

## Hospital day #8

#1. Biopsy proven stomach cancer
#2. Left supraclavicular and aortocaval lymphadenopathy
#3. Multiple bone lesions detected on CT and PET

Right iliac bone에서 bone biopsy 하였으나 malignant cell 은 관찰되지 않았다.

두 차례에 걸친 임파선과 뼈 병변의 조직 검사 결과 malignant cell 관찰되지 않았고, 진행위암의 임상양상과 일치하지 않는 점 등으로 위, 임파선, 뼈 병변에 대하여 재평가 하기로 하였다. 외부 병원에서 abdominal CT 검사 후 6주가 지나 시간에 따른 병변의 차이를 평가하고자 abdomino-pelvic CT를, 뼈 병변 평가 위해 whole spine MRI를 시행하기로 했다.

| | 두번이나 조직검사 했는데 아무것도 안 나왔네요 |
| --- | --- |
| O) | Right iliac bone biopsy<br>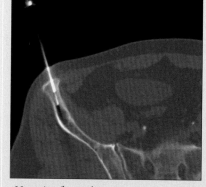<br>- Negative for malignancy |
| P) | Gastric cancer 및 metastatic LN, bone lesion 재평가<br>⇨ APCT, whole spine MR 검사<br>Prostate cancer 가능성 고려하여 prostate random biopsy 시행 |

# Hospital day #11

#1 Biopsy proven stomach cancer
#2 Left supraclavicular and aortocaval lymphadenopathy
#3 Multiple bone lesions detected on CT and PET

S) 정확한 진단이 궁금해요.
위암은 수술할 수 있는 건가요?

전립선 암의 가능성은 낮지만 뼈 병변
에 대한 모든 가능성을 고려하여
prostate random biopsy를 하였으나
malignant cell은 관찰되지 않았다.

O) Abdominal and pelvis CT

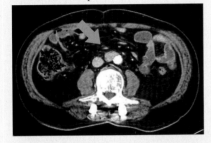

6주 전 검사한 CT에서 관찰되었던
aortocaval space의 임파선 종대는
크기 차이 없이 관찰되었다(arrow).
6주 전 CT와 비교하여 이외의 변화는
없었다.

Whole spine MRI

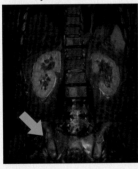
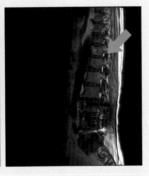

Whole spine MRI에서 whole spine
과 both pelvic bones 등에
heterogeneous signal intensity가
관찰된다(arrow). 혈액 종양
(lymphoma, multiple myeloma,
leukemia)이나 골수 질환, 활발히
조혈중인 골수에서 관찰될 수 있다.

A) Stomach cancer with bone metastases and suspicious lymph node metastases
Double primary cancer
- EGC and hematologic malignancy (such as lymphoma, multiple myeloma, leukemia)
- EGC and metastasis of unknown origin

P) Diagnostic plan
Peripheral blood cell morphology 확인
Serum protein electrophoresis and immunoelectrophoresis 검사
$\beta$2-microglobulin, LDH 측정

# Hospital day #13

혈액 종양에 대한 혈액검사 결과 leukemia, multiple myeloma는 배제 할 수 있었다.

조직 검사로 확진된 위암은 위내시경 에서 육안적으로 조기위암 소견이며, CT에서 위 주변의 관찰되는 병변은 없었다. 조기위암에서 뼈 전이를 동반 하는 경우는 드물기 때문에 임파선과 뼈 병변은 조기위암과 상관없는 병변 으로 판단하였다.

조기위암은 국소 병변으로 수술 가능 할 것으로 보았다. 임파선과 뼈 병변은 원인이 명확하지 않고, 악성 여부가 감별되지 않아 2개월 간격으로 정기 추적 검사하면서 향후 치료 방향 결정하기로 하였다.

#1. Biopsy proven stomach cancer
#2. Left supraclavicular and aortocaval lymphadenopathy
#3. Multiple bone lesions detected on CT and PET

| | |
|---|---|
| O) | Peripheral blood cell morphology : poikilocytosis, relative monocytosis<br>Serum PEP/IEP : no diagnostic abnormality<br>$\beta$2-microglobulin  2.1 (1-2.4 ug/mL),  LDH 326 IU/L |
| A) | Early gastric cancer IIc on angle-anterior wall of stomach<br>Stomach cancer with multiple lymph node and bone metastases, less likely<br>Multiple bone lesions and lymphadenopathy<br>  - Multiple myeloma and leukemia, less likely<br>  - Lymphoma with extranodal involvement (bone), less likely |
| P) | EGC로 판단되는 stomach cancer는 localized disease 가능성 큼<br>⇨ 수술치료 문의<br>Bone lesion이 악성인지 아닌지 감별 불가능한 상태로 stomach cancer의 bone<br>metastasis 가능성 매우 낮을 것으로 보임<br>⇨ 2개월 간격으로 추적검사 하면서 치료방향 결정<br>뼈만 침범하는 lymphoma는 임상적으로 가능성 낮음<br>⇨ 임상정보 제공하여 모든 조직검사 review 문의 |

# Hospital day #14

외부 병원 및 본원에서 검사한 내시경 검사, CT, PET, MRI 등을 포함한 모든 검사 결과를 재검토 한 뒤 병리과에 임상정보를 제공하였고, malignant cell이 관찰되지 않았던 조직 검사에 대하여 lymphoma를 포함한 악성 종양 가능성에 대하여 판독 문의하였다.
Left supraclavicular lymph node에서 시행한 조직검사 재 판독 결과 follicular lymphoma로 나왔다.

#1. Biopsy proven stomach cancer
#2. Left supraclavicular and aortocaval lymphadenopathy
#3. Multiple bone lesions detected on CT and PET

| | |
|---|---|
| O) | Left supraclavicular lymph node (needle biopsy)<br>  - Lymphoid tissue with negative malignancy<br>Addendum report<br>  - Revised diagnosis is made by request of clinician<br>  - Follicular lymphoma grade 1 or 2 of 3, low grade with no diffuse area |

## Updated Problem List

#1. Biopsy proven stomach cancer ⇨ EGC

#2. Lt. supraclavicular and aortocaval lymphadenopathy ⇨ Folllicular lymphoma, low grade

#3. Multiple bone lesion detected on CT and PET ⇨ See #2

#4. Hypertension

#5. Benign prostatic hyperplasia (6 years ago)

#6. S/P OP. for herniated intervertebral disc, L3-4 (8 years ago)

## Clinical course

조기위암에 대하여 복강경하 원위부 위절제술(laparoscopic distal gastrectomy) 하였고, 병리 조직 검사 결과 조기위암 표면 평편형(EGC IIb, flat type)과 표면 함몰형(EGC IIc, superficial depressed type)의 혼합형으로 나왔다.

림프종의 병기 확인 위한 추가 검사 후 여포성 림프종(follicular lymphoma), grade 1 또는 2, stage 4로 진단하였다. 이 경우 완치되지는 않으나 질병의 진행이 완만하여 감시 대기(watchful waiting) 하는 것을 치료 방법 중 하나로 선택할 수 있으며, 여포성 림프종 관련하여 환자의 증상이 없으며 Eastern Cooperative Oncology Group Performance Status 1으로 전신 상태 양호하여 외래 추적 검사 하며 감시 대기 하기로 하였다.

## Lesson of the case

위암의 뼈 전이는 흔치 않으며, osteoblastic lesion을 동반하는 경우 또한 드물다. 조기위암의 경우 처음 진단 시 뼈 전이가 함께 진단된 경우는 매우 드물다. 본 증례에서는 위내시경에서 조기위암의 육안적 소견을 보이며, 조직 검사로 확진된 위암에 동반된 임파선과 다발성 뼈 병변을 가진 환자에서 반복적인 조직 검사와 병리 조직 검사 재 검토를 통하여 조기위암 및 여포성 림프종을 최종 진단 하였다. 임파선과 뼈 병변을 위암의 전이성 병변으로 진단하고 고식적 항암화학 치료를 하였다면 위암의 근치적 치료 시기를 놓쳤을 수 있었을 것이다. 하지만, 진단에 대한 임상 의사의 의심과 이를 해결하고자 하는 노력으로 올바른 진단과 치료를 할 수 있었다. 일반적인 임상 양상을 보이지 않거나 진단이 명확하지 않은 경우 임상 의사는 진단에 대한 의심 가지고 올바른 진단을 위해 노력해야 하겠다.

# 1일 전 시작된 복통으로 내원한 62세 남자

## Chief Complaints

Abdominal pain, started 1 day ago

## Present Illness

5년 전 1년 동안 3차례 급성 췌장염이 반복되어 ○○병원에서 incomplete pancreas divisum 진단받았다. Endoscopic sphincterotomy (EST) of major papilla 시행받았으나 호전되지 않았다.

4년 전부터 본원 소화기내과 진료 시작하여 minor papilla에 EST 시행 후 3개월 간격으로 endoscopic retrograde pancreatic drainage (ERPD) 교체하며 경과 관찰하였다.

1년 4개월 전 endoscopic retrograde cholangiopancreatography (ERCP) 시행하였을 때 main pancreatic duct stricture가 이전보다 다소 호전된 상태로 ERPD 제거하였다.

이후 특별한 증상 없이 지내다가 1일 전부터 배 전체가 먹먹하게 아프기 시작하여, 2시간 간격으로 호전/악화를 반복하면서 점점 심해졌다. 움직일 때와 똑바로 누울 때 악화되는 양상으로 5시간 전 죽 먹은 뒤 더 심해졌다. 3시간 전 구토까지 동반되었으나 발열, 오한, 설사는 동반되지 않았다.

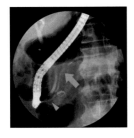

〈ERCP 사진〉
5년 전 ○○병원에서 시행한 ERCP에서 major papilla를 통해 pancreaticogram을 얻었을 때 accessory pancreatic duct (arrow head)와 main pancreatic duct (arrow)가 각각 확인되며 small branch로 연결되어 한번에 조영되므로 incomplete pancreatic divisum에 합당하다.

〈ERCP 사진〉
4년 전 본원에서 minor papilla에 endoscopic sphincterotomy 후 ERPD를 삽입하였다.

Pancreas는 정상적으로 발생과정에서 ventral portion인 head가 rotation을 한 뒤에 ventral portion인 body, tail 과 합쳐진다. 이때 ventral duct (duct of Wirsung)와 dorsal duct (duct of Santorini)가 하나로 연결되어 main pancreatic duct를 형성해야 한다. Ventral duct와 dorsal duct가 합쳐지지 않은 것이 pancreatic divisum이며 두 duct가 완전히 분리된 것이 complete, small branch에 의한 연결이 존재하는 것이 incomplete type이다.

Normal          Pancreatic
                divisum

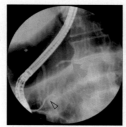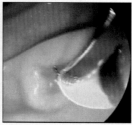

## Past History

s/p appendectomy (약 40년 전)

s/p laparoscopic cholecystectomy d/t acute calculous cholecystitis (9년 전)

Hypertension on losartan/hydrochlorothiazide (5년 전)

Rt. bundle branch block (4년 전)

Diabetes mellitus on metformin (2년 전)

Incomplete pancreatic divisum with recurrent pancreatitis

    s/p EST of major papilla (5년 전)

    s/p EST of minor papilla with ERPD (4년 전)

## Family History

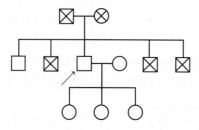

3형제가 폐암으로 사망하였으나 췌장염이나 췌장암의 가족력은 없다.

## Social History

자영업

소주 3병 씩 1-2회/주 × 20년, 4년 전 금주

40 pack years ex-smoker로 13년 전 금연

## Review of Systems

### General

generalized edema (-)        easy fatigability (-)

dizziness (-)                weight loss (-)

### Head / Eyes / ENT

headache (-)

visual disturbance (-)       hearing disturbance (-)

rhinorrhea (-)               sore throat (-)

### Respiratory

cough (-)                    sputum (-)

hemoptysis (-)               dyspnea (-)

### Cardiovascular

chest pain (-)               palpitation (-)

orthopnea (-)

### Gastrointestinal → see present illness

### Genitourinary

flank pain (-)               gross hematuria (-)

frequency (-)                dysuria (-)

### Neurology

seizure (-)                  cognitive dysfunction (-)

psychosis (-)                motor-sensory change (-)

### Musculoskeletal

arthralgia (-)               tingling sense (-)

back pain (-)                myalgia (-)

## Physical Examination

height 178 cm, weight 74 kg, body mass index 23.4 kg/m²

### Vital Signs

BP 116/75 mmHg - HR 59/min - RR 20/min - BT 36.2℃

### General Appearance

| | |
|---|---|
| acutely ill looking | alert |
| oriented to time, place, and person | |

### Skin

| | |
|---|---|
| skin turgor: normal | ecchymosis (-) |
| rash (-) | purpura (-) |

### Head / Eyes / ENT

| | |
|---|---|
| whitish sclerae | pinkish conjunctivae |
| neck vein engorgement (-) | palpable lymph nodes (-) |

### Chest

| |
|---|
| symmetric expansion without retraction |
| normal tactile fremitus |
| percussion: resonance |
| clear breath sounds without crackles or wheezing on whole thorax |

### Heart

| |
|---|
| regular rhythm |
| normal heart sounds without murmur |

### Abdomen

| | |
|---|---|
| soft & flat abdomen | normoactive bowel sound |
| epigastric tenderness (+) | rebound tenderness (-) |

### Neurology

| | |
|---|---|
| motor weakness (-) | sensory disturbance (-) |
| gait disturbance (-) | neck stiffness (-) |

## Initial Laboratory Data

### CBC

| WBC $4{\sim}10\times10^3/mm^3$ | 10,100 | Hb (13~17 g/dl) | 14.8 |
|---|---|---|---|
| WBC differential count | neutrophil 88.6%<br>lymphocyte 4.4%<br>monocyte 3.4% | platelet $(150{\sim}350\times10^3/mm^3)$ | 139 |

### Chemical & Electrolyte battery

| Ca (8.3~10 mg/dL) /P (2.5~4.5 mg/dL) | 8.2/3.3 | glucose (70~110 mg/dL) | 164 |
|---|---|---|---|
| protein (6~8 g/dL)/ albumin (3.3~5.2 g/dL) | 6.7/4.2 | aspartate aminotransferase (AST)(~40 IU/L) /alanine aminotransferase (ALT)(~40 IU/L) | 18<br><br>13 |
| alkaline phosphatase (ALP)(40~120 IU/L) | 84 | gamma-glutamyl transpeptidase (r-GT) (11~63 IU/L) | 12 |
| total bilirubin (0.2~1.2 mg/dL) | 0.8 | amylase (30~110 IU/L) lipase (22~51 IU/L) | 106/120 |
| BUN(10~26mg/dL) /Cr (0.7~1.4mg/dL) | 11/0.83 | | |
| C-reactive protein (~0.6mg/dL) | 0.68 | | |
| Na(135~145mmol/L) / K(3.5~5.5mmol/L) / Cl(98~110mmol/L) | 139/3.8/100 | total $CO_2$ (24~31mmol/L) | 25.6 |

### Coagulation battery

| prothrombin time (PT) (70~140%) | 110.0 | PT (INR) (0.8~1.3) | 0.95 |
|---|---|---|---|
| activated partial thromboplastin time (aPTT) (25~35 sec) | 40.2 | | |

## Urinalysis without microscopy

| specific gravity (1.005~1.03) | 1.020 | pH (4.5~8) | 6.0 |
|---|---|---|---|
| albumin (TR) | (-) | glucose (-) | (++) |
| ketone (-) | (++) | bilirubin (-) | (+) |
| occult blood (-) | (-) | nitrite (-) | (-) |

## Chest X-ray

입원 시 시행한 흉부 X-ray는 정상 소견이다.

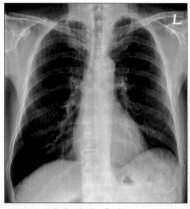

〈지난 입원 당시〉　　　〈이번 입원 시〉

## EKG

V1에서 rsR', lead I, V6에서 wide S를 보이는 RBBB에 합당한 소견이다.

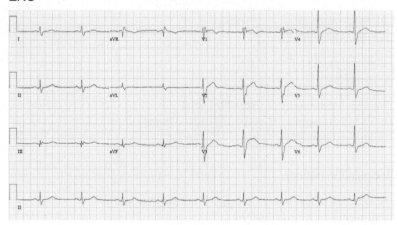

## Initial Problem List

#1. s/p appendectomy

#2. s/p laparoscopic cholecystectomy

      d/t acute calculous cholecystitis

#3. Hypertension

#4. Incomplete pancreatic divisum with recurrent pancreatitis

#5. Rt. bundle branch block

#6. Diabetes mellitus

#7. Abdominal pain with vomiting, lipase elevation

## Initial Assessment and Plan

#4. Incomplete pancreatic divisum with recurrent pancreatitis

#7. Abdominal pain with vomiting, lipase elevation

    A)    Incomplete pancreatic divisum with recurrent pancreatitis

        Diagnostic plan

            Dynamic pancreas CT

    P)

        Therapeutic plan

            NPO

            Pain control with pethidine

# Hospital day #2

#4. Incomplete pancreatic divisum with recurrent pancreatitis
#7. Abdominal pain with vomiting, lipase elevation

| S) | 금식하고 나서 배는 안 아파요. |
|---|---|
| O) | Lab  CBC  WBC 7,300/uL  Hb 12.7 g/dL  Platelet 115,000/uL  Amylase/lipase 64/83 IU/L<br><br>Dynamic pancreas CT<br><br>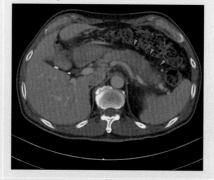 |
| A) | Incomplete pancreatic divisum with recurrent pancreatitis |
| P) | ERCP |

〈Dynamic pancreas CT〉
Pancreas의 body, tail 부위 (arrow heads)가 주로 swelling 되어 있으며 peripancreatic infiltration, fluid collection이 동반되어 acute pancreatitis에 합당한 소견이다.

Incomplete pancreatic divisum 에서는 main pancreatic duct가 좁은 minor papilla로 개구하기 때문에 relative obstruction으로 인한 pancreatitis 가 발생하였을 가능성이 높아 minor papilla stenting을 위해 ERCP를 시행하기로 하였다.

# Hospital day #3

New #8. Prominent minor papilla

| O) | ERCP<br><br>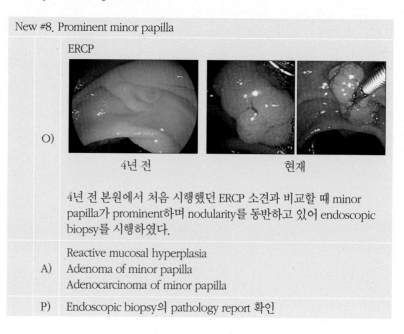<br>4년 전     현재<br><br>4년 전 본원에서 처음 시행했던 ERCP 소견과 비교할 때 minor papilla가 prominent하며 nodularity를 동반하고 있어 endoscopic biopsy를 시행하였다. |
|---|---|
| A) | Reactive mucosal hyperplasia<br>Adenoma of minor papilla<br>Adenocarcinoma of minor papilla |
| P) | Endoscopic biopsy의 pathology report 확인 |

#9. Soft tissue growing into pancreatic duct

ERCP

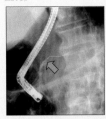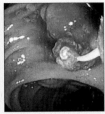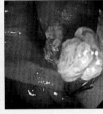

Minor papilla를 통해 pancreaticogram을 얻었을 때 lumen 내로 filling defect(white arrow)가 관찰되었다. Balloon sweeping 시 papillary soft tissue가 배출되어 조직을 회수하였다.

O)

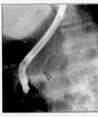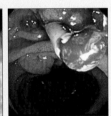

Minor papilla를 통해 ERPD(white arrow head)를 삽입하였을 때 balloon sweeping 하였을 때 밀려나왔던 것과 유사한 papillary soft tissue가 ERPD를 통해 배출되었다.

A) Intraductal papillary neoplasm

P) 회수한 soft tissue의 pathology report 확인

# Hospital day #4

Tubular adenoma로 확인되었으나 biopsy 되지 않은 부위에서 일부 malignant transformation 동반하였을 가능성을 배제할 수 없어 adenocarcinoma of minor papilla도 여전히 assessment에 포함되어 있다.

#8. Prominent minor papilla

| | |
|---|---|
| O) | Pathology report<br>Endoscopic biopsy of minor papilla: tubular adenoma |
| A) | Tubular adenoma of minor papilla<br>Adenocarcinoma of minor papilla |
| P) | Endoscopic minor papillectomy |

#9. Soft tissue growing into pancreatic duct

| | |
|---|---|
| O) | Pathology report<br>Soft tissue: papillary neoplasm with low or intermediate grade<br>intraepithelial neoplasia |
| A) | Intraductal papillary neoplasm |
| P) | 우선 endoscopic minor papillectomy 후<br>minor papilla 병변에서 malignancy가 확인될 경우 함께 수술, minor papilla 병변에서 malignancy가 배제된다면 intraductal papillary neoplasm의 malignancy 가능성에 대해 재평가하기 위해 ERCP를 재시행 |

# Hospital day #8-10

#8. Prominent minor papilla

Endoscopic minor papillectomy

O)

ERPD가 삽입되어 있는 minor papilla를 endoscopic mucosal resection 하여 제거함. 생검겸자로 bed의 remnant soft tissue들을 모두 제거한 뒤 argon plasma coagulation까지 시행하였다.

Pathology of minor papilla

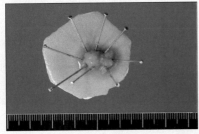

Gross

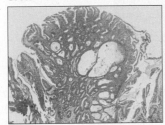

H&E stain, x40          H&E stain, x100

Minor papillectomy speciemen이 indeterminate resection margin을 보여 intraductal growing 하였을 가능성을 배제할 수 없으며, pancreatic duct내로 growing 하는 soft tissue의 malignancy가능성에 대해서도 재평가가 필요하여 ERCP를 다시 시행하기로 하였다.

- Tubulovillous adenoma with focal high grade dysplasia
- Indeterminate resection margin.

Tubulovillous adenoma with focal high grade dysplasia
A)    of minor papilla
         S/P endoscopic minor papillectomy

P)    Repeat ERCP

# Hospital day #11-12

#9. Soft tissue growing into pancreatic duct

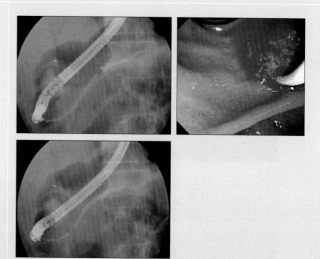

O) Minor papilla를 통하여 pancreaticogram을 얻었을 때 main pancreatic duct lumen벽은 비교적 매끈하게 보이나 balloon sweeping 했을 때 또 papillary soft tissue가 다량 배출되었다.

Pathology of soft tissue growing into pancreatic duct

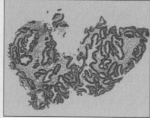

H&E stain, x40                    H&E stain, x400

Intraductal tubulopapillary neoplasm with intermediate grade dysplasia.

High grade dysplasia, malignancy 가 동반되었을 가능성을 배제할 수 없고, balloon sweeping 만으로는 완전히 제거할 수 없어 surgical resection 하기로 하였다.

| A) | Pancreatic intraductal tubulopapillary neoplasm with intermediate grade dysplasia |
| P) | Surgical resection을 계획하고 퇴원. |

## Clinical course

Pylorus preserving pancreaticoduodenectomy를 계획하고 수술을 시작하였고 통상적으로는 superior mesenteric vein 좌측연을 경계로 pancreas head, body 일부분의 partial pancreatectomy를 시행하게 된다. Partial pancreatectomy를 시행했을 때 resection margin frozen biopsy에서 intraductal papillary mucinous neoplasm이 보여 추가 절제를 반복하였으나 여전히 resection margin에 intraductal papillary mucinous neoplasm이 보여 결국 total pancreatectomy를 시행하게 되었다.

수술 후 total pancreatectomy speciemen에서 intraductal papillary mucinous neoplasm associated focal invasive carcinoma로 확진되었다. 병기는 I A (pT1N0 cM0)이나 lymphovascular invasion을 동반하고 있어 adjuvant chemotherapy로 gemcitabine 단독요법 6주기 시행 후 13개월 째 재발의 증거는 없는 상태이다.

## Updated problem list

#1. s/p appendectomy

#2. s/p laparoscopic cholecystectomy

     d/t acute calculous cholecystitis

#3. Hypertension

#4. Incomplete pancreatic divisum with recurrent pancreatitis

#5. Rt. bundle branch block

#6. Diabetes mellitus

#7. Abdominal pain with vomiting, lipase elevation → See #4

#8. Prominent minor papilla

     S/P endoscopic minor papillectomy

     → Tubulovillous adenoma with focal high grade dysplasia

#9. Soft tissue growing into pancreatic duct

     → intradunctal papillary mucinous neoplasm associated with focal invasive carcinoma, stage IA

     → s/p total pancreatectomy and ajuvant chemotherapy

## Lesson of the case

Chronic pancreatitis의 원인은 크게 toxic, idiopathic, genetic, autoimmune, recurrent and severe acute pancreatitis, obstructive의 6가지로 분류할 수 있으며 이들의 앞 글자를 따서 TIGAR-O etiologic classification으로 부른다. 이 중 obstructive pancreatitis를 일으킬 수 있는 원인으로 pancreas divisum이 있다는 것을 염두에 두어야 한다.

또한 chronic pancreatitis 환자에서는 hidden malignancy 가능성을 항상 고려해야 하는데 malignancy 가능성을 낮게 평가하면 절제 가능한 시기를 놓칠 수 있어 주의가 필요하다. 본 증례의 경우 hidden malignancy의 가능성을 염두에 두고 반복적인 ERCP 및 조직검사를 통해 초기에 췌장암을 진단할 수 있었다.

전신 피부발진 및
열감으로 내원한
52세 남자

## Chief Complaints

Oral mucosa bullous lesion, started 2 months ago

## Present Illness

2 개월 전 양쪽 볼 주변으로 구내염 발생하였고 심한 통증 동반되었다. OO 병원 이비인후과 방문하여 cefaclor, loxoprofen, methylprednisolone, levosulpride 처방 받아 복용하였으나 구강 병변의 일시적인 호전 외에 통증 및 구내염 증상은 지속되었다.

내원 2 주 전부터는 구강점막이 심하게 벗겨지기 시작하면서 통증 더 심해졌다. 기존에 OO 병원에서 처방 받은 약물은 유지하면서 tramadol 및 acetaminophen 추가 처방 받아 복용하였으나 호전없었다.

내원 10 일 전부터는 양 눈의 충혈 증상 발생하였고, 7 일 전부터는 열감, 오한 동반되었다. 구내염 및 양 눈 충혈은 점점 심해졌으며 3~4 일 전부터 발진이 몸통부터 시작하여 양측 팔다리, 손발바닥까지 퍼지기 시작하였다.

3일전 ⊿⊿ 병원 이비인후과에서 구강 내 점막 조직검사 시행하였고 결과 나오지 않은 상태에서 상기 증상들이 호전되지 않고 점점 악화되어 본원 응급실 내원하였다.

## Past History

diabetes (-)
hypertension (-)
hepatitis (-)
tuberculosis (-)

## Family History

diabetes (-)

hypertension (-)

hepatitis (-)

tuberculosis (-)

malignancy (-)

## Social History

occupation: 회사원

smoking: never smoker

alcohol (+): 30년간 소주 5병/주, 2달 전 금주

## Review of Systems

### General

| | |
|---|---|
| generalized edema (-) | weight loss (-) |
| febrile sense (-) | chills (+) |

### Skin

| | |
|---|---|
| See present illness | |

### Head / Eyes / ENT

| | |
|---|---|
| headache (-) | hearing disturbance (-) |
| rhinorrhea (-) | tinnitus (-) |
| hoarseness (+) | voice change (+) |
| sore throat (+) | |

### Respiratory

| | |
|---|---|
| dyspnea (-) | hemoptysis (-) |
| cough (-) | sputum (-) |

### Cardiovascular

| | |
|---|---|
| chest pain (-) | palpitation (-) |
| orthopnea (-) | Raynauyd's phemomenon (-) |

## Gastrointestinal

anorexia (-)                    Odynophagia (+)

nausea (-)                      vomiting (-)

diarrhea (-)                    abdominal pain (-)

## Genitourinary

flank pain (-)                  gross hematuria (-)

## Neurology

seizure (-)                     cognitive dysfunction (-)

psychosis (-)                   motor-sensory change (-)

## Musculoskeletal

arthralgia (-)                  muscle pain (-)

back pain (-)                   myalgia (-)


# Physical Examination

height 174.0 cm, weight 61.0 kg, body mass index 20.1 kg/m²

## Vital Signs

BP 100/57 mmHg - HR 107 회/min - RR 20 회/min - BT 37.5℃

## General Appearance

acutely ill looking             alert

oriented to time, place, and person

## Skin

skin turgor: normal

## Head / Eyes / ENT

conjunctival injection (+)      oral ~ laryngeal ulcer (+)

whitish sclerae                 palpable lymph nodes (-)

## Chest

symmetric expansion without retraction   normal tactile fremitus

percussion: resonance           crackle /wheezing (-/-)

## Heart

| regular rhythm | normal hearts sound without murmur |
|---|---|

## Abdomen

| soft & flat abdomen | normoactive bowel sound |
|---|---|
| tenderness (-) | rebound tenderness (-) |

## Genitalia

| genital skin exfoliation (+) | genital ulcer (-) |
|---|---|

## Neurology

| motor weakness (-) | sensory disturbance (-) |
|---|---|
| gait disturbance (-) | neck stiffness (-) |

## Medical photographs on admission

입술에 수포가 있던 자리에 crust가 앉은 상태이다. Larynx, vocal cord, epiglottis, oral cavity에 ulcer 및 exudate 가 관찰된다. Conjunctival injection을 보이며 손/발바닥 및 몸통에 irregular rash 가 보인다. Glans penis 또한 exfoliation 되어 있다.

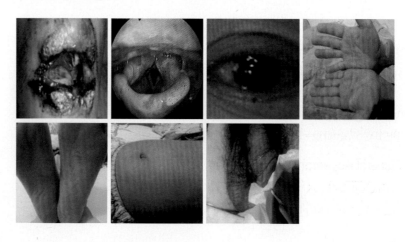

## Initial Laboratory Data

### CBC

| WBC 4~10×10³/mm³ | 4,300 | | Hb (13~17 g/dl) | 13.9 |
|---|---|---|---|---|
| WBC differential count | neutrophil<br>lymphocyte<br>eosinophil | 57.7<br>20.9<br>3.1 | platelet (150~350×10³/mm³) | 346 |

## Chemical & Electrolyte battery

| | | | |
|---|---|---|---|
| Ca (8.3~10 mg/dL) /P (2.5~4.5 mg/dL) | 8.6/3.4 | glucose (70~110 mg/dL) | 109 |
| protein (6~8 g/dL)/ albumin (3.3~5.2 g/dL) | 7.2/3.1 | aspartate aminotransferase (AST)(~40 IU/L) | 22 |
| | | /alanine aminotransferase (ALT)(~40 IU/L) | 21 |
| alkaline phosphatase (ALP)(40~120 IU/L) | 48 | total bilirubin (0.2~1.2 mg/dL) | 1.2 |
| BUN(10~26mg/dL) /Cr (0.7~1.4mg/dL) | 14/0.95 | estimated GFR ( $\geq$60ml/min/1.7m$^2$) | 84 |
| C-reactive protein (~0.6 mg/dL) | 14.46 | Cholesterol (~199 mg/dL) | 135 |
| Na(135~145mmol/L) / K(3.5~5.5mmol/L) / Cl(98~110mmol/L) | 137/4.2/102 | total CO$_2$ (24~31mmol/L) | 22.7 |

## Coagulation battery

| | | | |
|---|---|---|---|
| prothrombin time (PT) (70~140%) | 78.6 | PT (INR) (0.8~1.3) | 1.12 |
| activated partial thromboplastin time (aPTT) (25~35 sec) | 31.1 | | |

## Urinalysis without microscopy

| | | | |
|---|---|---|---|
| specific gravity (1.005~1.03) | 1.015 | pH (4.5~8) | 5.0 |
| albumin (TR) | TR | glucose (-) | (-) |
| ketone (-) | TR | bilirubin (-) | (-) |
| occult blood (-) | (-) | nitrite (-) | (-) |
| WBC (stick) | (-) | WBC (0~2/HPF) | NA |
| RBC (0~2 /HPF) | NA | | |

## Chest X-ray

| 정상 흉부 x-ray 소견이다.

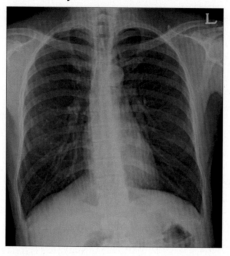

## EKG

| HR 90회/min 의 정상 EKG 이다.

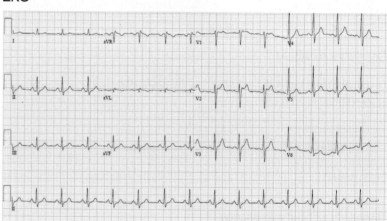

## Initial Problem List

#1. Mucous ulcerative lesion (oral cavity ~ larynx)

#2. Conjunctivitis, both eyes

#3. Fever with chilling sense

#4. Maculopapular skin rash with bullous change and exfoliation

## Initial assessment and Plan

#1. Mucous ulcerative lesion (oral cavity ~ larynx)

#2. Conjunctivitis, both eyes

#3. Fever with chilling sense

#4. Maculopapular skin rash with bullous change and exfoliation

A)
Stevens Johnson syndrome, d/t infection
                (virus, mycoplasma, etc.)
        d/t drug
            (NSAIDs, cephalosporin, etc.)
Other primary infection with mucocutaneous manifestation
(S. aureus infection , Viral infection - Herpes simplex virus, Epstein barr virus, etc.)
Behcet's disease

Diagnostic plan
: Skin biopsy, blood culture, throat swab culture
HSV PCR(blood, biopsy tissue), EBV PCR(blood, biopsy tissue)
Mycoplasma pneumonia antibody/PCR
CMV antigenemia assay
Review previous oral mucosa biopsy
Autoimmune marker, neck CT to check airway

P)
Consult to department of dermatology, infectious disease, and rheumatology

Therapeutic plan
: Empirical antibiotics - ampicillin/sulbactam
Avoid previous drugs, hydration, dressing skin lesion
Consult to department of otolaryngology, ophthalmology
Consider high dose steroid

Macular rash로 시작하여 진행하는 bullous lesion 및 skin exfoliation, mucosal involvement 하는 등의 임상양상이 Stevens Johnson syndrome(SJS)과 부합한다고 판단하였다.

SJS의 원인으로는 viral, mycoplasma infection 등의 감염성 원인과 drug이 있다.
환자가 이전에 복용한 약물이 일반적으로 SJS를 잘 일으키지 않는다는 점, 약물 복용 이전에 이미 구내염이 시작된 것으로 보아 drug 보다는 infection에 의한 SJS 가능성에 더 무게를 두었다.

SJS 이외에 viral, S. aureus infection 등 mucocutaneous lesion 을 일으킬 수 있는 primary infection 가능성 및 Behcet's disease 가능성 역시 고려하였다.

Cf) Stevens Johnson syndrome
– 주로 약물이나 감염에 의해 유발되는 severe mucocutaneous reaction 으로 epidermis의 광범위한 괴사 및 탈락이 주특징이다.

# Hospital day #2

#1. Mucous ulcerative lesion (oral cavity ~ larynx)
#2. Conjunctivitis, both eyes
#3. Fever with chilling sense
#4. Maculopapular skin rash with bullous change and exfoliation

| | |
|---|---|
| S) | 손발바닥 물집이 잡히면서 터지고 있습니다. 목 뒤쪽으로도 수포가 생기면서 피부가 벗겨지기 시작합니다. |
| O) | - Lab/culture/serology<br> Rheumatoid factor (-), FANA (-), CMV antigenemia assay (-)<br> Blood/swab culture: no growth<br> HSV PCR (-), Mycoplasma pneumonia PCR (-) / IgG weak (+) / IgM (-)<br> EBV PCR 3.86 log copies/mL, EBV-VCA IgG (+) / IgM (-), EBV-EA IgG (-) / IgM (-), EBV-EBNA IgG (+)<br><br>- Neck CT: extensive mucositis (oropharynx~larynx), patent airway<br><br>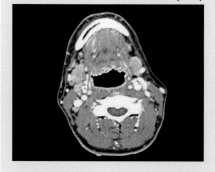<br><br>- Outside buccal biopsy (본원 자문 판독): Focal keratinocyte apoptosis with ulcer. Interface dermatitis can be considered. Rebiopsy should be recommended.<br>- 감염내과 의견: Stevens Johnson syndrome 의 경우 infection 중에서는 HSV, mycoplasma infection 정도가 관련이 있을 수 있다.<br>- 류마티스내과 의견: Behcet' s disease 가 의심은 되지만 imcomplete type 으로 생각된다.<br>- 피부과 의견: Stevens Johnson syndrome, viral infection, connective tissue disorder 모두 고려할 수 있으며 skin biopsy 시행하여 감별해야 한다. |
| A) | Stevens Johnson syndrome, d/t EBV infection<br>                               d/t drug (NSAIDs, cephalosporin, etc.)<br>Other primary infection with mucocutaneous manifestation<br>Behcet' s disease |

감별진단 위하여 시행한 lab, culture, viral serology 상에서 EBV PCR(+) 외에는 infection을 시사할만한 소견은 확인되지 않았다. 외부 buccal biopsy 역시 specific 한 소견 보이지 않았다. 감염내과/류마티스내과/피부과 상의하였고 아직 명확한 진단 내리기엔 clue가 부족하다고 판단, skin biopsy 결과 기다리며 임상적으로 가능성이 높은 SJS 에 대하여 methylprednisolone 0.5 mg/kg 로 시작하기로 하였다.

Diagnostic plan
: Skin punch biopsy 시행 및 결과 확인

P)
Therapeutic plan
: Ampicillin/sulbactam 중단(beta lactam 계열 항생제 중단)
Conservative management for skin/oral/eye lesion
Stevens Johnson syndrome 고려하여 empirical
methylprednisolone 0.5 mg/kg 시작

# Hospital day #7

#1. Mucous ulcerative lesion (oral cavity ~ larynx)
#2. Conjunctivitis, both eyes
#3. Fever with chilling sense
#4. Maculopapular skin rash with bullous change and exfoliation

S) 피부는 조금씩 좋아지고 있습니다.

Skin biopsy: Pemphigus or drug eruption can be considered.
Direct IF study is recommended.

O)
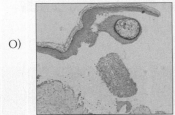 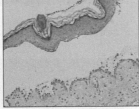

A)
Pemphigus (paraneoplastic pemphigus, vulgaris, or etc.)
Stevens Johnson syndrome, d/t EBV infection

Diagnostic plan
: Skin biopsy for direct immunofluorescence
Imaging work up for hidden malignant condition
P)

Therapeutic plan
: Keep steroid and tapering

Skin biopsy 소견상 epidermis와 dermis 사이가 벌어져 blister를 형성하고 있으며, epidermis 내의 keratocyte가 분리되는 acantholysis소견을 확인할 수 있었다. Pemphigus 나 drug eruption을 고려할만한 소견이었고 pemphigus를 확진하기 위하여 direct IF 검사가 필요했다.
임상양상 및 skin biopsy 결과를 보고 피부과에서는 paraneoplastic pemphigus 가능성을 더 높게 주었다.

Cf) Paraneoplastic pemphigus
- Mucosal involvement (especially very severe oral mucositis)로 시작하여variable cutaneous lesion이 나중에 나타난다.
- Stevens Johnson syndrome과 달리 chronic, progressive한 clinical course를 밟는다.
- Underlying etiologic disease로 성인에서는 non-Hodgkin lymphoma(39%) 〉 chronic lymphocytic leukemia(18%) 〉 Castleman's disease(18%) 〉 Carcinoma(9%) 〉 thymoma(6%)가 있다.

# Hospital day #10

#1. Mucous ulcerative lesion (oral cavity ~ larynx)
#2. Conjunctivitis, both eyes
#3. Fever with chilling sense
#4. Maculopapular skin rash with bullous change

| | |
|---|---|
| S) | 스테로이드를 줄여가서 그런가 피부가 좋아지다가 다시 나빠집니다. 기운도 조금 떨어집니다. |
| O) | Chest CT: no demonstrable focal lesion<br>Abdominopelvic CT: A 5.3 cm enlarged lymph node in left paraaortic area<br>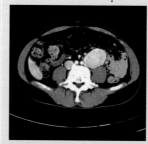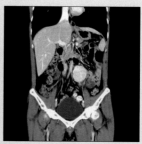<br>Direct IF (skin biopsy, posterior neck): intercellular deposit of IgG and C3<br>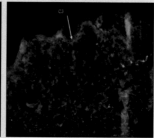 |
| A) | Paraneoplastic pemphigus, due to left paraaortic mass |
| P) | Diagnostic and therapeutic plan<br>: 외과 상의하여 paraaortic mass에 대하여 excisional biopsy 시행. |

면역 형광 염색 시행하였을 때 epidermis의 IgG 및 C3의 intercellular deposit을 보여 pemphigus에 합당한 소견을 확인하였다.
Skin biopsy 상 pemphigus로 진단되었고 임상양상 및 CT 상 paraaortic mass 까지 고려하면 paraneoplastic pemphigus에 가장 합당하다고 판단하였으며, paraaortic mass에 의할 가능성이 가장 높아 보여 조직학적 확진 및 치료 위한 excisional biopsy 진행하기로 하였다.

# Hospital day #16

#1. Mucous ulcerative lesion (oral cavity ~ larynx)
#2. Conjunctivitis, both eyes
#3. Fever with chilling sense
#4. Maculopapular skin rash with bullous change and exfoliation

S) 수술하고 나서 배가 아픕니다.

O) Operation finding: grossely total mass excision
병리 소견 (Paraaortic lymphonode, excision)
: Castleman's disease, hyaline vascular type

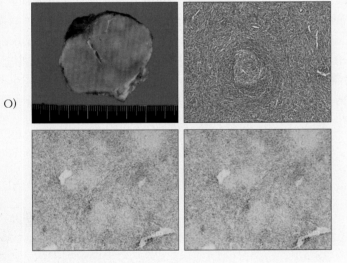

A) Paraneoplastic pemphigus, associated with unicentric Castleman's disease

P) Therapeutic plan
: postop care, 피부 병변에 대한 치료 지속.

Germinal center 를 중심으로 concentric arrangement를 보이는 lymphocyte proliferation을 관찰할 수 있으며 Lollipop 모양이 특징적이다. 또한 lymphocyte infiltration 사이 vessel proliferation이 발달한 것으로 Castleman's disease의 hyaline vascular type 인 것을 확인할 수 있었다. 다른 malignant lymphoma 와 감별을 위하여 T-cell marker인 CD3와 B-cell marker인 CD20 staining 을 시행하였고 stain negative로 lymphoma 가능성은 낮았다.

Cf) Castleman's disease
- HIV, HHV-8 등과 연관된 드문 lymphoproliferative disease로 unicenteric과 multicenteric으로 나뉜다. 본 case와 같은 unicenteric Castleman's disease 같은 경우 수술로 complete excision 하는 것이 원칙이며 예후는 좋은 것으로 알려져 있다.

## Updated Problem Lists

#1. Mucous ulcerative lesion (oral cavity ~ larynx)

    ⇨ Paraneoplastic pemphigus (PNP), associated with unicentric Castleman's disease

#2. Conjunctivitis, both eyes ⇨ See #1

#3. Fever with chilling sense ⇨ See #1

#4. Maculopapular skin rash with bullous change and exfoliation ⇨ See #1

## Lesson of the case

Mucosa를 포함한 광범위한 피부 병변에 대하여 drug related skin rash나 Stevens Johnson syndrome 등의 감별이 먼저 필요하다. 하지만 그 외에도 본 증례와 같이 severe and intractable oral mucositis가 있을 때 paraneoplastic pemphigus 같은 흔하지 않은 질환도 감별진단으로 고려할 필요가 있다. 본 증례를 통해서 피부 병변의 양상이나 임상 경과에 따른 감별진단이 어려울 경우 피부 조직검사 결과가 감별진단에 큰 도움이 될 수 있음을 알 수 있다.

# 1주 전부터 시작된 dyspnea로 내원한 41세 남자 환자

## Chief Complaints

Dyspnea, Started 1weeks ago

## Present Illness

평소 마라톤을 할 정도로 건강하였던 분으로, 내원 1주 전 갑자기 오한, 구토, 설사 이후에 호흡곤란 발생하여 119 구급대 통해 OO대학교 병원 응급실 내원하였다.

내원 당시 39℃의 발열 및 호흡곤란 증세로 computed tomography 시행하였고, 폐렴으로 진단 후 항생제 치료 시행하였다.

기침, 객담은 동반되지 않았고 2일만에 발열은 호전되었으나 호흡곤란 지속되고 산소요구량 증가하여 CT재시행하였고 과민성폐장염 의심하에 3일간 스테로이드 투약하였다.

흉부방사선 검사상 호전 없는 상태로 본원 진료 원하여 내원하였다.

## Past History

diabetes (-)  hypertension(-)  hepatitis (-)

## Family History

diabetes (-)  hypertension (-)  tuberculosis (-)
Lung cancer : 할아버지

## Social History

occupation : 회계사 사무실 직원
smoking : 25 pack years, current smoker
alcohol : 주 3-4회, 10병/주, 4년간

## Review of Systems

### General

| | |
|---|---|
| Generalized weakness (-) | Easy fatigability (-) |
| Dizziness (-) | Weight loss (-) |

### Skin

| | |
|---|---|
| Purpura (-) | Erythema (-) |

### Head / Eyes / ENT

| | |
|---|---|
| Headache (-) | Hearing disturbance (-) |
| Dry eyes(-) | Tinnitus(-) |
| Rhinorrhea(-) | Oral ulcer (-) |
| Sore throat (-) | Dizziness(-) |

### Respiratory

| | |
|---|---|
| Dyspnea (+) | Hemoptysis (-) |
| Cough (-) | Sputum (-) |

### Cardiovascular

| | |
|---|---|
| Chest pain (-) | Palpitation (-) |
| Orthopnea (-) | Dyspnea on exertion (-) |

### Gastrointestinal

| | |
|---|---|
| Abdominal pain (-) | Nausea / vomiting (-/-) |
| Hematemesis (-) | Melena (-) |

### Genitourinary

| | |
|---|---|
| Flank pain (-) | Gross hematuria (-) |
| Genital ulcer (-) | Costovertebral angle tenderness (-) |

### Neurology

| | |
|---|---|
| Seizure (-) | Cognitive dysfunction (-) |
| Psychosis (-) | Motor-sensory change (-) |

### Musculoskeletal

| | |
|---|---|
| Pretibial pitting edema (-) | Tingling sense (-) |
| Back pain (-) | Muscle pain (-) |

# Physical Examination

height 173.0cm, weight 70.0kg
body mass index 23.2kg/m²

## Vital Signs

BP 123/78 mmHg - HR 77/min - RR 20/min - BT36.5℃

## General Appearance

| | |
|---|---|
| acutely ill looking | alert |
| oriented  to time, place, and person | |

## Skin

| | |
|---|---|
| Skin turgor: normal | Ecchymosis (-) |
| Rash (-) | Purpura (-) |
| Spider angioma (-) | Palmar erythema (-) |

## Head / Eyes / ENT

| | |
|---|---|
| Visual field defect (-) | Pale conjunctiva (-) |
| Icteric sclera (-) | Palpable lymph nodes (-) |

## Chest

| | |
|---|---|
| Symmetric expansion without retraction | Normal tactile fremitus |
| Percussion : resonance | Coarse breath sound, crackle |

## Heart

| | |
|---|---|
| Regular rhythm | Normal hearts sounds without murmu |

## Abdomen

| | |
|---|---|
| Distended abdomen | Decreased bowel sound |
| Hepatomegaly (-) | Splenomegaly (-) |
| Tenderness (-) | Shifting dullness (-) |

## Back and extremities

| | |
|---|---|
| Flapping tremor (-) | Costovertebral angle tenderness (-) |
| Pretibial pitting edema (-/-) | |

## Neurology

| | |
|---|---|
| Motor weakness (-) | Sensory disturbance (-) |
| Gait disturbance (-) | Neck stiffness (-) |

# Initial Laboratory Data

## CBC

| | | | |
|---|---|---|---|
| WBC $4 \sim 10 \times 10^3/mm^3$ | 12,200 | Hb (13~17 g/dl) | 15.1 |
| MCV(81~96 fl) | 94.2 | MCHC(32~36 %) | 34.3 |
| WBC differential count | Neutrophil 80.6% lymphocyte 13.7% eosinophil 0.2% | platelet $(150 \sim 350 \times 10^3/mm^3)$ | 611 |

## Chemical & Electrolyte battery

| | | | |
|---|---|---|---|
| Ca (8.3~10 mg/dL) /P (2.5~4.5 mg/dL) | 9.1/3.9 | glucose (70~110 mg/dL) | 192 |
| protein (6~8 g/dL)/ albumin (3.3~5.2 g/dL) | 6.4/2.9 | aspartate aminotransferase (AST)(~40 IU/L) /alanine aminotransferase (ALT)(~40 IU/L) | 62 170 |
| alkaline phosphatase (ALP)(40~120 IU/L) | 125 | gamma-glutamyl transpeptidase (r-GT) (11~63 IU/L) | 242 |
| total bilirubin (0.2~1.2 mg/dL) | 0.3 | direct bilirubin (~0.5mg/dL) | - |
| BUN(10~26mg/dL) /Cr (0.7~1.4mg/dL) | 19/0.88 | estimated GFR ( ≥60ml/min/1.7m$^2$) | 90 |
| C-reactive protein (~0.6mg/dL) | 1.73 | | |
| Na(135~145mmol/L) / K(3.5~5.5mmol/L) / Cl(98~110mmol/L) | 138/4.9/100 | total CO$_2$ (24~31mmol/L) | 22.7 |

## Coagulation battery

| | | | |
|---|---|---|---|
| prothrombin time (PT) (70~140%) | 121.6 | PT (INR) (0.8~1.3) | 0.96 |
| activated partial thromboplastin time (aPTT) (25~35 sec) | 24.8 | | |

## Urinalysis

| | | | |
|---|---|---|---|
| specific gravity (1.005~1.03) | 1.020 | pH (4.5~8) | 6.0 |
| albumin(TR) | (-) | glucose (-) | (-) |
| ketone (-) | (-) | bilirubin (-) | (-) |
| occult blood (-) | (-) | nitrite (-) | (-) |
| Urobilinogen | (-) | | |

## Chest PA

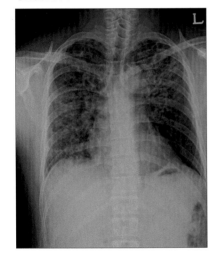

Chest PA 상 전폐야에 reticulonodular 한 폐침윤이 관찰되고 특히 좌측 상부에 심한 폐침윤 관찰된다.

## Outside CT

본원 내원하기1주전 타병원 내원시 (좌측)와 5일 경과 후 흉부 CT 사진이다. 내원 초기 좌하엽폐침윤 보였으나 이후 사라지고 양측으로 간유리 음영이 나타났다.

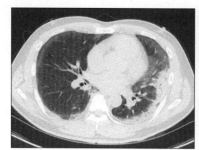
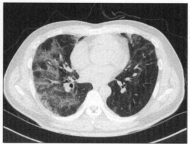

# Initial Problem List

#1. Progressive bilateral lung infiltration on chest xray

#2. Liver enzyme elevation

#### #1. Progressive bilateral lung infiltration on chest xray

| | |
|---|---|
| A) | Unresolving community-acquired pneumonia<br>  Uncontrolled pneumonia<br>  Antibiotics resistance<br>  Viral pneumonia<br>Non-infectious cause<br>  Hypersensitivity pneumonitis<br>  Acute interstitial pneumonia |
| P) | Diagnostic plan〉<br>Blood, sputum culture / gram stain<br>Bronchoscopy with bronchoalveolar lavage<br>Review environmental and exposure Hx.<br>Review outside chest CT<br><br>Treatment plan〉<br>Keep current antibiotics (piperacillin/tazobactam, levofloxacin)<br>Systemic steroid (methylprednisolone 0.5 mg/kg/day IV) |

#### #2. Liver enzyme elevation

| | |
|---|---|
| A) | Secondary to systemic illness<br>Heavy alcoholics |
| P) | Diagnostic plan〉<br>Check self medication, including herbal medication |

# Hospital day #3

#1. Progressive bilateral lung infiltration on chest xray

S) 이제 숨찬 것 괜찮아요
사실 아팠던 날에 부적 30장을 화장실에서 태웠어요

Blood culture (HD 1) 2 day no growth
Pneumococcal-urinary Ag (-)
M. pneumoniae Ig M (-)
M.Tb PCR (-)
Nasopharyngeal swab, respiratory virus PCR (-)

O) BAL fluid)
Colorless, clear
pH 5.0   RBC 280/uL   WBC 540/uL
(Lymphocyte: 4%   Eosinophil 8%   Alveolar macrophage 88%)
BAL, respiratory virus PCR (-)
Outside CT reading
Both upper lung predominancy ⇨ inhalation injury

A) Acute pneumonitis due to mercury vapor inhalation injury

P) 부적 가져오기
Systemic steroid 증량 (prednisolone 60 mg/day PO)

병력청취를 다시 하였고, 타 병원
내원 당일 부적 30여장을 밀폐된
공간에서 태웠음을 알았다.

스테로이드 투약에 반응 있는 것으로
판단하여 methylprednisolone
1mg/kg 로 증량하였다.

부적의 붉은 글씨는 수은이 주성분인
경면 주사로 쓰여졌음을 확인하였고,
수은 중독에 의한 급성폐질환으로
판단하였다.

Ref) Exp Biol Med, (Maywood).
2008 Jul;233(7):810-7

〈Mercury vapor inhalation lung
injury〉
수은 증기 흡입시 초기 1-3일에서
는 발열, 오한, 근육통 등 flu like
symptom 이 나타난다. 이후 2주
경부터 각장기에 영향을 미치는데,
호흡기계는pneumothorax,
pneumomediastinum, respiratory
failure등이발생할수있고, 소화기계
합병증으로는 간기능 상승을 동반 할
수 있다. 장기적인 합병증으로는
진전, 신경과민 등의 신경계 독성을
나타낼 수 있다.

Ref) Korean J Crit Care Med,
2010. 25(3): p. 182-185.

# Hospital day #4

#1. Progressive bilateral lung infiltration on chest xray

S) 이제 계단 오르락 내리락 해도 숨 안 차요

Dyspnea MRC Gr 1

O)

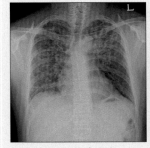
〈본원 내원시〉

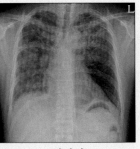
〈퇴원시〉

폐침윤은 그대로이나 산소요구량
낮고 호흡곤란 증상 없어
퇴원계획하였다.

A) Acute pneumonitis, due to inhalation injury

P) Discharge and OPD follow up
Check blood mercury level
Check urine mercury level (24hr)
Outpatient clinic visiting

## Outpatient clinic visiting

외래 내원시 환자는 호흡곤란을 호소
하였고, 흉부 단순촬영에서
기흉 확인되어 흉관 삽입을 위해
입원하였다.

수은증기 흡입에 관한 논문 에서
2차적으로 기흉이 흔히 발생할 수
있다는 보고가 있어 이로 인한 2차
성 기흉으로 생각하였고, 흉막유착술
시행하였다.

Ref) Korean Journal of internal
Medicine 13(2): 127-130

| | |
|---|---|
| S) | 4일전부터 다시 숨이 차요 |
| O) | 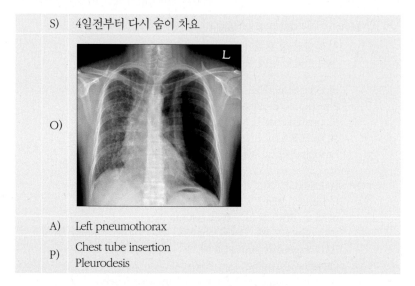 |
| A) | Left pneumothorax |
| P) | Chest tube insertion<br>Pleurodesis |

## Clinical course

신경, 신장 독성 등 수은의 2차
독성 예방을 위하여 mercury
chealating agent 인 DMSA 투약
할 수 있다.

Blood mercury 54.6 $\mu$g/L (0 - 5 $\mu$g/L), urine mercury 217.5 $\mu$/day (0 - 20 $\mu$g/day, toxic : 〉50)로 증가돼 있었고, 이에 대해 mercury chelating agent 로 dimercaptosuccinic acid(DMSA) 를 사용하였다. 현재 스테로이드 모두 중단 하고 정기적으로 외래 방문하여 혈액 및 소변 내 수은 농도 측정하였고 점차 하락 추세 보이고 있으며, 흉부단순촬영에서 이전에 보이던 양폐야의 망상결 정음영도 사라진 상태이다.

## Lesson of the case

비전형적 폐렴이 의심될 경우 감염 이외의 가능성도 생각해야 되며, 병력 청 취가 중요하다.

# 1달 전 시작된 nausea로 내원한 38세 여자

## Chief Complaints

Nausea and vomiting, started 1 month ago

## Present Illness

내원 13년 전 다음, 다뇨 증상으로 당뇨병 진단 받았으며, 이후로 인슐린 투약하며 정기적으로 경과관찰하였다.

내원 9년 전 재발되는 양상의 오심, 구토 발생하였다. 증상은 호전과 악화의 경과를 보였으며, 증상이 심해지면 전혀 식사 하지 못하여 연고지 병원 입원하여 정맥영양공급을 약 1주일 가량 받고 나면 증상 호전되어 퇴원하였다. 하지만 당시에는 증상 심하지 않을 때는 일상생활 할 수 있을 정도로 식사가 가능했다고 한다.

내원 1년 전 오심, 구토 악화되어, 입원하여 1개월 이상 치료받아도 호전되지 않았고 이 때문에 내원 9개월 전부터는 입원치료 지속하였다.

내원 1개월 전 아예 아무것도 먹지 못하는 정도까지 증상 악화되어, 뇌 자기공명영상검사, 복부와 골반 전산단층촬영검사, 식도, 위, 십이지장 내시경검사 확인하였으나 이상 소견 없었다. 이에 chemoport 삽입 후 총정맥영양법 유지하였으며, 오심, 구토 심하여 잠도 제대로 못 자고 수면제 (lorazepam) 를 맞아야 잘 수 있는 정도였다. 복통이나 설사는 동반되지 않았다.

증상 호전 없는 상태로 본원에서의 추가적인 치료 원하여 전원 되었다.

## Past History

hypertension (-) hepatitis (-)
DM retinopathy (+): 내원 2년 전 진단

## Family History

diabetes (-)
hypertension (-) tuberculosis (-)

## Social History

occupation : 무직 (이전 사무직)
smoking : never smoker
alcohol (-)

## Review of Systems

### General

| | |
|---|---|
| general weakness (+) | easy fatigability (-) |
| dizziness (-) | weight loss (-) |

### Skin

| | |
|---|---|
| purpura (-) | erythema (-) |

### Head / Eyes / ENT

| | |
|---|---|
| headache (-) | hearing disturbance (-) |
| dry eyes (-) | tinnitus (-) |
| rhinorrhea (-) | oral ulcer (-) |
| sore throat (-) | dizziness (-) |

### Respiratory

| | |
|---|---|
| dyspnea (-) | hemoptysis (-) |
| cough (-) | sputum (-) |

### Cardiovascular

| | |
|---|---|
| chest pain (-) | palpitation (-) |
| orthopnea (-) | dyspnea on exertion (-) |

### Gastrointestinal : See present illness

### Genitourinary

| | |
|---|---|
| flank pain (-) | gross hematuria (-) |
| genital ulcer (-) | costovertebral angle tenderness (-) |

### Neurology

| | |
|---|---|
| seizure (-) | cognitive dysfunction (-) |
| psychosis (-) | motor-sensory change (-) |

## Musculoskeletal

| | |
|---|---|
| pretibial pitting edema (-) | tingling sense(-) |
| back pain (-) | muscle pain(-) |

# Physical Examination

height 163.0 cm, weight 62.2 kg
body mass index 23.4 kg/cm²

## Vital Signs

BP 158/100 mmHg - HR 126 /min - RR 16 /min - BT 36.5℃

## General Appearance

| | |
|---|---|
| looking chronically ill | alert |
| oriented to time,person,place | |

## Skin

| | |
|---|---|
| skin turgor: normal | ecchymosis (-) |
| rash (-) | purpura (-) |
| spider angioma (-) | palmar erythema (-) |

## Head / Eyes / ENT

| | |
|---|---|
| visual field defect (-) | pale conjunctivas (+) |
| white sclerae | palpable lymph nodes (-) |

## Chest

| | |
|---|---|
| symmetric expansion without retraction | normal tactile fremitus |
| percussion : resonance | clear breath sound without crackle |

## Heart

| | |
|---|---|
| regular rhythm | normal hearts sounds without murmur |

## Abdomen

| | |
|---|---|
| soft and flat abdomen | decreased bowel sound |
| hepatomegaly (-) | splenomegaly (-) |
| tenderness (-) | shifting dullness (-) |

## Back and extremities

| | |
|---|---|
| flapping tremor (-) | costovertebral angle tenderness(-) |
| pretibial pitting edema (-/-) | |

## Neurology

| | |
|---|---|
| motor weakness (-) | sensory disturbance (-) |
| gait disturbance (-) | neck stiffness (-) |

# Initial Laboratory Data

## CBC

| WBC $4 \sim 10 \times 10^3/mm^3$ | 9,000 | Hb (13~17 g/dl) | 10.8 |
|---|---|---|---|
| MCV(81~96 fl) | 87.9 | MCHC(32~36 %) | 33.0 |
| WBC differential count | neutrophil 89.7% lymphocyte 6.0% monocyte 3.6% | platelet $(150 \sim 350 \times 10^3/mm^3)$ | 194 |

## Chemical & Electrolyte battery

| Ca (8.3~10 mg/dL) /P (2.5~4.5 mg/dL) | 8.4/3.5 | glucose (70~110 mg/dL) | 420 |
|---|---|---|---|
| protein (6~8 g/dL)/ albumin (3.3~5.2 g/dL) | 6.0/3.4 | aspartate aminotransferase (AST)(~40 IU/L) /alanine aminotransferase (ALT)(~40 IU/L) | 15 11 |
| alkaline phosphatase (ALP)(40~120 IU/L) | 112 | gamma-glutamyl transpeptidase (r-GT) (11~63 IU/L) | 23 |
| total bilirubin (0.2~1.2 mg/dL) | 0.9 | BUN(10~26mg/dL) /Cr  (0.7~1.4mg/dL) | 11/0.76 |
| C-reactive protein (~0.6mg/dL) | 0.1 | cholesterol | 151 |
| Na(135~145mmol/L) / K(3.5~5.5mmol/L) / Cl(98~110mmol/L) | 133/4.7/98 | total $CO_2$ (24~31mmol/L) | 23.0 |

## Coagulation battery

| | | | |
|---|---|---|---|
| prothrombin time (PT) (70~140%) | 112.8 | activated partial thromboplastin time (aPTT) (25~35 sec) | 27.0 |

## Urinalysis

| | | | |
|---|---|---|---|
| specific gravity (1.005~1.03) | 1.015 | pH (4.5~8) | 5.0 |
| albumin(TR) | (TR) | glucose (-) | (++) |
| ketone (-) | (-) | bilirubin (-) | (-) |
| occult blood (-) | (-) | nitrite (-) | (-) |
| Urobilinogen | (-) | | |

## ABGA at room air

| | | | |
|---|---|---|---|
| pH | 7.360 | pO2 | 105.0 mmHg |
| pCO2 | 37.0 mmHg | bicarbonate | 23.0 mmEq/L |
| O2 saturation | 98 % | | |

## Chest X-ray

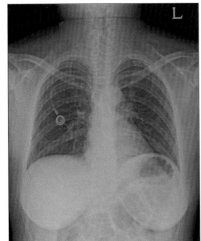

Chest XR 상 chemoport insertion 소견 이외의 특이소견은 관찰되지 않는다.

# Initial Problem List

#1. DM

#2. DM retinopathy

#3. Recurrent, intractable nausea and vomiting

#4. Normocytic normochromic anemia

DKA 등의 acute complication history 가 없었던 점 및 가족력을 고려하였을 때 type 2 DM 가능성이 더 높다고 판단하였으나, 젊은 나이에 당뇨병을 진단받았고 초기에 인슐린 치료를 시작했기 때문에Type 1 DM도 가능할 것으로 생각하였다. 이에 HbA1c, C-peptide 및 GAD-antibody를 확인하기로 하였고 Lipid battery 및 DM complication work up을 시행하기로 하였다. DM retinopathy에 대해서는 fundoscopy 확인 및 안과 협진을 계획하였다.

#1. DM
#2. DM retinopathy

| A) | Type 2 DM, more likely<br>Type 1 DM, possibly |
|---|---|
| P) | Diagnostic plan〉<br>HbA1c, C-peptide, GAD-antibody, lipid battery 확인<br>DM complication work up<br>Check fundoscopy<br><br>Therapeutic Plan〉<br>현재 전혀 식사 불가능한 상태로, IV nutrition 유지하며 continuous insulin infusion을 통해 혈당 조절<br>안과 협진 |

Autonomic neuropathy와 동반된 diabetic gastroparesis 가능성이 높을 것으로 판단하였다. 이에 우선 organic disorder를 감별하기 위해 APCT 및 EGD를 확인하고, gastroparesis 유무를 확인하기 위해 gastric emptying scan을 확인하기로 하였다. 동반된 autonomic neuropathy 확인을 위해 orthostatic BP check 및 automonic neuropathy work up을 시행하기로 하였다.

#1. DM
#2. DM retinopathy
#3. Recurrent, intractable nausea and vomiting

| A) | Diabetic gastroparesis associated with autonomic neuropathy<br>GI organic disorder, possibly<br>Other endocrinologic disorder, possibly |
|---|---|
| P) | Diagnostic Plan〉<br>Abdomen & pelvis CT (APCT),<br>Esophagogastroduodenoscopy (EGD) 확인<br>Gastric emptying scan<br>Orthostatic BP check<br><br>Therapeutic Plan〉<br>Symptomatic control<br>Metoclopropamide (macperan®) 및 lorazepam (ativan®) 투약 |

#4 Normocytic normochromic anemia

| A) | Anemia of chronic disease, possibly<br>Iron deficiency anemia, less likely |
|---|---|
| P) | Diagnostic Plan〉<br>Check Reticulocyte, PB smear<br>Check serum Iron, ferritin, TIBC |

# Hospital day #1-4

#1. DM
#3. Recurrent, intractable nausea and vomiting

S) 밤 동안에 계속 토하고, 너무 힘들었어요.
내시경은 도저히 못하겠어요.

Hb A1c 7.5%                    C-peptide 0.10 ng/mL
GAD-Ab 0.39 U/ml              Alb/Cr ratio,U 48.4 mg/g

Neurometer
〈Hand〉  2000 Hz : 10,   250 Hz : 12,   5 Hz : 11
〈Foot〉  2000 Hz : 17,   250 Hz : 15,   5 Hz : 15
(참고치) Hyperesthesia: 1~5   Normal: 6~13   Hypoesthesia: 14~25
2000Hz: Large fiber  250Hz: Small fiber  5Hz: C-fiber

O)

| Othostatic BP | | |
|---|---|---|
| Supine | 137/91 | 106 |
| Erect↓ 1min | 89/52 | 64 |
| Erect↓ 3min | 83/53 | 64 |

A) Type 1 or Type 2 DM with neuropathy
Diabetic gastroparesis associated with autonomic neuropathy, more likely
GI organic disorder, less likely

Diagnostic 〉
Gastric emptying scan, EGD(esophagogastroduodenoscopy), EKG regular follow up

P) Therapeutic〉
IV nutrition and continuous insulin infusion 통해 혈당 조절
macperan(metoclopropamide), ativan(lorazepam) + azithromycin 500mg qd 추가하여 증상 조절

Hb A1c 7.5%로 상승되어 있었고 C-peptide 0.1로 감소되어 있어 insulin 분비가 저하되어 있음을 확인하였다. GAD-Ab 는 negative 였다.

하지의 hypoeshesia가 있고, 신경 감각검사상 이상소견 보여 peripheral neuropathy가 동반되어 있다고 판단하였다.

Autonomic neuropathy 확인을 위한 검사로 orthostatic BP를 병동에서 확인하였고 orthostatic hypotension이 동반되어 있는 것으로 판단하였다.

상기 검사 결과들을 종합해보았을 때 환자의 증상은 antunomic neuropathy와 동반된 diabetic gastroparesis가 가능성이 매우 높다고 판단하였다.

## Hospital day #1-4

우안 유리체 출혈 및 견인 망막 박리 소견이었다. 수술적 치료가 필요할 것으로 판단하였다.

| #2. DM retinopathy | |
|---|---|
| S) | 오른쪽 눈이 잘 안보여요. |
| O) | 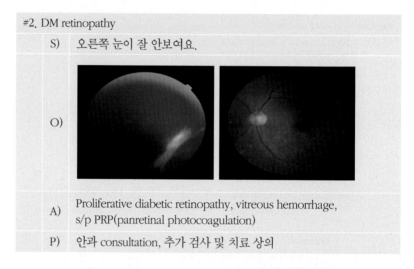 |
| A) | Proliferative diabetic retinopathy, vitreous hemorrhage, s/p PRP(panretinal photocoagulation) |
| P) | 안과 consultation, 추가 검사 및 치료 상의 |

## Hospital Day #1-4

Reticulocyte 0.8%, RPI 0.37이며 Iron 감소, TIBC 감소, ferritin 증가 소견을 보았을 때 ACD 가능성이 높다고 판단하였다.

| #4. Normocytic normochromic anemia | |
|---|---|
| O) | Reticulocyte 0.8%  RPI 0.37<br>Iron 25 ug/dL  TIBC 250 ug/dL<br>Ferritin 442.2 ng/ml<br>PB smear : Normocytic normochromic anemia |
| A) | Anemia of chronic disease, most likely |
| P) | Therapeutic plan: Underlying disease 치료, 필요 시 수혈 |

## Updated problem List

#1. DM ⇨ DM with neuropathy

#2. DM retinopathy ⇨ proliferative diabetic retinopathy

#3. Recurrent, intraactable nausea and vomiting

#4. Normocytic normochromic anemia ⇨ Anemia of chronic disease

## Hospital Day #4

#1. DM with neuropathy
#2. Proliferative diabetic retinopathy
#3. Recurrent, intractable nausea and vomiting
#4. Anemia of chronic disease
#5. Fever

| | |
|---|---|
| S) | 열이 나요. 기침, 가래는 없어요. 약간 숨이 가빠요.<br>배 아프거나 설사 없어요.<br>소변볼 때 특별히 따끔거리거나 하진 않아요. |
| O) | V/S 111/71 mmHg - 108회/min - RR 20회/min - BT 38.6 ˚C<br>P/Ex Pharyngeal injection(-)        tonsilar enlargement(-)<br>　　　Clear breathing sound        regular heart beat, murmur(-)<br>　　　Normoactive bowel sound<br>　　　Abdominal tenderness(-)/Rebound tenderness(-)<br>　　　CVAT(-/-)<br>　　　Chemoport insertion site: no redness, no swelling<br><br>WBC 2700 /mm3 (N81.9% L12.4% M4.9% E0.4% B0.4%)<br>CRP 10.85 mg/dL        Procalcitonin 1.04 ng/mL<br>UA WBC(-) Nitrite(-)<br>CXR: No active lung lesion |
| A) | Fever,<br>d/t Catheter related blood stream infection(CRBSI), possibly<br>d/t Viral illness such as URI, possibly |
| P) | Diagnostic plan: Blood culture 결과 확인 (Chemoport 포함)<br>Therapeutic plan: Empirical antibiotics (Ceftriaxone) |

Fever 는 chemoport insertion과 관련된 CRBSI 가능성이 있을 것으로 판단하였다. 이에 chemoport를 포함하여 blood culture 결과를 확인하기로 하였고 Empirical antibiotics로 ceftriaxone을 투약하였다.

# Hospital Day #6

Fever는 CRBSI과 연관된 fungemia
에 의한 것으로 판단하였고, blood
culture 최종결과 및 chemoport tip
culture 를 시행하기로 하였다.
fluconazole을 추가하고,
chemoport를 remove 하기로
하였다.

#5. Fever

| | |
|---|---|
| S) | 열이 계속 나요. |
| O) | V/S 130/80 mmHg - 104회/min - RR 22회/min - BT 38.1 ℃<br>P/Ex No infection sign<br>WBC 2400 / mm3 (N71.7% L15.6% M12.3% E0.0% B0.4%)<br>CRP 10.78 mg/dL<br>'13.12.06 BC: budding yeast (2/3, chemoport 포함) |
| A) | Fever, d/t fungemia(CRBSI), most likely |
| P) | Diagnostic plan: Blood culture 최종결과 확인, Chemoport tip culture<br>Therapeutic plan: Add fluconazole, Remove chemoport |

Blood culure 최종 결과는 candida
parapsilosis 로 확인되었으며,
C-line tip culture 에서도 candida
parapsilosis가 확인되었다.
fluconazole을 2주간 유지하기로
하였으며 2-3일 간격으로 blood
culture를 f/u 하여 2회 음전을 확인
하기로 하였다.

# Hospital Day #9

#5. Fever

| | |
|---|---|
| S) | 컨디션 조금 나아졌어요. |
| O) | 2013.12.06 Blood culture : Candida parapsilosis<br>C-line tip culture : Candida parapsilosis |
| A) | Fever,d/t fungemia(CRBSI), most likely |
| P) | Therapeutic plan〉<br>Fluconazole 유지 (metastatic infection 없으면 2주 치료 필요)<br>2-3일 간격으로 blood culture 시행하여 2회 음전 확인 |

# Hospital Day #11

#A QT prolongation

Corrected QT가 502 millisencond로 prolongation된 소견이 확인되었다. QT prolongation을 일으킬 수 있는 약제인 azythromicin과 fluconazole을 함께 사용하여 발생한 것으로 판단하였다. 따라서 EKG regular f/u을 지속하면서, 현재 환자 nausea 및 vomiting이 azithromycin 치료로 호전을 보이고 있어 azithromycin은 투약을 유지하고, 감염내과 상의 후 antifungal agent를 amphotericin B로 변경하기로 하였다.

O)

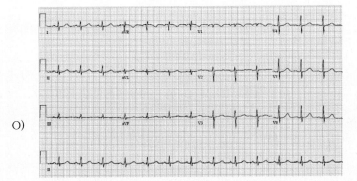

QT prolongation : QTc 502 ms (normal : ≤ 460 ms, initial : 455 ms)
Sodium 139 mmol/L          Potassium 4.7 mmol/L
Calcium 7.7 mg/dL          Corrected Calcium 9.0 mg/dL
Magnesium 1.82 mg/dL

A)
QT prolongation
d/t combined use of azithromycin and fluconazole

P)
Diagnostic plan: EKG regular follow up
Therapeutic plan: 현재 azithromycin에 대해 소화기 증상 호전 보이는 상태, azithromycin은 투약 유지, 감염내과 상의 후 antifungal agent를 amphotericin B 로 변경함

# Hospital Day #13-17

F/u EKG상에서 corrected QT 간격은 449 millisecond로 정상화 된것을 확인하였다. Azithromycin을 투약하며 호전을 보이던 환자의 증상이 다시 악화된 것은 시기적으로 amphotericin B 의 부작용에 의한 것일 가능성이 높다고 판단하였다. antifungal을 fluconazole로 변경하였고 azithromycin은 중단하고 ativan을 유지하며 ganaton, domperidone, onseran 을 추가하여 증상을 조절 해보기로 하였다.

#1. DM with neuropathy
#3. Recurrent, intractable nausea and vomiting
#A QT prolongation

S) 속이 다시 울렁거려요.

Normoactive bowel sound, T/RT(-/-)
EKG: QTc 449 ms

EGD〉
식도 : 정상
위 : 전정부의 발적 소견 외 특잉 소견 관찰되지 않음.
십이지장 : 정상

IMP) Superficial gastritis
COMMENT) 검사중 coughing과 belching이 심하여 점막의 자세한 관찰이 힘들었음.

O)

A) Amphotericin B side effect, possibly
Diabetic gastroparesis associated with autonomic neuropathy
GI organic disorder, less likely

P) Diagnostic plan: 소화기내과 협진 의뢰하였고,
Gastric emptying scan 시행하기로 함.
Therapeutic plan:
Amphotericin B 에 의한 구토 유발 가능하여, QTc 감소 확인후 Fluconazole로 변경함.
Azithromycin은 중단
lorazepam(ativan®) 유지, Itopride(ganaton®),
domperidone(domperidone®) , ondansetron(onseran®) 추가

# Hospital Day #18

#1. DM with neuropathy
#3. Recurrent, intractable nausea and vomiting

S) 메스꺼운 것 조금 나아졌어요.

O) Normoactive bowel sound, T/RT(-/-)

Amphotericin side effect, possibly

A) Diabetic gastroparesis associated with autonomic neuropathy
Other GI organic disorder, less likely

Diagnostic plan〉
P) Gastric emptying scan 시행하기로 함.
소화기내과 협진하였고, manometry, esophagography 권유하여 이를 시행하기로 함.

# Hospital Day #21

#1. DM with neuropathy
#3. Recurrent, intractable nausea and vomiting

S) 속이 계속 메슥거려요. 식도내압검사랑 식도조영술은 못하겠어요.
이제 아랫배도 아파요.

Normoactive bowel sound, Abd T/RT(-/-)

O)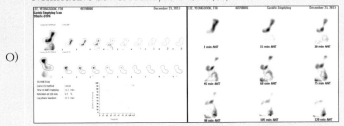

A) Other GI functional disorder, possibly
Diabetic gastroparesis associated with autonomic neuropathy, less likely
GI organic disorder, less likely

Diagnostic and therapeutic plan〉
환자 증상 심하여 검사는 hold
Azithromycin 재시작함
P) 추가할 medication 에 대해 소화기내과 상의
우울증상 동반되어 있다고 판단되어, 정신과 상의
장기적으로 pancreas transplantation에 대해 일반외과 상의

Gastric emptying scan을 시행하였다. 검사상에서 delayed gastric emptying은 4시간째의 gastric retension이 10% 이상이거나, 2시간째의 gastric emptying이 60% 이상인 경우를 의미하며, specificity 62%, sensitivity 93%의 검사이다. 검사 결과가 정상으로 확인되어 gastroparesis 는 없었고, CT 및 EGD가 정상이었으므로 GI organic disorder도 가능성이 낮을 것으로 판단하였다. 다른 GI functional disorder 가 동반되어 있을 가능성이 높을 것으로 판단하였다.

도움이 될 수 있는 medication에 대해 소화기내과에 상의하기로 하였고, 반복적인 악화로 우울증상이 동반되면서 더욱 증상을 악화시킬 수 있다고 판단, 정신과에 상의하기로 하였으며 장기적으로 pancreas transplantation이 도움이 될지 일반외과와 상의하기로 하였다.

# Hospital Day #31

환자 지속적으로 nausea, vomiting 호소하고 있어 azithromycin은 효과가 없는 것으로 보아 중단하기로 하였고, clonidine을 투약하기로 하였다. 또한 소화기내과 상의 후 pylorus에 botox injection을 시행하기로 하였고, 위장관외과와 gastrojejunostomy 시행을 상의하기로 하였으며, 정신과 consultation 답변을 확인하여 필요시 medication을 추가하기로 하였다.

#1. DM with neuropathy
#3. Recurrent, intractable nausea and vomiting

S) 어제도 먹은 것 다 토했어요.

Normoactive bowel sound, Abd T/RT(-/-)

일반외과〉
그동안의 경험을 보면, pancreas transplantation 후 peripheral neuropathy 등은 확실히 좋아지나 DM gastropathy 같은 autonomic dysfunction은 좋아졌던 경험을 찾기는 힘듭니다. 좋아졌던 사람도 있으나, 호전되지 않았던 경우가 많아 희망적인 답변을 드리기는 어렵습니다.

O) 현재 당장 못 드시는 부분에 대해서는 상부위장관 외과와 상의드렸고, 만약 stomach만 문제라면 gastrojejunostomy 시행 고려할 수 있겠습니다.

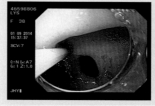 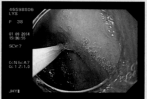

A) Other GI functional disorder, possibly
Diabetic gastroparesis, less likely
GI organic disorder, less likely
Combined MDD (major depressive disorder), possibly

P) Therapeutic plan 〉
Azithromycin 중단, clonidine 투약시작
소화기내과 상의 후 pylorus에 botox injection 시행함.
위장관외과와 gastrojejunostomy 상의
정신과 consultation 답변확인

# Hospital Day #31-41

#1. DM with neuropathy
#3. Recurrent, intractable nausea and vomiting

위장관외과 〉
Gastric emptying scan에서 이상소견이 발견되지 않았으므로
Gastrojejunostomy가 도움이 되리라는 근거가 부족하다고 생각하며,
UGIS 필요하다는 의견으로 UGI 시행함.

O)

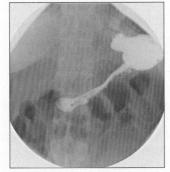

Rt. decubitus image 에서 duodenal 2nd portion의 luminal narrowing이 관찰되었다. Mucosal distruction 소견은 보이지 않아, malignancy등의 mass 에 의한 소견보다는 duodenal spasm 에 의한 소견일 가능성이 높은 것으로 판단하였다. 이후 small bowel에서 특이소견 보이지 않으며, 30분 후 시행한 image에서 colon이 보이는 것으로 보아 전반적으로 passage 속도 자체의 큰 문제는 없다고 판단하였다.

정신과 〉
Nausea, vomiting 이 장기간 지속되며 우울 증상 동반되어 있는 것으로 판단, escitalopram(lexapro®), olanzapine(zyprexa®) 투약 시작 및 lorazepam(ativan®) regular 하게 투약하는 것이 좋겠습니다.

A)
Other GI functional disorder, possibly
Diabetic gastroparesis, less likely
GI organic disorder, less likely
Combined MDD, possibly

P)
Therapeutic plan 〉
소화기내과 재상의
정신과 답변대로escitalopram(lexapro®), olanzapine(zyprexa®) 투약 시작 및 lorazepam(ativan®) regular 하게 투약

# Hospital Day #62

#3. Recurrent, intractable nausea and vomiting

| S) | 메슥거리는 건 조금 나아요. 배가 아파요. |
|---|---|

Botox injection에도 불구하고 지속적으로 nausea, vomiting 있는 상태로 소화기내과 재상의함.

소화기내과 re-consultation〉
Gastric accomodation의 장애에 의한 gastric spasm및 이에 따른 nausea가 주된 원인으로 생각되어 이에 대한 medication으로 pinaverium (dicetel®), tianeptine (stablon®), mosapride (gasmotin®) 추가하기로 함.

소화기내과follow up〉

| O) | 환자의 증상 중 nausea/vomiting은 small bowel에서 large bowel까지의 transit중 어딘가가 저하되어 일으킬 가능성이 높겠고, abdominal pain은 spasm이 기여할 가능성이 있으며 여기에 visceral hypersensitivity가 동반되어 있어 보이는 상태로 세심한 medication 조절이 필요하다. |
|---|---|

1) Gastric spasm : pinaverium (dicetel®) tab 사용, octylonium (menoctyl®) tab으로 변경하거나 추가 호전 없을시 trimebutine (polybutine®) 추가
2) Transit 저하 (due to anti-spasmotic agent) :prucalopride (resolor®), mosapride (gasmotin®) tab
3) Visceral hypersensitivity : tianeptine (stablon®) , etizolam (depas®), 취침 전 amitriptyline (enafon®) 추가 고려
4) 위 보호 및 lower GI tract의 gas 제거 : Ecabet (gastrex®)

| A) | Other GI functional disorder, possibly<br>Diabetic gastroparesis, less likely<br>GI organic disorder, less likely<br>Combined MDD, possibly |
|---|---|
| P) | 소화기내과 f/u consultation 및 medication 조절 |

# Hospital course

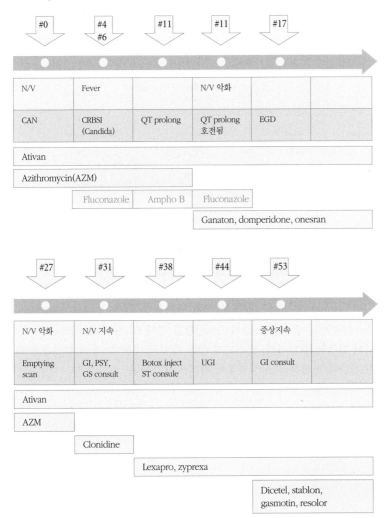

처음 N/V 을 주소로 내원하였고 antumonic neuropathy가 동반되어 있어, DM gastroparesis에 의한 증상으로 생각하고 ativan 및 azithromycin을 initial drug로 사용하였다. HD 4일째 fever 발생하였고 candidemia 확인되어 fluconazole을 사용, QT prolongation으로 amphotericin으로 변경하여 사용하다가 amphotericin으로 인한 N/V 악화 발생하여 antifungal은 fluconazole로 재변경, azithromycin은 중단하고 대신 ganaton, domperidone, onseran 투약하였다.

이후 시행한 empying scan이 정상으로 확인되었으나 증상은 지속되어, 원인을 찾고 증상을 조절하기 위해 소화기내과, 정신과, 외과와 협진을 시행하였고, 동시에 clonidine을 사용하였고 botox injection도 시행하였으나 호전이 없어, 정신과 약제 및 소화기내과 약제를 추가하여 사용하기 시작하였다.

이후로 소화기내과 협진시 추천받은 대로 환자의 증상에 맞추어 약제 조정을 시도하였다.
N/V 가 악화되었을 때는 prokinetics인 resolar 및 gasmotin을 증량하였고,
복통을 호소하였을 때는 gastres, menoctyl을 추가하면서 prokinetics인 gasmotin은 감량하였다.
복통이 지속되어, antispasmotics인 polybutine을 추가하였고,
이후 N/V 악화되어 gasmotin을 증량하고, stablon, depas, enefon을 추가하였다.
이에도 복통이 지속되어 depas를 한번 증량하였고,
N/V 호전되어 gasmotin을 감량하는 식으로 약제를 조정하였고 이후 증상 호전되어 외래 내원 예정으로 퇴원하였다.

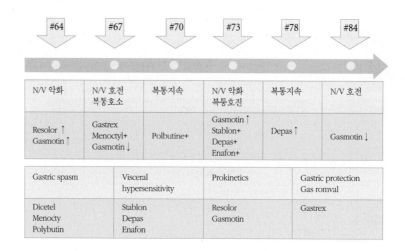

| | #64 | #67 | #70 | #73 | #78 | #84 |
|---|---|---|---|---|---|---|
| | N/V 악화 | N/V 호전<br>복통호소 | 복통지속 | N/V 악화<br>복통호전 | 복통지속 | N/V 호전 |
| | Resolor ↑<br>Gasmotin ↑ | Gastrex<br>Menoctyl+<br>Gasmotin ↓ | Polbutine+ | Gasmotin ↑<br>Stablon+<br>Depas+<br>Enafon+ | Depas ↑ | Gasmotin ↓ |

| Gastric spasm | | Visceral<br>hypersensitivity | | Prokinetics | | Gastric protection<br>Gas romval |
|---|---|---|---|---|---|---|
| Dicetel<br>Menocty<br>Polybutin | | Stablon<br>Depas<br>Enafon | | Resolor<br>Gasmotin | | Gastrex |

## Lesson of the case

DM 환자에서 발생한 intractable nausea, vomiting에 대한 증례로, 처음에는 DM gastroparesis로 생각하여 emptying scan 시행하였으나, 결과 정상으로 확인되어 organic disorder 배제를 위한 검사들을 하였고 다른 functional disorder 가능성을 생각하고 work up 시행한 결과 GI functional disorder 가 동반되어 있었던 환자이다. 호전되지 않는 증상에 대한 각 과의 협진을 통해 추가적 진단과 적절한 치료가 도움이 된다고 생각된다.

## CASE 7

# 1 일 전 시작된 전신위약으로 내원한 56세 남자

## Chief Complaints

General weakness, started 1 day ago

## Present Illness

고혈압, 당뇨로 투약 중으로 평소 주량 소주 한 병 정도로 과음하지 않는 분으로, 내원 2일전 평소보다 과음을 하여 인사불성이 될 정도로 술을 마신 후 내원 1일전 오전부터 전신 위약감, 오심, 30~40회의 구토 지속되어 인근 병원 내원하여 포도당 수액을 맞았다.

내원 당일 식은 땀 발생하면서 전실신 (presyncope) 증상 발생하여 119 통해 본원 응급실 내원하였다.

## Past History

diabetes (-) hypertension (-) :10년 전, 경구혈당강하제, 고혈압약 복용중
tuberculosis (-) hepatitis (-)

## Family History

diabetes (-) hypertension (-)  tuberculosis (-) malignancy (-)

## Social History

occupation : 자영업
smoking : 7.5갑년, 20년 전 금연
alcohol : 10년 간 주 1회, 한번에 소주 0.5병

# Review of Systems

## General

| | |
|---|---|
| generalized weakness (+) | easy fatigability (-) |
| dizziness (-) | weight loss (-) |

## Skin

| | |
|---|---|
| purpura (-) | erythema (-) |

## Head / Eyes / ENT

| | |
|---|---|
| headache (+) | hearing disturbance (-) |
| dry eyes (-) | tinnitus (-) |
| rhinorrhea (-) | oral ulcer (-) |
| sore throat (-) | dizziness (-) |

## Respiratory

| | |
|---|---|
| dyspnea (+) | hemoptysis (-) |
| cough (+) | sputum (-) |

## Cardiovascular

| | |
|---|---|
| chest pain (-) | palpitation (-) |
| orthopnea (-) | dyspnea on exertion (-) |

## Gastrointestinal

| | |
|---|---|
| abdominal pain (-) | nausea (+) |
| vomiting (+) | constipation(-) |
| diarrhea(-) | hematemesis (-) |
| hematochezia (-) | heart burn (-) |

## Genitourinary

| | |
|---|---|
| flank pain (-) | gross hematuria (-) |
| genital ulcer (-) | costovertebral angle tenderness (-) |

## Neurologic

seizure (-)                      cognitive dysfunction (-)

psychosis (-)                    motor- sensory change (-)

## Musculoskeletal

pretibial pitting edema(-)       tingling sense (-)

back pain (-)                    muscle pain (-)

## Physical Examination

height 178 cm, weight 78.0 kg

body mass index 24.6 kg/cm²

## Vital Signs

BP 78/68 mmHg - HR 155 /min - RR 20 /min - BT 37.5℃

## General Appearance

acute ill - looking              alert

oriented to time, person, place

## Skin

skin turgor: normal             ecchymosis (-)

rash (-)                        purpura (-)

## Head / Eyes / ENT

visual field defect (-)          pale conjunctiva (-)

icteric sclera (-)               palpable lymph nodes (-)

## Chest

symmetric expansion without retraction    normal tactile fremitus

percussion : resonance                    coarse breathing sound with crackle

## Heart

regular rhythm          normal hearts sounds without murmur

## Abdomen

| | |
|---|---|
| flat, soft abdomen | normoactive bowel sound |
| organomegaly (-) | rebound tenderness (-) |

## Back and extremities

| | |
|---|---|
| pretibial pitting edema (-/-) | costovertebral angle tenderness (-/-) |
| flapping tremor (-) | |

## Neurology

| | |
|---|---|
| motor weakness (-) | sensory disturbance (-) |
| gait disturbance (-) | neck stiffness (-) |

## Initial Laboratory Data

### CBC

| WBC $4\sim10\times10^3/mm^3$ | 29,400 | Hb (13~17 g/dl) | 18.6 |
|---|---|---|---|
| MCV(81~96 fl) | 90.1 | MCHC(32~36 %) | 35.2 |
| WBC differential count | neutrophil 86.4% lymphocyte 7.7% monocyte 5.7% | platelet $(150\sim350\times10^3/mm^3)$ | 138 |

## Chemical & Electrolyte battery

| | | | |
|---|---|---|---|
| Ca (8.3~10 mg/dL) /P (2.5~4.5 mg/dL) | 9.2/5.5 | glucose (70~110 mg/dL) | 304 |
| protein (6~8 g/dL)/ albumin (3.3~5.2 g/dL) | 6.1/3.3 | aspartate aminotransferase (AST)(~40 IU/L) | 92 |
| | | /alanine aminotransferase (ALT)(~40 IU/L) | 29 |
| alkaline phosphatase (ALP)(40~120 IU/L) | 85 | gamma-glutamyl transpeptidase (r-GT) (11~63 IU/L) | 27 |
| total bilirubin (0.2~1.2 mg/dL) | 0.9 | direct bilirubin (~0.5mg/dL) | - |
| BUN(10~26mg/dL) /Cr (0.7~1.4mg/dL) | 41/2.45 | estimated GFR ($\geq$60ml/min/1.7m$^2$) | 28 |
| C-reactive protein (~0.6mg/dL) | 11.72 | cholesterol | 161 |
| Na(135~145mmol/L) / K(3.5~5.5mmol/L) / Cl(98~110mmol/L) | 131/4.4/94 | total CO$_2$ (24~31mmol/L) | 14.2 |

ABGA : pH 7.340, PaO$_2$ 40.0 mmHg, PaCO$_2$ 30.0 mmHg, HCO$_3$- 16.0 mmEq/L, O$_2$ saturation 71%

## Coagulation battery

| | | | |
|---|---|---|---|
| prothrombin time (PT) (70~140%) | 77.4 | PT (INR) (0.8~1.3) | 1.12 |
| activated partial thromboplastin time (aPTT) (25~35 sec) | 30.5 | | |

## Urinalysis

| | | | |
|---|---|---|---|
| specific gravity (1.005~1.03) | 1.025 | pH (4.5~8) | 5.0 |
| albumin (TR) | (+) | glucose (-) | (+++) |
| ketone | TR | bilirubin | (-) |
| occult blood | (++++) | nitrite | (-) |
| Urobilinogen | (-) | WBC | (-) |

## Chest PA

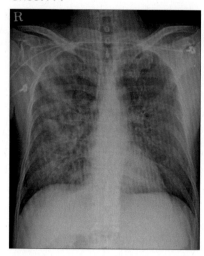

Spinous process가 규칙적으로 배열되어있어 rotation 되지 않은 사진이다.
lung apex가 명확이 관찰되지 않으며, scapula가 양측 lung field에 포함되어있다.
Lung field에 관찰되는 rib이 9개 정도로 full inspiration 되어 있으며, soft tissue 의 abnormality는 관찰되지 않는다.
Bony throrax에서도 이상 소견 없으며, Trachea 음영 및 좌/우 주기관지 음영이 관찰되며, 양측 폐야에서 증가된 vascular marking 및 diffuse 한 infiltration관찰되고 있다.
좌우의 CP angle이 slight하게 blunting 되어 있다.

## EKG

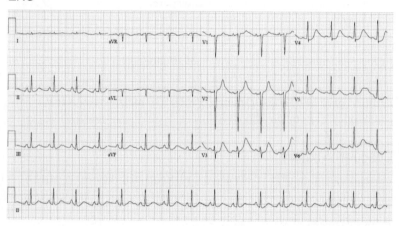

## Initial Problem List

#1. Dyspnea (MMRC Gr 4)

#2. Nausea/vomiting

#3. Pre-syncope

#4. Low blood pressure

#5. Elevated cardiac enzyme

#6. High anion gap metabolic acidosis

#7. Leukocytosis & elevated CRP

#8. Azotemia

#9. Diffuse patchy infiltration of both lungs

#10. Alcohol intoxication

#11. Hypertension

#12. DM

#1. Dyspnea (MMRC Gr 4)
#3. Pre-syncope
#4. Low blood pressure
#5. Elevated cardiac enzyme
#9. Diffuse patchy infiltration of both lungs

호흡곤란, 혈압강하, cardiac enzyme의 상승으로 허혈성 심장 질환 또는 심근병증에 의한 cardiogenic shock을 고려해야 하는 상황이며, 심장초음파 및 지속적인 ECG, 심근효소 f/u으로 감별진단이 가능하다.

A)      Cardiogenic shock d/t ischemic heart disease
                         dilated cardiomyopathy
                         stress-induced cardiomyopathy

P)     Diagnostic plan〉
Echocardiography, Coronary angiogram or coronary CT angiogram
ECG / enzyme follow-up
Treatment plan〉
intubation, C-line insertion, inotropics/vasopressor
Consider mechanical support (IABP - intra-aortic balloon pump
     ECMO-extracorporeal membrane oxygenation)

오심, 구토에 의한 흡인성 폐렴이
발생하고 이로 인한 septic shock이
발생하였을 가능성이 있어 이에 대한
경험적 항생제 사용이 필요하다.

#1. Dyspnea (MMRC Gr 4)
#2. Nausea/vomiting
#4. Low blood pressure
#6. High anion gap metabolic acidosis
#7. Leukocytosis & elevated CRP
#9. Diffuse patchy infiltration of both lungs

| | |
|---|---|
| A) | Septic shock d/t aspiration pneumonia |
| P) | Diagnostic plan⟩<br>Blood/sputum culture, atypical pneumonia lab<br><br>Treatment plan⟩<br>Empirical antibiotics(piperacillin/tazobactam, levofloxacin) |

환자는 현재 shock 상태이며 요량이
확보되지 않아 장기부전에 빠지게
되면 악순환에 이르게 되므로
급성신부전에 대한 치료가 필요하다.

#2. Nausea/vomiting
#4. Low blood pressure
#6. High anion gap metabolic acidosis
#8. Azotemia

| | |
|---|---|
| A) | Acute Kidney Injury d/t ineffective circulating volume |
| P) | Diagnostic plan⟩<br>Check FENa<br><br>Treatment plan⟩<br>Hydration<br>Renal replacement therapy |

## 2D echocardiography at ER

응급실에서 시행한 portable
echocardiography에서 LVEF
24%, mid-, basal-wall의
akinesia가 관찰되어
variant foam의 stress-induced
cardiomyopathy의 가능성이 있다.

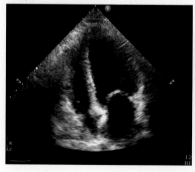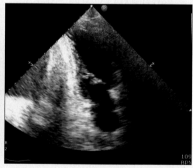

#1. Dyspnea (MMRC Gr 4)
#3. Pre-syncope
#4. Low blood pressure
#5. Elevated cardiac enzyme
#9. Diffuse patchy infiltration of both lungs

A)    Cardiogenic shock d/t Stress-induced cardiomyopathy

Treatment plan〉
P)    Intubation - with mechanical ventilatory support
       Inotropes with vasopressor - ECMO insertion

응급실에서 승압제, 강심제 사용에도
불구하고 혈압 유지되지 않고
산소요구량 증가하여 기관 삽관 및
ECMO 삽입을 시행하고 중환자실로
전동되었다.

## Updated problem list

#1. Dyspnea (MMRC Gr 4)
     → Cardiogenic shock d/t stress-induced cardiomyopathy
#2. Nausea/vomiting
#3. Pre-syncope → #1
#4. Low blood pressure → #1
#5. Elevated cardiac enzyme → #1
#6. High anion gap metabolic acidosis → #1
#7. Leukocytosis & elevated CRP
#8. Azotemia → AKI d/t ineffective circulating volume
#9. Diffuse patchy infiltration of both lungs → #1
#10. Alcohol intoxication
#11. Hypertension
#12. DM

## Hospital day #3

#1. Cardiogenic shock d/t Stress-induced cardiomyopathy

O)    Creatinine 0.68 mg/dL
      ABGA 7.41-36.0-121.0
      Troponin-I 2.82 ng/mL
      CK-MB 20.4 ng/mL

A)    Stabilized cardiogenic shock d/t Stress-induced cardiomyopathy

P)    ECMO remove
      Extubation

중환자실에서 ECMO 및 기계환기
중으로 azotemia, metabolic
acidosis, cardiac enzyme
호전되어 ECMO를 제거하고 기계환
기에서 이탈하였다.

# Hospital day #4

기계환기에서 이탈하여 의식이 회복된 상태에서 오른쪽 다리의 통증 및 근력저하를 호소하였고 이에 대해서 stroke의 가능성 및 ECMO catheter 삽입으로 인한 distal flow저하로 발생한 ischemic peripheral neuropathy 가능성을 모두 염두에 두고 brain MR, EMG/NCV, lower extremity angiography CT 시행하였고 angiography CT에서는 vascular lesion은 확인되지 않았으나 right kidney와 adrenal gland 사이의 종괴가 확인되었다.

#13. Rt. Lower extremity weakness and sensory change

| | |
|---|---|
| S) | 오른쪽 다리가 아프고 힘이 덜 들어가요 |
| O) | Rt. lower extremity motor Gr II<br>Decreased sense below Rt. knee |
| A) | Stroke<br>Peripheral neuropathy d/t ischemia |
| P) | Brain MR, EMG/NCV, Lower extremity angiography CT<br>NR consult<br>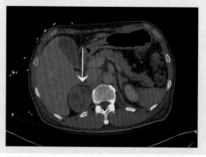 |

# Hospital Day #5

#13. Rt. Lower extremity weakness and sensory change
#14. Mass in Rt. Kidney

| | |
|---|---|
| O) | Brain MR : no acute infarction or hemorrhage<br>NCV : Rt. Lumbosacral plexopathy<br>Angiography CT : no abnormality in vascular system<br>　　　　　　　　　adrenal mass-like lesion in adrenal gland |
| A) | Rt. Lumbosacral plexopathy d/t ischemia |
| P) | 1-2주 뒤 f/u NCV<br>RM consultation for rehabilitation therapy<br>Kidney CT 시행<br>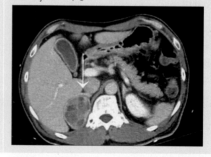 |

Rt. Adrenal gland의 5.9cm 크기의 pheochromocytoma로 생각되는 종괴와 Lt. adrenal gland에는 1.1cm 크기의 nodule이 확인되었다.

## Updated problem list

#1. Dyspnea (MMRC Gr 4)

 → Cardiogenic shock d/t stress-induced cardiomyopathy

#2. Nausea/vomiting

#3. Pre-syncope → #1

#4. Low blood pressure → #1

#5. Elevated cardiac enzyme → #1

#6. High anion gap metabolic acidosis → #1

#7. Leukocytosis & elevated CRP

#8. Azotemia → AKI d/t ineffective circulating volume

#9. Diffuse patchy infiltration of both lungs → #1

#10. Alcohol intoxication

#11. Hypertension

#12. DM

#13. Rt. Lower extremity weakness and sensory change

 → Rt. Lumbosacral plexopathy d/t ischemia

#14. mass in Rt. Kidney

# Hospital Day #5~8

Cardiogenic shock에서 호전되어 심장기능 평가 위해 coronary CT와 심초음파를 시행하였다.

**#1. Cardiogenic shock d/t Stress-induced cardiomyopathy**

| | |
|---|---|
| S) | 다리는 불편하긴 하나 많이 좋아졌고 숨차고 기운 없는 것도 좋아졌습니다. |
| A) | h/o Cardiogenic shock d/t SCMP |
| P) | Coronary CT or coronary angiogram<br>f/u Echocardiography |

Coronary artery CT
Coronary aretery disease의 증거는 없었다.

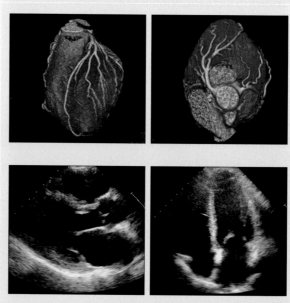

Echocardiography
LVEF 63% 및 wall motion abnormality 모두 회복된 결과를 보였다.

# Hospital Day #9~17

Kidney CT에서 확인된 mass에 대해서 혈액검사 및 소변검사 시행하였고 Lt. adrenal gland의 1.1cm nodule에 대해서 pheochromocytoma 가능성을 확인하기 위해 I¹²³-MIBG scan을 시행하였다.

**#14. Mass in Rt.kidney**

| | |
|---|---|
| S) | Incidentaloma w/u 결과 확인 |
| A) | Pheochromocytoma |
| P) | MIBG scan |

I¹²³-MIBG scan에서 Rt. Adrenal gland로의 uptake 관찰되나 Lt. adrenal gland의 nodule은 pheochromocytoma의 가능성이 낮은 것으로 판명되었다.

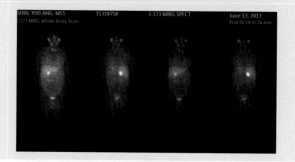

〈참고치〉

| | | |
|---|---|---|
| Epinephrine | 1110.6 pg/ml | 〈50 pg/ml |
| Norepinephrine | 845.5 pg/ml | 110~410 pg/ml |
| 24hr urine VMA | 10.0 mg/day | 0~8 mg/day |
| 24hr urine epinephrine | 248.7 ug/day | 35ug/day |
| 24hr urine norepinephrine | 159.7 ug/day | 170ug/day |
| 24hr urine dopamine | 184.6 ug/day | 700ug/day |
| 24hr urine metanephrine | 6096.1 ug/day | 52~341 ug/day |
| 24hr urine normetanephrine | 2453.2 ug/day | 88~444 ug/day |
| Midnight cortisol | 21.2 ug/dL | 5~25 ug/dL |
| 24hr urine cortisol | 259 ug/day | 20~90 ug/day |
| Aldosterone/Renin ratio | 3.620 | |

24시간 소변 카테콜아민 및 메타네
프린이 증가되었고 혈장 카테콜아민
도 증가되어 있었다.

이후 환자는 Rt. Adrenal gland의 pheochromocytoma로 진단 받고 향후 수술
적 치료 시행하기로 하고 퇴원하였다.
퇴원 20일 후 심장내과, 내분비내과, 비뇨기과 외래 내원하였고 수술 시행까
지 αblocker(phenoxybenzamine) 복용 유지하기로 하였고 퇴원 50일 후 비
뇨기과로 수술적 치료 위해 입원하였다.
Laparoscopic right adrenalectomy 시행하였고 POD 7일 퇴원하였다.
2번째 퇴원 1주일 후 내분비내과 외래 내원하였고 부신기능 평가 위한 ACTH
stimulation test 및 pheochromocytoma 완전 절제 여부 확인 위한 urine,
plasma metanephrine test 시행하였고 24시간 urine metanephrine 및
normetanephrine은 정상 범위로 감소한 것을 알 수 있다.

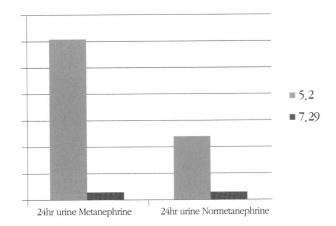

■ 5.2
■ 7.29

24hr urine Metanephrine    24hr urine Normetanephrine

환자는 이후 심장내과, 내분비내과, 비뇨기과 follow up 중이며 현재 혈압은
정상범위로 조절되어 혈압약은 모두 중단한 상태이다.

## Lesson of the case

Stress-induced cardiomyopathy가 있는 환자에 있어서 pheochromocytoma 가 동반되어 있는 경우가 있으며 pheochromocytoma에 의한 이차성 고혈압 은 수술적 치료로 완치가 가능하다.

# 20일 전 시작된 상복부 통증으로 내원한 54세 남자

## Chief Complaints

Epigastric pain , started 20 days ago

## Present Illness

내원 4년 전 건강검진 위내시경에서 gastroesophageal reflux disease (GERD) 진단받고 8주간 medication 받았음.

내원 20일 전부터 epigastric pain 발생함. 식후 2시간에 발생하여 우리한 느낌의 통증이 NRS 2-3점으로 시작하여 점점 강도가 강해지며 NRS 6점까지 악화되며 6시간정도 지속되는 양상임. 식욕부진, 구역, 구토, watery diarrhea (하루 5-6회) 동반됨.

당시 연고지 병원에서 위내시경 시행받았으나 위염 이외에는 다른 소견 없었다고 하며, 복통으로 3-4 차례 ○○병원 응급실 내원하며 fluid 및 진통제 투약받고 호전되어 퇴실하였음.

이후에도 증상 호전 없이 지속적으로 반복되어 ○○병원 외래 통해 입원함.

## Past History

hypertension : 3년전 진단, olmesartan 10mg qd 복용중

diabetes (-) hypertension (-) hepatitis (-)

asthma : 1년전 진단, formoterol/budesonide 흡입제 하루 2회 사용중

## Family History

gastric cancer(+) : 아버지

diabetes (-) hypertension (-)  tuberculosis (-)

## Social History

occupation : 경찰공무원
smoking : never smoker
alcohol : social drink

## Review of Systems

### General

| | |
|---|---|
| generalized edema (-) | easy fatigability (-) |
| dizziness (-) | weight loss (+) : 3주간 7kg 감소 |

### Skin

| | |
|---|---|
| purpura (-) | erythema (-) |

### Head / Eyes / ENT

| | |
|---|---|
| headache (-) | hearing disturbance (-) |
| dry eyes (-) | tinnitus (-) |
| rhinorrhea (-) | oral ulcer (-) |
| sore throat (-) | dry mouth (-) |

### Respiratory

| | |
|---|---|
| dyspnea (-) | hemoptysis (-) |
| cough (-) | sputum (-) |

### Cardiovascular

| | |
|---|---|
| chest pain (-) | palpitation (-) |
| orthopnea (-) | dyspnea on exertion (-) |

### Gastrointestinal

| | |
|---|---|
| anorexia (+) | dyspepsia (-) |
| nausea (+) | vomiting (+) |
| diarrhea (+) | abdominal pain (+) |

### Genitourinary

| | |
|---|---|
| flank pain (-) | gross hematuria (-) |
| genital ulcer (-) | costovertebral angle tenderness (-) |

## Neurologic

seizure (-)                        cognitive dysfunction (-)

psychosis (-)                      Motor- sensory change (-)

## Musculoskeletal

pretibial pitting edema(-)         tingling sense (-)

back pain (-)                      muscle pain (-)

# Physical Examination

height 182.5 cm, weight 80.6 kg

body mass index 24.2 kg/cm$^2$

## Vital Signs

BP 125/93 mmHg -  HR 55 beats /min  -  RR 18 times/min - BT 36.1℃

## General Appearance

acutely ill-looking                alert

oriented  to time, person and place

## Skin

skin turgor: normal                ecchymosis (-)

rash(-)                            purpura(-)

## Head / Eyes / ENT

visual field defect (-)            pale conjunctiva (-)

icteric sclera (-)                 palpable lymph nodes (-)

## Chest

symmetric expansion without retraction    normal tactile fremitus

percussion : resonance             clear breath sound without crackle

## Heart

regular rhythm            normal hearts sounds without murmur

## Abdomen

| | |
|---|---|
| soft and flat abdomen | normoactive bowel sound |
| tenderness (-) | rebound tenderness (-) |
| splenomegaly (-) | Hepatomegaly (-) |
| Murphy's sign (-) | palpable mass (-) |

## Neurology

| | |
|---|---|
| motor weakness (-) | sensory disturbance (-) |
| gait disturbance (-) | neck stiffness (-) |

# Initial Laboratory Data

## CBC

| WBC $4 \sim 10 \times 10^3/mm^3$ | 4,600 | Hb (13~17 g/dl) | 11.7 |
|---|---|---|---|
| WBC differential count | neutrophil 31.2% lymphocyte 34.6% monocyte 6.3% eosinophil 27.5% | platelet $(150 \sim 350 \times 10^3/mm^3)$ | 175 |

## Chemical & Electrolyte battery

| | | | |
|---|---|---|---|
| Ca (8.3~10 mg/dL) /P (2.5~4.5 mg/dL) | 9.4/2.8 | glucose (70~110 mg/dL) | 92 |
| protein (6~8 g/dL)/ albumin (3.3~5.2 g/dL) | 7.3/4.2 | aspartate aminotransferase (AST)(~40 IU/L) | 17 |
| | | /alanine aminotransferase (ALT)(~40 IU/L) | 13 |
| alkaline phosphatase (ALP)(40~120 IU/L) | 323 | gamma-glutamyl transpeptidase (r-GT) (11~63 IU/L) | 305 |
| total bilirubin (0.2~1.2 mg/dL) | 1.0 | direct bilirubin (~0.5mg/dL) | 0.3 |
| BUN(10~26mg/dL) /Cr (0.7~1.4mg/dL) | 15/1.04 | estimated GFR ($\geq$60ml/min/1.7m$^2$) | 74 |
| C-reactive protein (~0.6mg/dL) | 0.1 | cholesterol | 157 |
| Na(135~145mmol/L) / K(3.5~5.5mmol/L) / Cl(98~110mmol/L) | 141/3.7/105 | total $CO_2$ (24~31mmol/L) | 20.7 |

## Coagulation battery

| | | | |
|---|---|---|---|
| prothrombin time (PT) (70~140%) | 75.3 | PT (INR) (0.8~1.3) | 1.13 |
| activated partial thromboplastin time (aPTT) (25~35 sec) | 27.1 | | |

## Urinalysis

| | | | |
|---|---|---|---|
| specific gravity (1.005~1.03) | 1.015 | pH (4.5~8) | 6.0 |
| albumin (TR) | TR | glucose (-) | (-) |
| ketone (-) | (-) | bilirubin (-) | (-) |
| occult blood (-) | TR | nitrite (-) | (-) |
| WBC(stick) (-) | (-) | | |

## Chest X-ray

| 특이 소견 보이지 않음.

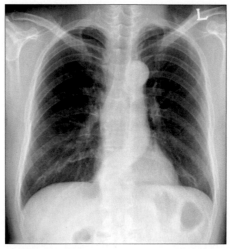

## Simple abdomen

| 특이 소견 보이지 않음.

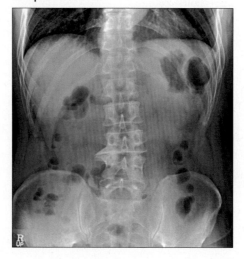

## Initial Problem List

#1. Asthma (1YA)

#2. Epigastric pain, nausea, vomiting

#3. Diarrhea

#4. Eosinophilia

#5. Weight loss (3주간 7kg 감소)

## Assessment and Plan

#4. Eosinophilia

A)
parasite infection
drug
asthma

P)
Diagnostic plan〉
clonorchis antibody, paragonimus antibody, toxocara antibody,
sparganum antibody, cysticercus antibody 확인
stool exam
drug history 확인

**Problem #4**

Eosinophilia의 흔한 원인으로 기생
충 감염, 약물 가능성을 고려하였고,
이전 천식 병력 또한 eosinophilia
와 연관 있을 것이라고 보았다.

#2. Epigastric pain, nausea, vomiting

#3. Diarrhea

#4. Eosinophilia

#5. Weight loss (3주간 7kg 감소)

A)
parasite infection
gastric cancer
eosinophilic gastroenteritis
somatoform disorder

P)
Diagnostic plan〉
위내시경

Therapeutic plan〉
therapeutic NPO

**Problem #2~#5**

체중 감소가 있어 기질적인 병변이
있을 가능성이 높다고 보고 위내시경
시행하기로 하였다.

# Hospital day #2

#2. Epigastric pain, nausea, vomiting
#3. Diarrhea
#4. Eosinophilia
#5. Weight loss (3주간 7kg 감소)

| | |
|---|---|
| S) | 잘 생각해 보니까 3년 전에 천엽 먹은 적이 있었어요.<br>집에 애완동물로 강아지가 있어요. |
| O) | medication Hx 〉<br>2013.5-　　: olmetec(Olmesartan)<br>2013.7.19-: polybutine tab 100mg<br>　　　　　antibio　　300mg<br>　　　　　depas　　　0.5mg<br>2013.7.21-: ventolin<br>　　　　　macperan iv<br>　　　　　smecta<br>2013.7.24-: ulcerlmin<br>2013.7.26-: ulcerlmin,<br>　　　　　antibio cap 300mg |
| A) | parasite infection, Clonorchis or Toxocara<br>eosinophilic gastroenteritis |
| P) | clonorchis antibody, paragonimus antibody, toxocara antibody,<br>sparganum antibody, cysticercus antibody 확인<br>stool exam<br>위내시경 |

# Hospital day #3

#2. Epigastric pain, nausea, vomiting
#3. Diarrhea
#4. Eosinophilia
#5. Weight loss (3주간 7kg 감소)

S)   복통은 약간 줄어들었어요.

     위내시경)

O)
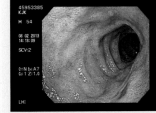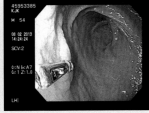

     십이지장 및 위 점막에 부종과 발적이 관찰되었음.
     multiple biopsy 시행함.

A)   parasite infection, Clonorchis or Toxocara
     eosinophilic gastroenteritis

P)   조직검사 결과 확인

## Hospital Day #4

#2. Eosinophilic gastroenteritis
#6. Parasite infection

| | |
|---|---|
| S) | 이제는 배가 별로 아프지 않아요. 퇴원했다가 외래에서 결과 듣고 싶어요. |
| A) | parasite infection, Clonorchis or Toxocara<br>eosinophilic gastroenteritis |
| P) | 퇴원, 외래에서 parasite antibody 결과 및 조직검사 결과 확인 |

## 9 days after discharge

#2. Eosinophilic gastroenteritis
#6. Parasite infection

| | |
|---|---|
| S) | 복통은 좋아졌어요. 식사도 이제 하루 한끼씩은 해요. |
| O) | 조직검사 결과)<br>Endoscopic Biopsy(십이지장)<br>*<br><br>DIAGNOSIS:<br>A) Duodenum, (bulb), endoscopic biopsy:<br>　　- Chronic duodenitis, moderate, with eosinophilic infiltration,<br>　　　consistent with eosinophilic duodenitis. (See note)<br>B) Duodenum, (2nd portion), endoscopic biopsy:<br>　　- Chronic duodenitis, moderate, with eosinophilic infiltration,<br>　　　consistent with eosinophilic duodenitis. (See note)<br>note:<br>Moderate eosinophilic infiltration (up to 34 eosinophils/HPF) is<br>noted. Differential diagnoses include parasitic infection and<br>eosinophilic duodenitis. Clinicopathologic correlation is<br>recommended.<br><br>Endoscopic Biopsy (위)<br>*<br><br>DIAGNOSIS<br>A) Stomach, (cardia, lesser curvature), endoscopic biopsy:<br>　　- Chronic gastritis, mild, with intestinal metaplasia, atrophy,<br>　　　lymphoid follicles and mild eosinophilic infiltration. (See note)<br>B) Stomach, (high body, greater curvature), endoscopic biopsy:<br>　　- No diagnostic abnormalities.<br>C) Stomach, (low body, greater curvature), endoscopic biopsy:<br>　　- No diagnostic abnormalities.<br>D) Stomach, (antrum, anterior wall), endoscopic biopsy:<br>　　- Chronic gastritis, mild, with intestinal metaplasia. |

E) Stomach, (antrum, greater curvature), endoscopic biopay:
   - Chronic gastritis, mild.
F) Stomach, (prepyloric antrum, greater curvature), endoscopic
   biopsy:
   - Chronic gastritis, mild.

note:
Mild eosinophilic infiltration (up to 12 eosinophils / HPF) is noted
in lamina propria, which is insufficient for the diagnosis of
eosinophilic gastritis.

parasite antibody 결과〉

| 코드 | Description | 결과값 |
|---|---|---|
| L4525 | Toxocara Ab(Serum) | Positive |
| L453001 | Clonorchis Ab(Serum) | Negative |
| L453002 | Paragonimus Ab(Serum) | Negative |
| L453003 | Cysticercus Ab(Serum) | Negative |
| L453005 | Sparganum Ab (Serum) | Negative |

A) toxocariasis
   eosinophilic gastroenteritis

P) albendazole 400mg qd, 5일간
   steroid - prednisolone 40mg qd, 1주일마다 10mg 씩 tapering.

## 30 days after discharge

toxocariasis
eosinophilic gastroenteritis

S) 복통 없이 지냈어요. 체중도 다시 2kg 정도 회복했어요.

O) eosinophil counts : 40 /uL

A) toxocariasis
   eosinophilic gastroenteritis

P) prednisolone tapering 하여 중단

## Clinical Course

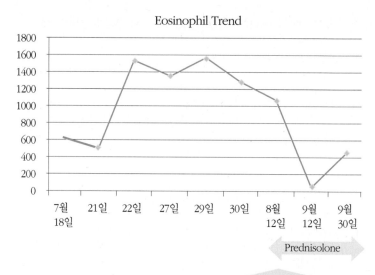

### Updated problem list

#1. Asthma (1YA)

#2. Epigastric pain, nausea, vomiting ⇨ Eosinophilic gasteroenteritis assciated with toxocariasis

#3. Diarrhea ⇨ See #2

#4. Eosinophilia ⇨ See #2

#5. Weight loss ⇨ See #2

### Lesson of the case

최근 불분명한 원인의 복통환자에서 Toxocariasis가 확인되는 경우가 증가하고 있다. 애완동물 접촉 기회가 점차 늘고 있는 것도 이와 연관될 수 있겠으며, 잘 분류되지 않는 복통 환자에서 Toxocariasis 등의 기생충 질환도 생각해 볼 필요성이 있다는 점을 알 수 있다.

# 2개월 전 확인된 right inguinal mass로 내원한 67세 남자

## Chief Complaints

Palpable right inguinal mass (onset: 2 months ago)

## Present Illness

2개월 전부터 오른쪽 서혜부에 동전 크기의 만져지는 종괴가 발견되었고 통증과 이동성은 없었다.

oo병원 내원하여 시행한 excisional biopsy상 metastatic squamous cell carcinoma 확인되었고, primary site로 생각되는 병변은 chest CT, abdomen-pelvis CT 에서 보이지 않았다.

이에 malignancy of unknown origin 소견으로 work up 위해 입원하였다.

## Past History

Hypertension (+) :20YA, on medication (telmisartan/hydrochlorothiazide)
Diabetes mellitus (+) : 10YA, on medication (metformin)
Hepatitis (-)
Tuberculosis (-)

## Family History

Hypertension (+) :형
Diabetes mellitus (-)
Hepatitis (-)
Tuberculosis (-)
Malignancy (-)

## Social History

Occupation: none

Smoking: current smoker, 25 pack x year

Alcohol: 소주 3-4병/주 * 45 yrs

## Review of Systems

### General

| | |
|---|---|
| generalized weakness (-) | easy fatigability (-) |
| dizziness (-) | weight loss (-) |

### Skin

| | |
|---|---|
| purpura (-) | erythema (-) |

### Head / Eyes / ENT

| | |
|---|---|
| headache (+)<br>　-Location: Lt. forehead<br>　-Frequency: 하루에 3-4번<br>　-Intensity: mild to moderate<br>　-Duration: minutes to hours<br>　-Character: 지끈지끈 아파요. | hearing disturbance (-) |
| dry eyes (-) | tinnitus (-) |
| rhinorrhea (-) | oral ulcer (-) |
| sore throat (-) | dry mouth (-) |

### Respiratory

| | |
|---|---|
| dyspnea (-) | hemoptysis (-) |
| cough (-) | sputum (-) |

### Cardiovascular

| | |
|---|---|
| chest pain (-) | palpitation (-) |
| orthopnea (-) | dyspnea on exertion (-) |

## Gastrointestinal

anorexia (-)                     dyspepsia (-)
nausea (-)                       diarrhea (-)
vomiting (-)                     abdominal pain (-)
dysphagia (-)                    constipation (-)
melena (-)                       bowel habit change (-)
hematochezia (-)                 hematemesis (-)

## Genitourinary

flank pain (-)                   gross hematuria (-)
genital ulcer (-)                urinary frequency (-)

## Neurologic

seizure (-)                      cognitive dysfunction (-)
psychosis (-)                    motor-sensory change (-)

## Musculoskeletal

arthralgia (-)                   muscle pain (-)

## Physical Examination

height 172 cm, weight 71 kg, body mass index 24.1 kg/m²

### Vital Signs

BP 136/81 mmHg -HR 81/min - RR 16/min - BT 37.4℃

### General Appearance

healthy looking                  alert
oriented to time, person, place

### Skin

skin turgor: normal              ecchymosis (-)
rash (-)                         purpura (-)

## Head / Eyes / ENT

| | |
|---|---|
| visual field defect (-) | pinkish conjunctiva (+) |
| icteric sclera (-) | palpable lymph node (+) :Lt. supraclavicular, firm, non-tender, fixed, 1.5 x 1cm |

## Chest

| | |
|---|---|
| symmetric expansion without retraction | clear breathing sound without crackle |

## Heart

| | |
|---|---|
| regular rhythm | normal hearts sound without murmur |

## Abdomen

| | |
|---|---|
| soft & flat abdomen | normo active bowel sound |
| tenderness(-) | rebound tenderness (-) |

## Musculoskeletal

| | |
|---|---|
| pretibial pitting edema(-) | costovertebral angle tenderness(-/-) |

## Neurology

| | |
|---|---|
| motor weakness (-) | sensory disturbance (-) |
| gait disturbance (-) | neck stiffness (-) |

## Back and extremities

| | |
|---|---|
| costovertebral angle tenderness(-/-) | peripheral edema (-) |

palpable lymph node (+)
:Rt. Inguinal, fixed, non-tender, firm, 3x3cm

## Initial Laboratory Data

### CBC

| | | | |
|---|---|---|---|
| WBC<br>4~10×10³/mm³ | 5,200 | Hb (13~17 g/dl) | 12.0 |
| WBC<br>differential count | neutrophil 60.3%<br>lymphocyte 29.3%<br>monocyte 7.7% | platelet<br>(150~350×10³/mm³) | 433 |

### Chemical & Electrolyte battery

| | | | |
|---|---|---|---|
| Ca (8.3~10 mg/dL)<br>/P (2.5~4.5 mg/dL) | 9.6/4.3 | glucose<br>(70~110 mg/dL) | 80 |
| protein (6~8 g/dL)/<br>albumin (3.3~5.2 g/dL) | 7.3/3.7 | aspartate aminotransferase<br>(AST)(~40 IU/L)<br>/alanine aminotransferase<br>(ALT)(~40 IU/L) | 22<br><br>17 |
| alkaline phosphatase<br>(ALP)(40~120 IU/L) | 77 | total bilirubin<br>(0.2~1.2 mg/dL) | 0.3 |
| BUN(10~26mg/dL)<br>/Cr (0.7~1.4mg/dL) | 16/0.79 | estimated GFR<br>(≥60ml/min/1.7m²) | >90 |
| C-reactive protein<br>(~0.6mg/dL) | 0.35 | cholesterol<br>(~199 mg/dL) | 131 |
| Na(135~145mmol/L)<br>/ K(3.5~5.5mmol/L)<br>/ Cl(98~110mmol/L) | 140/3.7/101 | total $CO_2$<br>(24~31mmol/L) | 27.7 |

### Coagulation battery

| | | | |
|---|---|---|---|
| prothrombin time (PT)<br>(70~140%) | 95.9 | PT (INR) (0.8~1.3) | 1.05 |
| activated partial<br>thromboplastin time<br>(aPTT)<br>(25~35 sec) | 26.0 | | |

## Urinalysis with microscopy

| specific gravity (1.005~1.03) | 1.016 | pH (4.5~8) | 5.0 |
|---|---|---|---|
| albumin(TR) | (TR) | glucose (-) | (-) |
| ketone (-) | (-) | bilirubin (-) | (-) |
| occult blood (-) | (-) | nitrite (-) | (-) |
| RBC (0~2/HPF) | 0-2/HPF | WBC (0~2/HPF) | 0-2/HPF |
| squamous cell (0~2/HPF) | 0-2/LPF | bacteria | 0/HPF |

## Chest X-ray

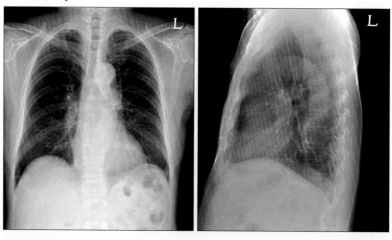

## Initial ECG

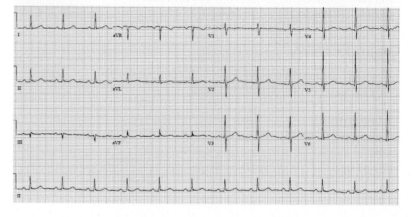

## Outside abdomen and pelvis CT with enhance

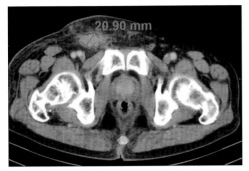

Right inguinal area에 약2.1cm의 enlarged lymph node가 있다.

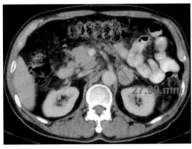 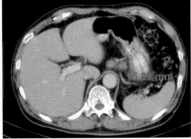

Left adrenal gland에 2.8cm 크기의 nodule이 관찰되며, Celiac trunk와 aorta 그리고 Inferior vena cava 주변에 enlarged lymph node가 있다.

## Outside abdomen and pelvis CT with enhance

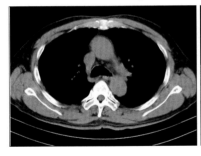 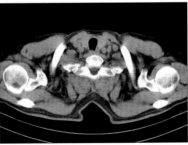

Left supraclavicular area에 small lymph nodes가 보인다.

## Initial Problem List

#1. Multiple metastatic squamous cell carcinoma

#2. Hypertension on medication

#3. Diabetes mellitus on medication

#4. Headache

## Assessment and Plan

#1. Multiple metastatic squamous cell carcinoma

A)   Malignancy of unknown origin

P)   Diagnostic plan〉
Review of outside pathology and CT
Esophagogastroduodenoscopy

#2. Hypertension

A)   Essential HTN

P)   Therapeutic plan〉
Telmisartan/ hydrochlorothiazide 유지

3. Diabetes mellitus

A)   Diabetes mellitus

P)   Therapeutic plan〉
Metformin 유지

#4. Headache

A)   Migraine, most likely
Tension headache, less likely

P)   Therapeutic plan〉
증상 재발시 경구 진통제 복용 고려

## Hospital day #2-6

#1. Multiple metastatic squamous cell carcinoma

O)   EGD〉
: Atrophic gastritis, no abnormal mucosal lesion at esophagus

본원 자문 판독 (Right inguinal lymph node)〉
: metastatic squamous cell carcinoma

A)   Malignancy of unknown origin

P)   Palliative Chemotherapy
Cisplatin/5-FU chemotherapy 1차 cycle

# Hospital day #8 (FP#1 Chemotherapy day 2)

#1. Multiple metastatic squamous cell carcinoma
#2. Hypertension

S)  머리가 아파요. 어지러워요. 가슴이 벌렁벌렁 거려요.
금방 좋아지기는 하는데 하루에 몇 번씩 반복돼요.

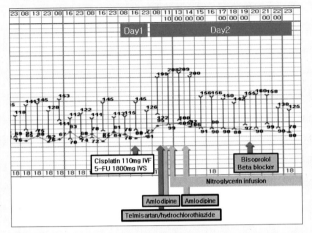

EKG

O)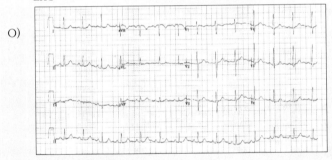

Cardiac enzyme)
Troponin 0.012ng/mL
CK-MB 1.5 ng/mL
CK 53 IU/L

심장내과 consult)
Palpitation 은 호전되고 있습니다. 증상 재발시 EKG 시행하여 변화
여부를 확인하십시오. BP medicaiton은 현재 추가한 대로 유지하시
면 되겠습니다.

A)  Transient high BP associated with chemotherapy and hydration,
most likely

Close observation

P)  Keep on antihypertensive agent
Cisplatin/5-FU chemotherapy 유지

## 임상경과

이 후 5일간 항암 스케줄 진행하며 BP medication유지하였고 혈압 normal range로 회복되어 추가하였던 혈압약 하나씩 단계적으로 중단하였고 입원 전부터 복용하던 약제 (telmisartan/hydrochlorothiazie) 한가지만 복용하기로 하고 퇴원하였다.

# 2nd admission for chemotherapy 2nd cycle

## Present Illness

한달 전 metastatic squamous cell carcinoma of right inguinal lymph node를 주소로 입원하여 work up하였으나 primary site를 찾지 못하였고 multiple metastatic squamous cell carcinoma 소견 하에 Cisplatin/5-FU chemotherapy 1st cycle 시행하였다.
2nd cycle Cisplatin/5-FU chemotherpy 시행 위해 입원하였다.

퇴원 후 오심, 구토, 두통, 설사 등의 일반적인 항암 후 부작용 없었다.

## Review of Systems

### General

| | |
|---|---|
| generalized weakness (-) | easy fatigability (-) |
| dizziness (-) | weight loss (-) |

### Skin

| | |
|---|---|
| purpura (-) | erythema (-) |

### Head / Eyes / ENT

| | |
|---|---|
| headache (-) | hearing disturbance (-) |
| dry eyes (-) | tinnitus (-) |
| rhinorrhea (-) | oral ulcer (-) |
| sore throat (-) | dry mouth (-) |

### Respiratory

| | |
|---|---|
| dyspnea (-) | hemoptysis (-) |
| cough (-) | sputum (-) |

## Cardiovascular

chest pain (-)                    palpitation (-)

orthopnea (-)                     dyspnea on exertion (-)

## Gastrointestinal

anorexia (-)                      dyspepsia (-)

nausea (-)                        diarrhea (-)

vomiting (-)                      abdominal pain (-)

dysphagia (-)                     constipation (-)

melena (-)                        bowel habit change (-)

hematochezia (-)                  hematemesis (-)

## Genitourinary

flank pain (-)                    gross hematuria (-)

genital ulcer (-)                 urinary frequency (-)

## Neurologic

seizure (-)                       cognitive dysfunction (-)

psychosis (-)                     motor-sensory change (-)

## Musculoskeletal

arthralgia (-)                    muscle pain (-)

## Physical Examination

### Vital Signs

BP 94/62 mmHg -HR 68/min - RR 18/min - BT 36.1℃

### General Appearance

looking no ill                    alert

oriented  to time, person, place

### Skin

skin turgor: normal               ecchymosis (-)

rash (-)                          purpura (-)

## Head / Eyes / ENT

| | |
|---|---|
| visual field defect (-) | pinkish conjunctiva (+) |
| icteric sclera (-) | palpable lymph node (+)<br>:Lt. supraclavicular, firm,<br>non-tender, fixed, 1x1cm |

## Chest

| | |
|---|---|
| symmetric expansion without retraction | clear breathing sound without crackle |

## Heart

| | |
|---|---|
| regular rhythm | normal hearts sound without murmur |

## Abdomen

| | |
|---|---|
| soft & flat abdomen | normo activebowel sound |
| tenderness(-) | rebound tenderness (-) |

## Musculoskeletal

| | |
|---|---|
| pretibial pitting edema(-) | costovertebral angle tenderness(-/-) |

## Neurology

| | |
|---|---|
| motor weakness (-) | sensory disturbance (-) |
| gait disturbance (-) | neck stiffness (-) |

## Back and extremities

| | |
|---|---|
| costovertebral angle tenderness(-/-) | peripheral edema (-) |
| palpable lymph node (+)<br>:Rt. Inguinal, fixed, non-tender, firm, 2cm | |

# Initial Laboratory Data

## CBC

| | | | |
|---|---|---|---|
| WBC<br>4~10×10³/mm³ | 5,800 | Hb (13~17 g/dl) | 11.3 |
| WBC<br>differential count | neutrophil 55.7%<br>lymphocyte 32.1%<br>monocyte 10.3% | platelet<br>(150~350×10³/mm³) | 408 |

## Chemical & Electrolyte battery

| | | | |
|---|---|---|---|
| Ca (8.3~10 mg/dL)<br>/P (2.5~4.5 mg/dL) | 9.1/4.2 | glucose<br>(70~110 mg/dL) | 113 |
| protein (6~8 g/dL)/<br>albumin (3.3~5.2 g/dL) | 7.9/4.1 | aspartate aminotransferase<br>(AST)(~40 IU/L)<br>/alanine aminotransferase<br>(ALT)(~40 IU/L) | 28<br><br>35 |
| alkaline phosphatase<br>(ALP)(40~120 IU/L) | 135 | total bilirubin<br>(0.2~1.2 mg/dL) | 0.3 |
| BUN(10~26mg/dL)<br>/Cr (0.7~1.4mg/dL) | 24/0.91 | estimated GFR<br>( ≥60ml/min/1.7m²) | 83 |
| C-reactive protein<br>(~0.6mg/dL) | 0.99 | cholesterol<br>(~199 mg/dL) | 162 |
| Na(135~145mmol/L)<br>/ K(3.5~5.5mmol/L)<br>/ Cl(98~110mmol/L) | 138/4.2/102 | total $CO_2$<br>(24~31mmol/L) | 29.1 |

# Initial Problem List

#1. Multiple metastatic squamous cell carcinoma

#2. Hypertension on medication

#3. Diabetes mellitus on medication

#4. Headache

#5. Palpitation

## Assessment and Plan

#1. Multiple metastatic squamous cell carcinoma

    A)    Malignancy of unknown origin

    P)    Diagnostic plan〉
            FP chemotherapy 2nd cycle

# Hospital day #2 (FP#2 Chemotherapy day 2)

#1. Multiple metastatic squamous cell carcinoma
#2. Hypertension
#4. Headache
#5. Palpitation

    S)    가슴이 두근거려요. 두통이 심하고 어지러워요.

〈Pheochromocytoma work up〉
24-hour urine fractionated metanphrines and catecholamines 검사를 시행하고 "significant increase"가 있을시 localization을 위하여 adrenal/abdominal MRI 혹은 CT 및 123I-MIBG scan검사를 한다.

    O)

BP fluctuation: 245/141 mmHg - 112/75 mmHg

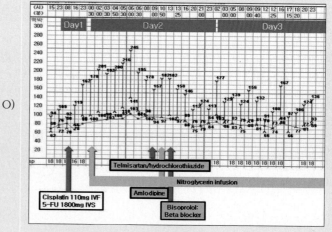

    A)    Transient high BP associated with chemotherapy and hydration, more likely
            Pheochromocytoma

    P)    Pheochromocytoma work up
                Vanillylmandelic acid(Quantification), 24hrs urine
                Catecholamin, blood and 24hrs urine
                Metanephrine 2분획, 24hrs urine and plasma
            BP control with medication
                :Telmisartan/hydrochlorothiazie,
                bisoprolol (beta blocker),
                amlodipine,
                nitroglycerin infusion

# Hospital day #4-6

#1. Multiple metastatic squamous cell carcinoma
#2. Hypertension
#4. Headache
#5. Palpitation

S) 혈압이 오를 때 두통이 있어요. 간혹 머리가 띵해요.
속이 울렁거리고 어지러워요.

O) BP: sBP 120-160 mmHg /dBP 60-80 mmHg, being controlled

A) Transient high BP associated with chemotherapy and hydration, more likely
Pheochromocytoma

P) BP control with medication
Cisplatin/5-FU chemotherapy 2차 cycle 종료

# Hospital day #7

#2. HTN
#4. Headache

S) 머리가 아프고 메스꺼워요.
(보호자) 누워있다가 일어나 앉으면 정신을 잃고 넘어가요.

O) Seizure like movement profile)
(2차례) 오전 7:00, 오전 7:30 경
양상: 누워있다가 앉을 때 어지러움증을 느끼며 의식을 잃고 뒤로 넘어가 누움.
Duration : 수초
Loss of consciousness(+)
Head version(-)
Tongue bite(-)
Eye ball deviation: upward
Convulsive movement(-)
Postictal confusion (-)
Urination, defecation (-)

Lab)
WBC 9700/uL- Hb 13.9 g/dL- Platelet 548,000/uL
BUN/Cr 35/1.24 mg/dL
AST/ALT 33/38 IU/mL
ALP 108 IU/mL        Total Bilirubin 0.4 mg/dL
Na 135  K 3.6  Cl 91  $CO_2$ 27.1 mEq/L

BP fluctuation)

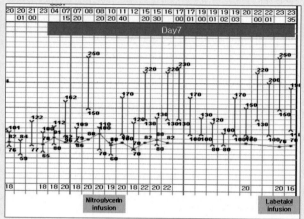

신경과 consult) 종합하여 보았을 때 seizure의 가능성보다는 syncope 의 가능성이 더 높을 것으로 생각됩니다. 감별을 위하여 head up tilt 또는 3 position BP check 해보시고 EEG 촬영해 주십시오.

Brain CT, non-enhancement)
: normal Brain CT

3 position BP)
: 환자 앉은자세로 변경시 반복적인 의식 소실 있어 시행하지 못함.

Electroencephalography)
: mild diffuse cerebral dysfunction, no epileptiform discharge

A) Cisplatin induced autonomic neuropathy
Transient high BP associated with chemotherapy and hydration
Pheochromocytoma

P) BP control with medication
신경과 f/u consult

# Hospital day #8

#2. Hypertension
#4. Headache
#5. Palpitation
#6. Syncope

S) 어지럽고 머리 아파요.

BP fluctuation)

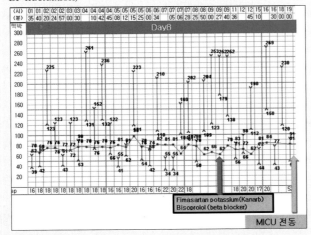

신경과consult)
Cisplatin이 autonomic neuropathy를 일으킬 수는 있으나, limb의 다른 증상없이 autonomic symptom만으로 presentation하는 것은 매우 드물며, 또한 발생한다고 하더라도 2cycle의 Chemotherpay 후에 발생하는 것은 매우 unusual한 경과라고 생각됩니다. w/u에서 다른 원인이 배제되면 고려할 수는 있겠습니다.
Nerve conduction velocity test (상하지), valsalva test, Q-sweat, Transcranial doppler test (base & syncope)를 고려하여 다른 원인 배제하십시오.

Pheochromocytoma
A)  Cisplatin induced autonomic neuropathy
Transient high BP associated with chemotherapy and hydration, less likely

BP medications 조절
P)  Pheochromocytoma lab 결과 확인
ICU care

121

# Hospital day #9 (ICU)

#2. Hypertension
#4. Headache
#5. Palpitation
#6. Syncope

S)   젊었을 때, 학생 때부터 두통, 가슴 두근거림이 있었어요.

Pheochromocytoma lab)

|  |  | 참고치 |
|---|---|---|
| Epinephrine | 5.8 pg/ml | ⟨50 pg/ml |
| Norepinephrine | 7896.2 pg/ml | 110~410 pg/ml |
| 24hr urine VMA | 25.2mg/day | 0~8 mg/day |
| 24hr urine epinephrine | 78.4 ug/day | 35ug/day |
| 24hr Urine norepinephrine | 491.6 ug/day | 170ug/day |
| 24hr urine metanephrine | 757.3 ug/day | 52~341 ug/day |
| 24hr urine normetanephrine | 1551.2 ug/day | 88~444 ug/day |

⟨Pheochromocytoma treatment⟩
Preoperative alpha-adrenergic blockade 시행한 후 beta-adrenergic blockade 한 후 수술 즉 adrenalectomy하는 것이 pheochromocytoma의 일반적인 치료이다.

Alpha-blocker(doxazosin) 투약 후 BP control되었다.

O)

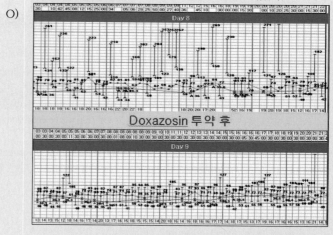

A)   Pheochromocytoma

NS 120cc/hr hydration d/t pheochromocytoma induced hypovolemia
P)   Phenoxybenzamine 10mg QD 시작
MIBG scan
Lt. adrenalectomy 고려

## Updated Problem List

#1. Multiple metastatic squamous cell carcinoma

#2. Hypertension on medication

#3. Diabetes mellitus on medication

#4. Headache

　　　⇨ Pheochromocytoma

#5. Palpitation ⇨ See #4

#6. Syncope ⇨ See #4

## Clinical course

MIBG scan상 left adrenal gland에 3cm 크기의 pheochromocytoma소견 보였고 다른 곳의 lesion은 없었다. 수술 전 phenoxybenzamine 전처치하였고 Left adrenalectomy시행한 결과 2.9 x 2.6 x 2.0cm with clear resection margin으로 절제되었다. 수술 3주 후, 3차 FP chemotherapy 전 disease evaluation 위해 시행한 abdomen pelvis CT상 right inguinal lymph node는 Initial 20.9cm에서 9.8cm으로 감소하였고 복강 내 perigastric lymph node는 사라져 있었다. Pancreas lateral에도 enlarged lymph node보이나 전부 3달전과 비교하면 전반적으로 크기가 줄었다. 전체적으로 chemotherapy에 대하여 partial response의 소견 보였으며 left adrenal gland는 제거되어 있었다. 수술 3주후 시행한 pheochromocytoma lab상 24hrs urine metanephrine 757.3 -> 35.3 (mcg/day), 24hrs urine, normetanephrine 2 분획 1551.2 -> 214.1 (mcg/day), blood metanephrine, normetanephrine모두 감소하여 있었다. 이후 FP #3 chemotherpay위해 입원하였고 입원기간 동안 안정적으로 BP control 되었다.

## Lesson of the case

본 증례는 multiple metastatic squamous cell carcinoma에 adrenal pheochromocytoma가 동시에 존재했던 증례이다. 이번 증례와 같이 BP fluctuation이 있는 환자에서 headache, palpitation등의 증상이 동반될 때는 pheochromocytoma에 대한 고려가 필요하겠다.

# 1 주일 전 시작된 발열로 내원한 33세 여자

## Chief Complaints

Fever, started 1 week ago

## Present Illness

1주일 전부터 시작된 발열로 자가로 감기약 복용하였으나 증상 호전 없었다.
발열은 매일 반복적 발생하였으며, 발열 시 오한 및 전두부 두통 동반되었다.
당시 기침, 가래, 콧물, 근육통이나 설사 증상은 동반되지 않았다.
최근 해외 여행력은 없는 환자로 지속되는 발열로 입원하였다.

## Past History

diabetes (-) hypertension (-) tuberculosis (-) malignancy (-)

## Family History

diabetes (-) hypertension (-) tuberculosis (-) malignancy (-)

## Social History

occupation : 보건소 공무원
Never smoker
Non-alcoholics

## Review of Systems

### General

| | |
|---|---|
| generalized weakness (+) | easy fatigability (-) |
| dizziness (-) | weight loss (-) |

### Skin

| | |
|---|---|
| purpura (-) | erythema (-) |

### Head / Eyes / ENT

| | |
|---|---|
| dizziness (-) | hearing disturbance (-) |
| dry eyes (-) | tinnitus (-) |

### Respiratory

| | |
|---|---|
| dyspnea (-) | hemoptysis (-) |

### Cardiovascular

| | |
|---|---|
| chest pain (-) | palpitation (-) |
| orthopnea (-) | dyspnea on exertion (-) |

### Gastrointestinal

| | |
|---|---|
| abdominal pain (-) | constipation (-) |
| melena (-) | hematochezia (-) |

### Genitourinary

| | |
|---|---|
| flank pain (-) | gross hematuria (-) |
| genital ulcer (-) | costovertebral angle tenderness (-) |

### Neurologic

| | |
|---|---|
| seizure (-) | cognitive dysfunction (-) |
| psychosis (-) | motor- sensory change (-) |

### Musculoskeletal

| | |
|---|---|
| pretibial pitting edema(-) | tingling sense (-) |
| back pain (-) | muscle pain (-) |

# Physical Examination

height 160.2, weight 55.55 kg (BMI 21.65 kg/m²)

## Vital Signs

BP 116/77 mmHg - HR 83 /min - RR 17 /min - BT 38.3℃

## General Appearance

acute ill - looking                 alert

oriented to time, person, place

## Skin

skin turgor: normal                 ecchymosis (-)

rash(-)                             purpura(-)

## Head / Eyes / ENT

visual field defect (-)             pale conjunctiva (-)

icteric sclera (-)                  palpable lymph nodes (-)

## Chest

symmetric expansion without retraction   normal tactile fremitus

percussion : resonance              clear breath sound without crackle

## Heart

regular rhythm                      normal hearts sounds without murmur

## Abdomen

distended abdomen (-)               decreased bowel sound

splenomegaly (-)                    rebound tenderness (-)

## Back and extremities

pretibial pitting edema (-/-)       costovertebral angle tenderness (-/-)

flapping tremor (-)

## Neurology

motor weakness (-)                  sensory disturbance (-)

gait disturbance (-)                neck stiffness (-)

# Initial Laboratory Data

## CBC

| WBC $4{\sim}10\times10^3/mm^3$ | 3,300 | | Hb (13~17 g/dl) | 12.8 |
|---|---|---|---|---|
| MCV(81~96 fl) | 90.8 | | MCHC(32~36 %) | 34.3 |
| WBC differential count | neutrophil lymphocyte monocyte | 62.5% 26.8% 10.1% | platelet $(150{\sim}350\times10^3/mm^3)$ | 161,000 |

## Chemical & Electrolyte battery

| Ca (8.3~10 mg/dL) /P (2.5~4.5 mg/dL) | 8.8/3.3 | glucose (70~110 mg/dL) | 106 |
|---|---|---|---|
| protein (6~8 g/dL)/ albumin (3.3~5.2 g/dL) | 7.8/3.8 | aspartate aminotransferase (AST)(~40 IU/L) /alanine aminotransferase (ALT)(~40 IU/L) | 85 76 |
| alkaline phosphatase (ALP)(40~120 IU/L) | 102 | total bilirubin (0.2~1.2 mg/dL) | 0.5 |
| BUN(10~26mg/dL) /Cr (0.7~1.4mg/dL) | 8/0.57 | estimated GFR ( ≥60ml/min/1.7m²) | ≥60 |
| C-reactive protein (~0.6mg/dL) | 5.2 | cholesterol | 160 |
| Na(135~145mmol/L) / K(3.5~5.5mmol/L) / Cl(98~110mmol/L) | 135/4.1/98 | total $CO_2$ (24~31mmol/L) | 23.6 |

## Coagulation battery

| prothrombin time (PT) (70~140%) | 73 | PT (INR) (0.8~1.3) | 1.16 |
|---|---|---|---|
| activated partial thromboplastin time (aPTT) (25~35 sec) | 30.5 | | |

## Urinalysis

| specific gravity (1.005~1.03) | 1.015 | pH (4.5~8) | 8.0 |
|---|---|---|---|
| albumin | (-) | glucose (-) | (-) |
| ketone (-) | (-) | bilirubin (-) | (-) |
| occult blood (-) | (-) | nitrite (-) | (-) |
| Urobilinogen | (-) | | |

## Chest PA, lateral

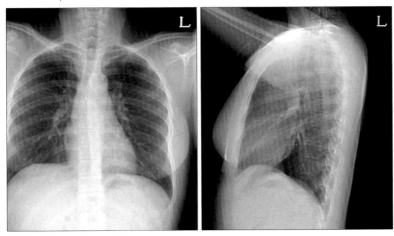

| 정상 chest X-ray 이다.

## Initial Problem List

#1. Fever

#2. Leukopenia

#3. Elevated AST/ALT

| #1. Fever<br>#2. Leukopenia<br>#3. Elevated AST/ALT | | |
|---|---|---|
| | A) | Viral hepatitis<br>Upper respiratory infection<br>Connective tissue disease, such as SLE |
| | P) | Diagnostic plan〉<br>Respiratory virus PCR, nasopharyngeal swab<br>Blood culture<br>HBsAg, HBsAb, HAV IgG/IgM Ab, HCV Ab<br>ANA, ANCA, RF<br><br>Treatment plan〉<br>Supportive treatment<br>consult to the department of infectious diseases for further<br>evaluation and treatment |

## Hospital day #3

| #1. Fever<br>#2. Leukopenia<br>#3. Elevated AST/ALT | | |
|---|---|---|
| | S) | 계속 열이 나요. |
| | O) | V/S 91/54 mmHg - 65/min - 16/min - 38.1℃<br>AST/ALT 50/57 IU/L　　　　　　　　Procalcitonin 0.13<br>HBsAg : negative　　　　　　　　　　HBsAb : positive<br>HAV IgM/IgG Ab : negative　　　　　HCV Ab : negative<br>호흡기바이러스PCR : negative<br>Blood culture: 2 days no growth<br><br>감염내과 의견〉<br>발열의 원인이 명확하지 않아, abdominopevic CT 촬영해보시기 바<br>랍니다. |
| | A) | Viral hepatitis<br>Upper respiratory infection<br>Connective tissue disease, such as SLE |
| | P) | Abdominopelvic CT |

# Hospital day #4~5

#1. Fever
#2. Leukopenia
#3. Elevated AST/ALT
#4. Mucosal enhancement of distal ileum on CT
#5. Intraabdominal lymph node enlargement
#6. Relative bradycardia

S) 열 날때는 힘들지만, 해열제 맞으면 괜찮아요.

V/S 110/70 mmHg - 60/min - 16/min - 38.6℃
CBC 6,000 - 11.2 - 222,000 /uL
AST/ALT 34/38 IU/L
CRP 4.62 mg/dL
HD #1일째 시행한 blood culture: 5 days no growth
ANA titer (serum) ⟨1:40
ANCA IF (serum) neg (⟨1:20)
MPO-ANCA        negative
PR3-ANCA        negative

O)

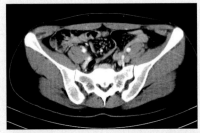

회맹판 주위로 점막비후가 관찰되고
있어 enterocolitis 가능성 시사하고
있다.
 또한 대동맥주위 림프절 비후는
동반되어 lymphoma 가능성도 배제
하여야 한다.

Relative bradycardia가 있다. (발
열에 비해 HR 상승 동반되지 않음).
Relative bradycardia는 레지오넬
라, 앵무병, Q열, 장티푸스, 황열,
Babesiosis, 말라리아, 뎅기열,
leptospirosis, HFRS 등의 감염과,
Beta blocker 사용, CNS 병변,
lymphoma, 약열 등의 비감염
원인이 있다.
Clin Microbiology and Inf,
2000 Dec;6(12):633-4

(화살표는 ketololac injection)

Hematologic malignancy such as lymphoma
Connective tissue disease such as Behcet's disease, AOSD

A) Bacterial infection such as typhoid fever
Nonspecific viral illness
Intestinal tuberculosis

P)
Blood culture follow up & stool culture
Consider naproxen test
Consider PET
Physical examination to check rash, oral ulcer and genital ulcer

## FUO work up

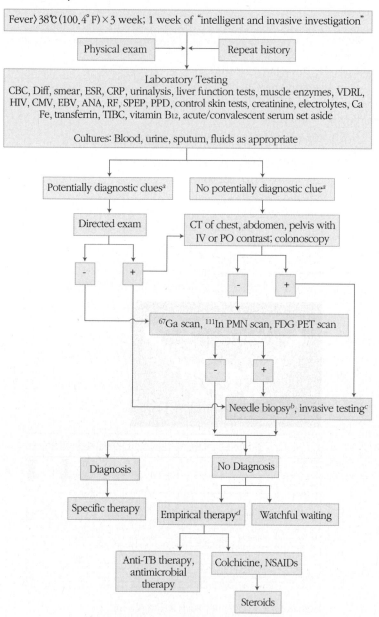

| Fever) 38°C (100.4° F) × 3 week; 1 week of "intelligent and invasive investigation" |

Physical exam → ← Repeat history

Laboratory Testing
CBC, Diff, smear, ESR, CRP, urinalysis, liver function tests, muscle enzymes, VDRL, HIV, CMV, EBV, ANA, RF, SPEP, PPD, control skin tests, creatinine, electrolytes, Ca Fe, transferrin, TIBC, vitamin $B_{12}$, acute/convalescent serum set aside

Cultures: Blood, urine, sputum, fluids as appropriate

Potentially diagnostic clues[a]          No potentially diagnostic clue[a]

Directed exam          CT of chest, abdomen, pelvis with IV or PO contrast; colonoscopy

− +          − +

$^{67}$Ga scan, $^{111}$In PMN scan, FDG PET scan

− +

Needle biopsy[b], invasive testing[c]

Diagnosis          No Diagnosis

Specific therapy          Empirical therapy[d]          Watchful waiting

Anti-TB therapy, antimicrobial therapy          Colchicine, NSAIDs

Steroids

Harrison's Principles of Internal Medicine 18th ed

132

# Hospital Day #8

#1. Fever
#2. Leukopenia
#3. Elevated AST/ALT
#4. Mucosal enhancement of distal ileum on CT
#5. Intraabdominal lymph node enlargement
#6. Relative bradycardia

Stool culture: WBC none, No Sal/Shig/Yersinia

PET :

O)

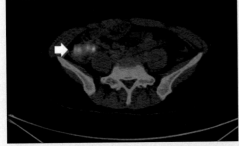

Increased metabolic activity along distal ileum to proximal
ascending colon

Non infectious cause
    Hematologic malignancy such as lymphoma
    Connective tissue disease such as Behcet's disease, AOSD
A)    Infectious cause
    Bacterial infection such as typhoid fever
    Intestinal tuberculosis
    Nonpecific viral illness

P)    Colonoscopy

133

# Hospital Day #9

#1. Fever
#2. Leukopenia
#3. Elevated AST/ALT
#4. Mucosal enhancement of distal ileum on CT
#5. Intraabdominal lymph node enlargement
#6. Relative bradycardia

| | |
|---|---|
| S) | 대장 내시경 하고 힘이 없어요 |
| O) | Colonoscopy :<br>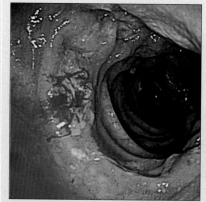<br>Infectious enteritis such as Salmonellosis, Yersinia<br>R/O GI TB, less likely<br><br>HD #5 Blood culture : 5 days no growth<br>HD #9 Blood culture : Salmonella paratyphi 3쌍 |
| A) | Enteric fever (typhoid or paratyphoid fever) |
| P) | Ciprofloxacin |

말단회장부 내에 다발성 궤양과 부종이 관찰되며, exudate로 덮여 있다.

## Upadated problem list

#1. Fever ⇨ Enteric fever (Typhoid or paratyphoid fever)

#2. Leukopenia ⇨ See #1

#3. Elevated AST/ALT ⇨ See #1

#4. Mucosal enhancement of distal ileum on CT ⇨ See #1

#5. Intraabdominal lymph node enlargement ⇨ See #1

#6. Relative bradycardia ⇨ See #1

## Hospital Day #14

#1. Enteric fever

S) 열 나기 1주일 전에 살모넬라균을 가지고 식품매개전염 배지 실험을 했어요

O)

| | |
|---|---|
| BUN/Cr 8/0.57 mg/dL | Protein/Albumin 7.8/3.8 g/dL |
| AST/ALT 112/99 IU/L | ALP 126 IU/L |
| TB 0.3 mg/dL | CRP 7.69 mg/dL |

Stool culture : No growth (HD #5, #8, #10)
Blood culture : Salmonella Paratyphi A (HD #9)

| | | |
|---|---|---|
| Preliminary Culture/Blood | Automatic Positive | |
| Final Culture/Blood | 최종보고 | |
| Aerobic detection time(hrs) | No positive signal | |
| Anaerobic detection time(hrs) | 6.7 | |
| -Gram-bacteria | G(-) rods | |
| Salmonella paratyphi A | 혐기성 | 1병 |
| -Ampicillin/sulbactam | 〈=8/4 | S |
| -Ampicillin | 〈=8 | S |
| -Amoxicillin/clavulanate | 〈=8/4 | S |
| -Aztreonam | 〈=8 | S |
| -Ceftriaxone | 〈=8 | S |
| -Ceftazidime | 〈=1 | S |
| -Cefotaxime | 〈=2 | S |
| -Ciprofloxacin | 2 | R |
| -Cefepime | 〈=8 | S |
| -Ertapenem | 〈=1 | S |
| -Lmipenem | 〈=4 | S |
| -Levofloxacin | 〈=2 | R |
| -Meropenem | 〈=4 | S |
| -Piperacillin/Tazobactam | 〈=16 | S |
| -Piperacillin | 〈=16 | S |
| -Trimethoprim/Sulfamethoxazole | 〈=2/38 | S |
| -Tetracycline | 〈=4 | S |
| -Tigecycline | 〈=2 | S |

A) Enteric fever due to Salmonella Paratyphi A

P) Blood culture F/U
Stool culture F/U
Ceftriaxone

## Hospital Day #17

| #1. Enteric fever | |
|---|---|
| S) | 균도 확인되었는데, 왜 열이 계속 나는거죠? |
| O) | V/S 100/60 mmHg - 76/min - 20/min - 38.1℃<br>AST/ALT 157/296 IU/L<br>CRP 2.54 mg/dL      LDH  451 IU/L |
| A) | Enteric fever (paratyphoid fever)<br>Liver enzyme elevation due to salmonella hepatitis<br>                    due to drug induced liver injury |
| P) | Change antibiotics from ceftriaxon to cefotaxime<br>Add azithromycin |

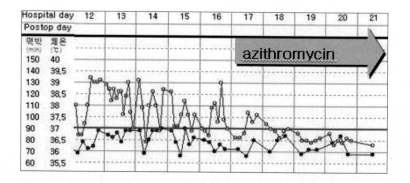

이후 환자는 증상 호전 보여 경구 azithromycin을 투약하며 퇴원하였다.

## Lesson of the case

History taking을 적극적으로 하는 것이 중요하다. 이 환자의 경우, 보건소 공무원이라는 직업력에 그치는 것이 아니라, 구체적으로 하는 일을 물었다면 진단이 더 빨랐을 수 있었을 것이다.

Vital sign sheet에서 relative bradycardia 인지할 수 있어야 하며, 계절 및 임상 상황을 고려하여 원인을 추정하는 것이 필요하다.

## CASE 11

# 3일 전 시작된 혈변으로 내원한 67세 여자

## Chief Complaints

Hematochezia, started 3 days ago

## Present Illness

내원 2개월 전 hematochezia로 ○○병원 내원하여 esophagogastroduodenoscopy 및 colonoscopy시행하였으나 bleeding focus찾지 못하였다. WBC 7,500/㎕ - Hb 7.7 g/dL - Platelet 3,0000/㎕ 로 Bicyopenia 확인되어 시행한 bone marrow biopsy에서는 aplastic anemia확인되었다.

Aplastic anemia 및 hematochezia에 대해서는 수혈 등 supportive care후 더 이상 hematochezia없이 호전되어 퇴원하였다.

내원 3일 전 하루 약 10차례씩 지속되는 100cc 가량의 hematochezia 재발되었고 abdominal pain 및 dizziness동반되어 전원되었다.

## Past History

DM (-)

Hypertension (-)

Tuberculosis (-)

Hepatitis (-)

ESRD on hemodialysis (10개월 전)

Atrial fibrillation

Operation history(+) : Mitral valve replacement (MVR) (18년 전), Redo-MVR, aortic valve replacement (AVR),  tricuspid valve replacement (TVR) (3년 전)

## Family History

No remarkable

## Social History

무직
음주(-)
흡연(-)

## Review of Systems

### General

| | |
|---|---|
| generalized edema (-) | easy fatigability (+) |
| dizziness (+) | weight loss (-) |

### Head / Eyes / ENT

| | |
|---|---|
| headache (-) | |
| visual disturbance (-) | hearing disturbance (-) |
| rhinorrhea (-) | sore throat (-) |

### Respiratory

| | |
|---|---|
| cough (-) | sputum (-) |
| hemoptysis (-) | dyspnea (-) |

### Cardiovascular

| | |
|---|---|
| chest pain (-) | palpitation (-) |
| orthopnea (-) | |

### Gastrointestinal → see present illness

### Genitourinary

| | |
|---|---|
| flank pain (-) | gross hematuria (-) |
| frequency (-) | dysuria (-) |

### Neurology

| | |
|---|---|
| seizure (-) | cognitive dysfunction (-) |
| psychosis (-) | motor-sensory change (-) |

### Musculoskeletal

| | |
|---|---|
| arthralgia (-) | tingling sense (-) |
| back pain (-) | myalgia (-) |

## Physical Examination

height 160 cm, weight 55.4 kg, body mass index 21.6 kg/m²

### Vital Signs

BP 104/69 mmHg - HR 86/min - RR 18/min - BT 36.7℃

### General Appearance

chronically ill looking                    alert

oriented to time, place, and person

### Skin

skin turgor: normal                    ecchymosis (-)

rash (-)                               purpura (-)

### Head / Eyes / ENT

anicteric sclera                       pale conjunctivae

neck vein engorgement (-)              palpable lymph nodes (-)

### Chest

symmetric expansion without retraction

normal tactile fremitus

percussion: resonance

clear breath sounds without crackles or wheezing on whole thorax

### Heart

irregular rhythm

normal heart sounds without murmur

### Abdomen

soft & flat abdomen                    normoactive bowel sound

epigastric tenderness (-)              rebound tenderness (-)

### Back and extremities

Lt. arm AVF: thrill(+), bruit(+)

pretibial pitting edema: Grade 3

## Neurology

| | |
|---|---|
| motor weakness (-) | sensory disturbance (-) |
| gait disturbance (-) | neck stiffness (-) |

# Initial Laboratory Data

## CBC

| WBC $(4\sim10\times10^3/mm^3)$ | 5,200 | | Hb (13~17 g/dl) | 9.5 |
|---|---|---|---|---|
| WBC differential count | neutrophil 71.4% lymphocyte 14.2% monocyte 11.1% | | platelet $(150\sim350\times10^3/mm^3)$ | 44 |

## Chemical & Electrolyte battery

| Ca (8.3~10 mg/dL) /P (2.5~4.5 mg/dL) | 7.3/4.8 | glucose (70~110 mg/dL) | 113 |
|---|---|---|---|
| protein (6~8 g/dL)/ albumin (3.3~5.2 g/dL) | 3.2/1.8 | aspartate aminotransferase (AST)(~40 IU/L) | 20 |
| | | /alanine aminotransferase (ALT)(~40 IU/L) | 12 |
| alkaline phosphatase (ALP)(40~120 IU/L) | 40 | gamma-glutamyl transpeptidase (r-GT) (11~63 IU/L) | 8 |
| total bilirubin (0.2~1.2 mg/dL) | 1.3 | amylase (30~110 IU/L) lipase (22~51 IU/L) | 158/21 |
| BUN(10~26mg/dL) /Cr (0.7~1.4mg/dL) | 41/5.44 | | |
| C-reactive protein (~0.6mg/dL) | 0.36 | | |
| Na(135~145mmol/L) / K(3.5~5.5mmol/L) / Cl(98~110mmol/L) | 137/4.9/104 | total $CO_2$ (24~31mmol/L) | 25.4 |

## Coagulation battery

prothrombin time (PT)    87      PT (INR) (0.8~1.3)      1.08
(70~140%)

activated partial      28.5
thromboplastin time
(aPTT)
(25~35 sec)

## Chest X-ray

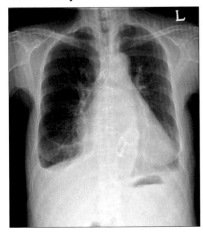

Left atrium enlargement 및 CT ratio 0.66으로 cardiomegaly 소견이다.
TV, MV, AV에 prosthetic valve 확인된다.
Both cardiophrenic angle의 blunting이 있다.
Both lung parenchyme에 이상 소견은 없다.

## EKG

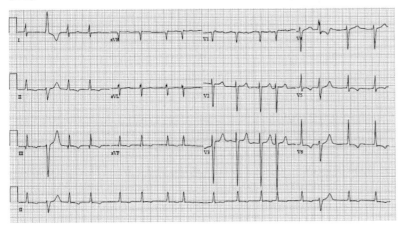

Definite p wave가 없으면서, irregularly irregular rhythm을 보이는 atrial fibrillation이다. Ventricular rate는 80-100회/분 이다. 간혹 ventricular premature beat 이 있다.

# Initial Problem List

#1. ESRD on hemodialysis

#2. s/p MVR (18YA)

　　s/p Redo-MVR, AVR, TVR (3YA)

#3. Atrial fibrillation

#4. Aplastic anemia

#5. Hematochezia

#6. pretibial pitting edema: Grade 3

# Initial Assessment and Plan

#1. ESRD on hemodialysis
#6. pretibial pitting edema: Grade 3

| | | |
|---|---|---|
| A) | Volume overload | |
| P) | Therapeutic plan<br>　Keep on hemodialysis | |

#2. s/p MVR (18YA)
　　s/p Redo-MVR, AVR, TVR (3YA)
#3. Atrial fibrillation

| | |
|---|---|
| A) | Atrial fibrillation |
| P) | Diagnostic plan<br>　Echocardiography<br>Therapeutic plan<br>　Warfarin 지속 필요하지만, 내원 2개월 전 hematochezia발생 이후로 중단중임.<br>　Bleeding control될때까지 warfarin 투여 중단 |

Hematochezia origin

Lower GI bleeding(90%)은 treitz ligament의 하부에서 발생하고 upper GI bleeding(10%)은 treitz ligament의 상부에서 발생한다.

#4. Aplastic anemia

| | |
|---|---|
| A) | Aplastic anemia |
| P) | Diagnostic plan<br>　타원 bone marrow biopsy review |

#5. Hematochezia

| | |
|---|---|
| A) | Lower GI bleeding<br>　d/t diverticulosis<br>　d/t colon cancer<br>　d/t angiodysplasia |
| P) | Diagnostic plan<br>　Esophagogastroduodenoscopy & Colonoscopy재시행<br>Therapeutic plan<br>　pRBC, Platelet concentrate transfusion |

# Hospital day #2

#5. Hematochezia

S) 한시간에 한번정도는 계속 혈변이 나와요

Lab
    CBC  WBC 5,300/uL   Hb 7.4 g/dL   Platelet 39,000/uL

Colonoscopy

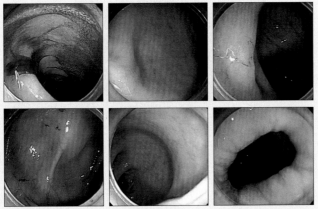

O) scope진입시부터 같은 양상의 blood clot이 전 대장에 걸쳐 관찰되었다. Blood clot을 세척하였을 때 보이는 점막은 pale 하고 edematous 하였으나 출혈과 연관된 소견은 관찰되지 않았다.

Esophagogastroduodenoscopy

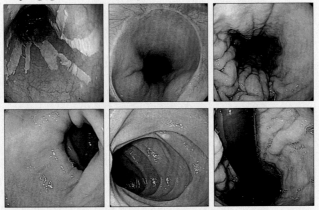

하부 식도에 물로 잘 씻어지지 않는 선상의 흰색 가성막이 있었다. Stomach는 전체적으로 atrophic change를 보였으나 출혈가능성 있는 병변은 없었다.

A) Small bowel bleeding, most likely

P) Capsule endoscopy 또는 CT enteropraphy

# Hospital day #3

### Angiodysplasia

Angiodysplasia에 의한 장출혈은 고령에서 발생되며 위치는 대부분 맹장, 상행결장이다. Aortic stenosis와의 관련성이 높은 것이 특징이다. 치료는 다음의 세가지 방법이 있다.

첫째, aortic stenosis가 있는 경우 우선 판막대치술을 시행하고 angiodysplasia 병변의 퇴행여부를 확인 후 치료방침을 결정해야 한다.

둘째, 독립적 병변으로 장내시경으로 확인된 경우에는 내시경적 전기 소작술로 치료할 수 있으며

셋째, 내시경적 치료가 시행되지 못하였거나 실패한 경우 혈관조영술이나 핵의학 검사로 출혈병소를 확인 후 resection을 시행해야 한다.

## #5. Hematochezia

### CT enteropraphy

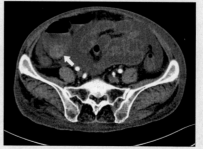

O)

terminal ileum(white arrow)에서 contrast media의 leakage가 있으나 mass 또는 wall thickening의 소견은 없어 small angiodysplasia에서의 bleeding이 있는 소견이다.

A) Small bowel bleeding, terminal ileum

P) Anal double balloon enteroscopy(DBE) with bleeding control

## #5. Hematochezia

### Anal DBE

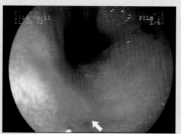

O)

IC valve 상방 10cm 정도의 말단 회장에 혈관이 노출되어active bleeding을 보이는 lesion(white arrow)이 있다. 이 병변 상방으로 30-40cm 정도 더 진입하였을 때, 혈액과 bile이 섞여서 점막에 코팅되어 있었다. 활동성 출혈을 보이는 곳은 관찰되지 않았으나 보다 근위부 출혈 병소가 또 있을 가능성을 완전히 배제할 수는 없었다.

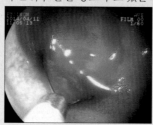
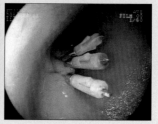

Terminal ileum 병변에 대하여 총 3개의 클립을 이용하여 지혈술을 시행하였다. 더 이상 bleeding이 되지않는 것을 확인 후 시술을 종료 하였다.

A)  Small bowel bleeding, terminal ileum

P)  CBC follow up 하면서 경과관찰

#2. s/p MVR (18YA)
　　s/p Redo-MVR, AVR, TVR (3YA)
#3. Atrial fibrillation

O)
Echocardiography
1. Well functioning prosthetic mitral and aortic valves
2. Mild valvular TR after TVR
3. A-fib with moderate LV dysfunction

A)  Atrial fibrillation

P)
Therapeutic plan
Prosthetic valve 가지고 있으며 Atrial fibrillation이 동반되어 있어 Anticoagulation이 필요함
warfarin 1mg start (target INR: 2~3)

## Clinical course

Bleeding control 2일 후 환자는 녹색의 정상 변을 보기 시작했으며, 수혈 요구량도 줄어들었다. Bleeding 더 이상 없는 상태로, atrial fibrillation에 대하여 warfarin 1mg으로 시작하였다.
Aplastic anemia에 대하여 고령임과 underlying disease고려하여, 수혈 유지하며 supportive care하기로 하고 퇴원하였다.

## Updated problem list

#5. Hematochezia
　　→ small bowel bleeding, terminal ileum
　　　s/p hemostasis by clipping

## Lesson of the case

Obscure GI bleeding (OGIB)이란 위, 대장내시경을 시행하였을 때 출혈병소를 찾지 못하며, 원인이 밝혀 지지 않은 지속적이거나 반복적인 출혈을 말한다. 현성 (overt) 또는 잠복 (occult) 위장관 출혈로 나뉜다.
OGIB의 80%는 소장 출혈이며, 위장관 출혈을 감별하기 위해 소장 캡슐내시경이나 소장내시경을 통한 평가가 필요하다.

| CHA2DS2-VASc score | |
|---|---|
| Congestive Heart Failure | 1 |
| Hypertension | 1 |
| Age >75 years | 2 |
| Diabetes mellitus | 1 |
| Stroke/TIA/TE | 2 |
| Vascular disease (previous MI, peripheral arterial disease or aortic plaque) | 1 |
| Age 65 to 74 years | 1 |
| Sex category(female) | 1 |

Anticoagulation

| 0 | ASA 75-325mg/day or nothing (preferably nothing |
|---|---|
| 1 | Oral anticoagulation (INR2-3) or ASA 75-325mg/day (preferably oral anticoagulant) |
| ≥2 | Oral anticoagulation (INR2-3) |

이 환자의 경우에는 Congestive Heart Failure, 나이(67세), female 에 해당하여 3점이므로 Oral anticoagulation을 해야한다.

# 1년 6개월전 시작된 허리통증으로 내원한 43세 여자

## Chief Complaints

Low back pain, started 18 months ago

## Present Illness

내원 10년 전 보행 중 왼쪽 발목 통증 발생하여 1주일 침 맞고 호전되었으나, 이후 보행시 다시 발목통증,붓기 발생하고 쉬면 호전됨이 반복되었다.

내원 3년 전 보행시 유발되는 양쪽 발목 통증 악화되었고, sprain으로 여겨 침 맞고 호전되었다.

내원 18개월 전 NRS 5점의 쑤시는 양상의 low back pain 발생하여 OO 병원에서 pain control 후 통증은 완화되었다.

내원 15개월 전 누우려고 하면 유발되는 쑤시는 양상의 통증이 왼쪽 갈비뼈 아래 발생하였다.

내원 12개월 전 꼬리뼈 통증 발생하였다.

내원 9개월 전 low back pain 다시 발생하였으며, 스트레칭하고 마사지 받으며 증상 조절하였다.

내원 6개월 전 일어서기 힘들 정도로 low back pain 심해져 OO병원 통증클리닉에서 신경차단주사 주1회,3주간 맞았으나 증상 호전없었다.

내원 2개월 전 본원 신경외과 방문하여 spine x-ray, bone scan 시행 후 further evaluation&managment 위해 내원하였다.

## Past History

diabetes (-) hypertension (-) tuberculosis(-)  hepatitis (-)

## Family History

diabetes (-) hypertension (+):부,모

tuberculosis (-) malignancy (-)

osteoporosis(+):모

## Social History

직업 : 연구원
흡연 (-) : non-smoker
음주 (- )
월경력 : premenopausal(초경:만11세, 25일 주기,규칙적,생리양 보통)
미혼

## Review of Systems

### General

| | |
|---|---|
| General weakness (-) | easy fatigability (-) |
| dizziness (-) | weight loss (-) |

### Head / Eyes / ENT

| | |
|---|---|
| headache (-) | rhinorrhea (-) |
| sore throat (-) | dizziness (-) |

### Respiratory

| | |
|---|---|
| cough (-) | hemoptysis (-) |
| dyspnea (-) | |

### Cardiovascular

| | |
|---|---|
| chest pain (-) | palpitation (-) |
| orthopnea (-) | dyspnea on exertion (-) |

### Gastrointestinal

| | |
|---|---|
| Anorexia (-) | nausea (-) |
| vomiting (-) | constipation (-) |
| diarrhea (-) | Abdominal pain(-) |
| hematochezia (-) | melena (-) |

### Genitourinary

| | |
|---|---|
| flank pain (-) | gross hematuria (-) |
| genital ulcer (-) | costovertebral angle tenderness (-) |

### Neurology

| | |
|---|---|
| motor-sensory change (-) | cognitive dysfunction (-) |

## Musculoskeletal

pretibial pitting edema (-)        Raynaud phenomenon (-)

## Physical Examination

160 cm, 69 kg (Body mass index  26.95 kg/m²)

## Vital Signs

BP: 143/92 mmHg- HR: 79/min -RR:18/min -BT: 36.1℃

## General Appearance

Looking acutely  ill        alert

oriented  to time, person, place

## Skin

skin turgor: normal        ecchymosis (-)

rash (-)        purpura (-)

## Head / Eyes / ENT

visual field defect (-)        Pinkish conjunctivae (-)

Whitish sclerae (-)        palpable lymph nodes (-)

## Chest

symmetric expansion without retraction        clear breath sound without crackle

## Heart

regular rhythm        normal hearts sounds without murmur

## Abdomen

soft and flat abdomen        normoactive bowel sound

abdominal tenderness (-)        rebound tenderness (-)

## Back and extremities

pretibial pitting edema (-/-)        costovertebral angle tenderness (-/-)

Back tenderness(+, L4 level)        clubbing finger (-)

## Neurology

motor weakness (-)        sensory disturbance (-)

## Initial Laboratory Data

### CBC

| WBC<br>$4\sim10\times10^3/mm^3$ | 4,800 | Hb (13~17 g/dl) | 13.1 |
|---|---|---|---|
| platelet<br>$(150\sim350\times10^3/mm^3)$ | 307,000 | | |

### Chemical & Electrolyte battery

| Ca (8.3~10 mg/dL) | 9.7 | albumin (3.3~5.2g/dL) | 4.4 |
|---|---|---|---|
| P (2.5~4.5 mg/dL) | 1.6 | alkaline phosphatase<br>(ALP)(40~120 IU/L) | 162 |
| aspartate<br>aminotransferase<br>(AST)(~40 IU/L)<br>/alanine<br>aminotransferase<br>(ALT)(~40 IU/L) | 20<br><br><br><br>20 | total bilirubin<br>(0.2~1.2 mg/dL) | 0.3 |
| Cr (0.7~1.4mg/dL) | 0.81 | estimated GFR<br>($\geq60ml/min/1.7m^2$) | 77 |
| Na(135~145mmol/L)<br>/ K(3.5~5.5mmol/L)<br>/ Cl(98~110mmol/L) | 138/4.5/102 | total $CO_2$<br>(24~31mmol/L) | 24.6 |

### Urinalysis

| specific gravity<br>(1.005~1.03) | 1.010 | pH (4.5~8) | 5.0 |
|---|---|---|---|
| albumin (TR) | (-) | glucose (-) | (-) |
| ketone (-) | (-) | bilirubin (-) | (-) |
| occult blood (-) | (-) | nitrite (-) | (-) |
| Urobilinogen | (-) | WBC(-) | (-) |

## Chest X-ray

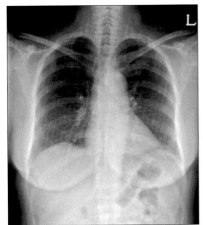

Chest x-ray와 rib series에서는 골절 소견은 보이지 않는다

## Rib series

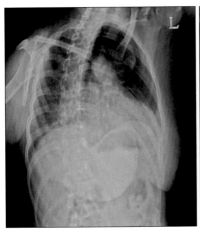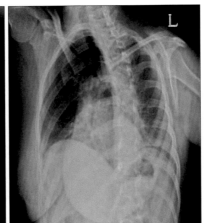

## L-spine, Pelvis

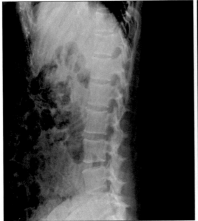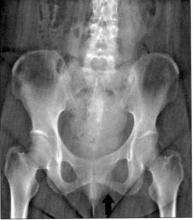

Pelvis x-ray에서 좌측inferior pubic ramus의 골절이 보인다.

L-spine x-ray에서 degenerative scoliosis 소견이 보인다.

## Bone scan

1) 오른쪽 1,2,10번째 갈비뼈와 왼쪽
   1-3번째,7-12번째 갈비뼈의
   다발성 골절이 보인다.
2) 꼬리뼈 골절이 보인다.
3) 좌측inferior pubic ramus의
   골절이 보인다.

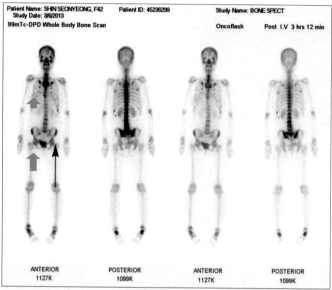

Patient Name: SHIN SEONYEONG, F42    Patient ID: 45236299    Study Name: BONE SPECT
Study Date: 3/6/2013
99mTc-DPD Whole Body Bone Scan    Oncoflash    Post I.V  3 hrs 12 min

ANTERIOR 1127K    POSTERIOR 1099K    ANTERIOR 1127K    POSTERIOR 1099K

Hypophosphatemia 원인

I. reduced renal tubular
   phosphate reabsorption
A. PTH/PTHrP dependent
   : primary/secondary
   hyperparathyroidism

B. PTH/PTHrP-independent
   : Excess FGF23(genetic
   disease)

II. Impaired intestinal phosphate
    absorption

III. shifts of extracellular
     phosphate into cells

IV. accelerated net bone
    formation

Urinary phosphate excretion은
TRP를 이용한다

TRP (Tubular reabsorption of
phosphate)
= {1-(Phosphate clearance /
   creatinine clearance)} * 100
= {1-(urine P/plasma P) /
   (Plasma Cr/Urine Cr)} * 100

## Initial Problem List

#1. chronic low back pain, ankle, rib pain

#2. Hypophosphatemia, normal calcium level

#3. Elevated ALP

#4. Multiple fracture in ribs & lt. pubic ramus

#5. Insufficiency fracture at sacrum

#6. Old coccyx fracture

---

#1. chronic low back pain, ankle, rib pain

#2. Hypophosphatemia, normal calcium level

#3. Elevated ALP

#4. Multiple fracture in ribs & lt. pubic ramus

#5. Insufficiency fracture at sacrum

#6. Old coccyx fracture

| A) | Metabolic bone disease such as osteomalacia d/t vitamin D deficiency d/t phosphate deficiency |
|---|---|
| P) | Diagnostic plan 1) 25(OH)vitD3 2) Urinary phosphate excretion 3) Intact PTH 4) 24hr urinary calcium excretion 5) Bone DEXA |

# HD #1

S) 통증으로 한시간에 한번씩 깹니다. 식사는 잘 합니다.

25(OH)VitD3 21.7 ng/ml
Serum phosphorus 1.6 mg/dL
TRP(Tubular reabsorption of phosphate
= 71% (Normal range:83-95%)
Intact PTH 48.8 pg/ml
24hr urine calcium 43.8 mg/day
24hr urine creatinine 1.0 g/day

〈Bone Dexa〉

O)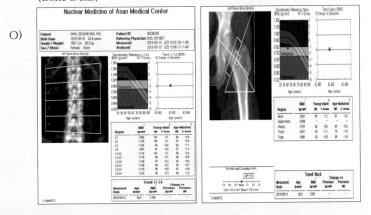

Hypophosphatemic osteomalacia
A)
　　d/t reduced renal tubular phosphate reabsorption
　　(Tumor-induced osteomalacia cyndrome (TIO)
　　Autosomal dominant hypophosphatemic rickets (ADHR))

Physical examination to rule out tumor
ENT,DNT exam to evaluate mesenchymal tumor
P) Mammography
Calcitriol, phosphate supply
Pain control

## Updated problem list

#1. chronic low back pain, rib pain ⇨ hypophosphatemic osteomalacia d/t reduced tubular phophsphate reabsorption

#2. Hypophosphatemia, normal calcium level ⇨ See #1

#3. Elevated ALP ⇨ See #1

#4. Multiple fracture in ribs and Lt.pubic ramus ⇨ See #1

#5. Insufficiency fracture at sacram ⇨ See #1

#6. Old coccyx fracture ⇨ See #1

## HD #2

S)  최근에 체중 감소 없었습니다.
오른쪽 가슴에 멍울이 만져집니다.

Physical examination
HEENT : no palpable LNs
Both axilla : no palpable LNs
breast : RLQ soft movable mass
Abdomen : no splenomegaly
Back : tenderness just below both ribs
tenderness at L4 level
Neurological deficit : none
〈ENT Exam〉

ENT검사에서는 이상소견 관찰되지 않았다.

O)

〈Mammogrphy〉

Mammography상 Rt.breast lower portion에 mass like lesion이 관찰된다.

⟨Breast Us⟩

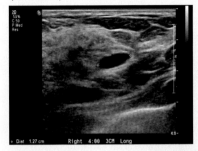

Both breast에 여러개의 cyst가
관찰된다.

⟨PET⟩

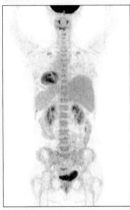

PET상 이상소견은 관찰되지 않았다.

A)
Hypophosphatemic osteomalacia
　d/t tumor induced osteomalacia
　d/t Autosomal dominant hypophosphatemic rickets
　Several cysts in both breasts

P)
Breast mass excision
Calcitriol, phosphate supply
　Pain control

# Rt. Breast Excision Biopsy

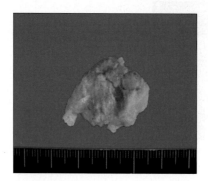

정상 Duct관찰되며 malignancy
소견은 보이지 않는다.

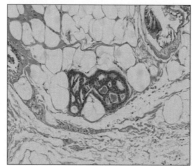 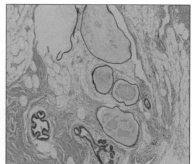

# 수술후 1달뒤 OPD

| S) | 쌍둥이 동생도 인이 낮다고 들었어요 |
|---|---|
| O) | Ca 8.3 mg/dL (8.6-10.2) P 1.2 mg/dL (2.5-4.5) Albumin 4.6g/dl<br>Corrected Ca 7.8 mg/dL<br>ALP 275 IU/L (40-120) |
| A) | Hypophosphatemic osteomalacia<br>d/t genetic cause such as Autosomal hypophosphatemic rickets<br>(ADHR) more likely than tumor-induced osteomalacia |
| P) | continue Calcitriol, Phosphate supply |

# 퇴원후 1년뒤 OPD

S) 많이 나아졌어요. 정상 보행도 가능해요.

Ca 8.0 mg/dL (8.6-10.2) P 3.8 mg/dL (2.5-4.5) Albumin 4.4g/dL
Corrected Ca 7.7mg/dL
ALP 178 IU/L (40-120)

〈Bone Scan〉

O)

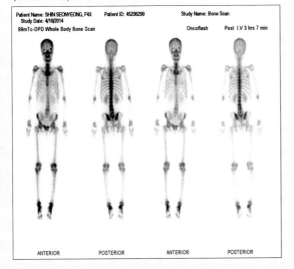

Bone Scan에서 다발성 골절 및 uptake증가가 호전되었다.

A) Hypophosphatemic osteomalacia
d/t genetic cause such as Autosomal hypophosphatemic rickets (ADHR)

P) continue Calcitriol, Phosphate supply

## Lesson of the case

Metabolic bone disease 중 hypophosphatemic osteomalacia는 phosphorus 교정시 bone pain, muscle weakness등의 증상이 호전될 수 있다.
Multiple bone pain을 주소로 내원한 환자에서 phosphorus가 낮을 경우 hypophosphatemic osteomalacia를 감별질환으로 고려하여야 하겠다.

# 3일 전 시작된 흉통으로 내원한 56세 여자

## Chief Complaints

Chest pain, started 3 days ago

## Present Illness

3일 전부터 전신 근육통, 한기와 함께 10~20분 정도 지속되는 흉통이 간헐적으로 있었다. 통증은 Numeric rating scale (NRS) 8-9점 정도로 흉골 하에 조이는듯한 양상이었고, 완화 인자/악화 인자 없었고 방사통 없었다. 흉통 발생 시 어지럼증, 식은땀이 동반되었다.

1일 전 동네의원 방문하였고, 요로감염 의심 하에 경구 항생제(ciprofloxacin) 처방 받아 복용하였다.

2시간 전부터 전신 근육통 및 흉통 지속되어 OO병원 응급실 내원하였고, 심근경색 의심된다는 얘기 듣고 본원 응급실로 전원 되었다.

## Past History

diabetes (-) hypertension(-) Tbc(-) hepatitis (-)
급성 신우신염(+): 30년전

## Family History

diabetes(-)

hypertension (-)

tuberculosis (-)

hepatitis (-)

lung cancer(+): 아버지

cervical cancer(+): 어머니

## Social History

occupation :교사

smoking(-)

alcohol(-)

## Review of Systems

### General

| | |
|---|---|
| easy fatigability (-) | weight loss (-) |

### Skin

| | |
|---|---|
| purpura (-) | erythema (-) |

### Head / Eyes / ENT

| | |
|---|---|
| headache (-) | hearing disturbance (-) |
| dry eyes (-) | tinnitus (-) |
| rhinorrhea (-) | oral ulcer (-) |
| sore throat (-) | dizziness(-) |

### Respiratory

| | |
|---|---|
| dyspnea (-) | hemoptysis (-) |
| cough (-) | sputum (-) |

### Cardiovascular

⇨ See present illness

### Gastrointestinal

| | |
|---|---|
| Anorexia (-) | Nausea (-) |
| Vomiting (-) | Constipation (-) |
| Diarrhea (-) | Abdominal pain (-) |

### Genitourinary

| | |
|---|---|
| flank pain (-) | gross hematuria (-) |
| Dysuria(+): 소변볼 때 따끔한 느낌 호소함. | frequency (-) |

### Neurology

| | |
|---|---|
| seizure (-) | cognitive dysfunction (-) |
| psychosis (-) | motor-sensory change (-) |

## Musculoskeletal

pretibial pitting edema (-)

back pain (-)

tingling sense (-)

muscle pain (-)

# Physical Examination

## Vital Signs

BP 96/62 mmHg - HR 96/min - RR 20/min - BT37.9℃

## General Appearance

Acutely ill - looking

oriented to time, person, place

alert

## Skin

skin turgor: normal

rash (-)

spider angioma (-)

ecchymosis (-)

purpura (-)

palmar erythema (-)

## Head / Eyes / ENT

visual field defect (-)

icteric sclera (-)

pale conjunctiva (-)

palpable lymph nodes (-)

## Chest

symmetric expansion without retraction

percussion : resonance

normal tactile fremitus

clear breath sound without crackle

## Heart

regular rhythm

normal hearts sounds without murmur

## Abdomen

Soft & flat abdomen

hepatomegaly (-)

tenderness (-)

normoactive bowel sound

splenomegaly (-)

shifting dullness (-)

## Back and extremities

flapping tremor (-)

pretibial pitting edema (-/-)

costovertebral angle tenderness(+/+): Rt>Lt

## Neurology

| | |
|---|---|
| motor weakness (-) | sensory disturbance (-) |
| gait disturbance (-) | neck stiffness (-) |

# Initial Laboratory Data

## CBC

| WBC<br>$4{\sim}10\times10^3/mm^3$ | 7,200 | Hb (13~17 g/dl) | 11.0 |
|---|---|---|---|
| MCV(81~96 fl) | 91.6 | MCHC(32~36 %) | 34.8 |
| WBC<br>differential count | neutrophil 77.4%<br>lymphocyte 14.9%<br>eosinophil 3.9% | platelet<br>$(150{\sim}350\times10^3/mm^3)$ | 179 |

## Chemical & Electrolyte battery

| protein (6~8 g/dL)/<br>albumin (3.3~5.2 g/dL) | 5.5/3.1 | glucose<br>(70~110 mg/dL) | 119 |
|---|---|---|---|
| aspartate<br>aminotransferase<br>(AST)(~40 IU/L)<br>/alanine<br>aminotransferase<br>(ALT)(~40 IU/L) | 161<br><br>94 | alkaline phosphatase<br>(ALP)(40~120 IU/L) | 122 |
| gamma-<br>glutamyltranspeptidase<br>(r-GT)<br>(11~63 IU/L) | 28 | total bilirubin<br>(0.2~1.2 mg/dL) | 0.6 |
| BUN(10~26mg/dL)<br>/Cr (0.7~1.4mg/dL) | 9/0.57 | Na(135~145mmol/L)<br>/ K(3.5~5.5mmol/L)<br>/ Cl(98~110mmol/L) | 130/3.9/96 |
| C-reactive protein<br>(~0.6 mg/dL) | 5.81 | CK(50~250 IU/L)/<br>CK-MB(~5 ng/mL)/<br>Troponin-I(~1.5 ng/ml | 858/51.9/34.036 |

## Urinalysis

| | | | |
|---|---|---|---|
| specific gravity (1.005~1.03) | 1.020 | pH (4.5~8) | 6.0 |
| albumin(TR) | (-) | glucose (-) | (-) |
| ketone (-) | (-) | bilirubin (-) | (-) |
| occult blood (-) | TR | nitrite (-) | (-) |
| Urobilinogen | (-) | WBC(stick) | (-) |

## Chest PA

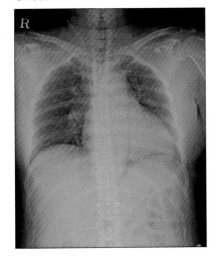

CT ratio 0.6으로 cardiomegaly 있으며, pulmonary congestion 관찰된다.

## EKG

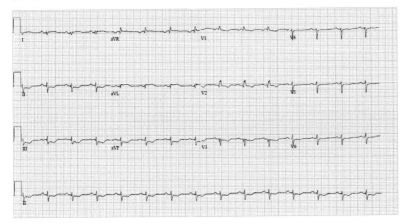

Heart rate 97회/분의 normal sinus rhythm이고, right superior axis deviation이 있다. lead I, aVL 에 ST elevation 있고, II, III, aVF에 ST depression이있다.

## Initial Problem List

#1. Resting chest pain with elevated cardiac enzyme

#2. I, aVL ST elevation

#3. Pulmonary congestion

#4. Abnormal transaminase

#5. Fever

#6. Both CVA tenderness with dysuria

57세 여성에서 발생한 typical chest pain으로 coronary artery disease가능성은 47% 정도이다. (오른쪽 아래의 table 참고). 감염 (APN)이 있는 상황을 고려하면 SCMP의 가능성도 생각해볼 수 있다.

#1. Resting chest pain with elevated cardiac enzyme

#2. I, aVL ST elevation

#3. Pulmonary congestion

#4. Abnormal transaminase

#5. Fever

| A) | ST elevation myocardial infarction (STEMI) with heart failure<br>Stress induced cardiomyopathy (SCMP) |
|---|---|
| P) | Diagnostic plan〉<br>EKG, cardiac enzyme follow up<br><br>Treatment plan〉<br>IV heparin, isosorbidedinitrate<br>Aspirin, ticagrelor<br>Diuretics for volume control<br>Percutaneous coronary intervention (PCI) |

Table. Clinical pre-test probabilities in patients with stable chest pain symptoms

| Age | Typical angina | | Atypical angina | | Non-anginal pain | |
|---|---|---|---|---|---|---|
| | Men | Women | Men | Women | Men | Women |
| 30-39 | 59 | 28 | 29 | 10 | 18 | 5 |
| 40-49 | 69 | 37 | 38 | 14 | 25 | 8 |
| 50-59 | 77 | 47 | 49 | 20 | 34 | 12 |
| 60-69 | 84 | 58 | 59 | 28 | 44 | 17 |
| 70-79 | 89 | 68 | 69 | 37 | 54 | 24 |
| 〉80 | 93 | 76 | 78 | 47 | 65 | 32 |

2013 ESC guidelines on the management of stable coronary artery disease.
Eur Heart J. 2013;34(38):2949-3003.

#5. Fever
#6. both CVA tenderness with dysuria

    A)   Acute pyelonephritis (APN)

        Diagnostic plan〉
        Urine culture, blood culture

    P)

        Treatment plan〉
        IV ceftriaxone

소변검사에서 농뇨는 없으나, 타원에
서 항생제 처방 받고 하루 복용한
상태이기 때문에 농뇨가 없다고,
요로감염을 배제할 수 없다.

## Hospital day #2

#1. Resting chest pain with elevated cardiac enzyme
#2. I, aVL ST elevation
#3. Pulmonary congestion
#4. Abnormal transaminase
#5. Fever

    S)   가슴 아픈 건 많이 편해졌어요.

        Coronary angiography : normal

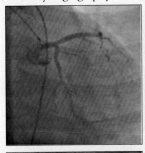
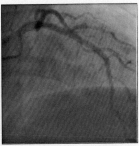

Coronary angiography 결과가
정상으로 나와 STEMI는 배제할 수
있었다. SCMP 가능성이 있으나
APN이 심하지 않아, 감별진단으로
myocarditis를 고려하기로 하였다.

    O)

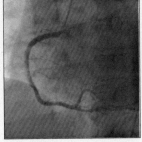

        Transthoracic echocardiography (TTE)
           LVEF 33%
           RV dysfunction
           Global hypokinesia

| A) | SCMP<br>myocarditis |
| --- | --- |
| P) | Diagnostic plan〉<br>cardiac MRI<br><br>Treatment plan〉<br>Beta-blocker, angiotensin receptor blocker (ARB), aldosterone antagonist |

## Hospital day #4

#1. Resting chest pain with elevated cardiac enzyme
#2. I, aVL ST elevation
#3. Pulmonary congestion
#4. Abnormal transaminase
#5. Fever

| S) | 가슴 안 아파요. |
| --- | --- |
| O) | Cardiac enzyme<br>CK(50~250 IU/L)  506 IU/L<br>CK-MB(~5 ng/mL)  59.7 ng/mL<br>Troponin-I(~1.5 ng/ml) 18.1 ng/mL<br><br>EKG<br> |
| A) | SCMP<br>myocarditis |
| P) | Diagnostic plan〉<br>cardiac MRI (magnetic resonance image)<br>Treatment plan〉<br>Beta-blocker, ARB, aldosterone antagonist |

이전 EKG와 비교하여 I, aVL의 ST elevation 및 II, III, aVF의 reciprocal change 호전되었다.

Myocarditis를 감별하기 위해 cardiac MRI를 시행하기로 하였다.

APN

S) 소변볼 때 따끔한 거 좋아졌어요.

CVAT (-/-)

O) CRP(~0.6 mg/dL) 1.73 mg/dL

Microbiology
Blood culture, Urine culture: no growth

A) APN

P) IV ceftriaxone 유지

# Hospital day #5

#1. Resting chest pain with elevated cardiac enzyme
#2. I, aVL ST elevation
#3. Pulmonary congestion
#4. Abnormal transaminase
#5. Fever

S) 가슴 불편감 없어요.

Cardiac enzyme
CK(50~250 IU/L) 442 IU/L
CK-MB(~5 ng/mL) 43.9 ng/mL
Troponin-I(~1.5 ng/ml) 12.2 ng/mL

Cardiac MRI

O)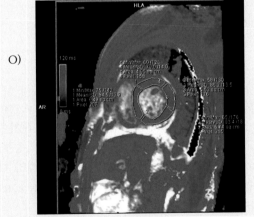

Cardiac MRI 시행하였고, delayed myocardial enhancement 및 T2 mapping에서 myocardium 전반에 걸쳐 diffusely increased T2 value를 보이고 있다. 이는 diffuse myocardial edema를 시사하는 소견으로 myocarditis에 합당하다.

MRI는 myocarditis 진단에 sensitivity 100%, specificity 90%로 유용한 diagnostic modality이다. (Circulation. 2004;109:1250-8.)

A) myocarditis

Etiology w/u: viral marker

P) Beta blocker, ARB, aldosterone antagonist
TTE f/u

## Updated problem list

#1. Resting chest pain with elevated cardiac enzyme ⇨ Acute myocarditis

#2. I, aVL ST elevation ⇨ See #1

#3. Pulmonary congestion ⇨ See #1

#4. Abnormal transaminase ⇨ See #1

#5. Fever ⇨ APN

#6. Both CVA tenderness with dysuria ⇨ See #5

## Hospital day #9

#1. Acute myocarditis ·

| | |
|---|---|
| S) | 괜찮아요. |
| O) | Viral marker<br> Enterovirus PCR (-)<br> Influenza A & B Ag (-)<br> Parvovirus PCR (-)<br><br>Cardiac enzyme<br> CK-MB(~5 ng/mL)  4.9 ng/mL<br> Troponin-I(~1.5ng/ml) 0.7 ng/mL<br><br>TTE<br> LVEF 48%<br> Improving RV dysfunction<br> No definite regional wall motion abnormality |
| A) | myocarditis |
| P) | Beta blocker, ARB, aldosterone antagonist<br>OPD f/u |

## Lesson of the case

Typical chest pain으로 presentation 하는 환자의 경우 일반적으로 coronary artery disease의 가능성을 가장 먼저 고려하게 된다. 하지만 이 환자에서처럼 risk factor가 없는 경우 SCMP나 myocarditis 등 다른 질환의 가능성을 고려해야 한다. Myocarditis의 경우 involve된 location, extent에 따라 다양한 EKG finding을 보일 수 있으며, EKG가 시시각각 변할 수 있다. Myocarditis의 진단에 MRI 가 유용하게 사용될 수 있다.

## CASE 14

# 1주 전 시작된 발열로 내원한 43세 남자

## Chief Complaints

Fever (onset: 1 week ago)

## Present Illness

5년 전, 강직성 척추염 진단받고, adalimumab, etanercept을 투약하였으나, hip pain 지속되어 4년 전부터 주기적으로 infliximab 투약하며 hip pain 호전 보인 환자로, 2주전 infliximab 투여 받았다.

1주일 전, 마른 기침이 발생하면서 주로 밤에 악화되는 발열, 오한이 발생하였다.

3일 전, 배가 더부룩한 느낌이 있으면서 발열이 지속되어 응급실 방문하였다.

* Fever
    - Onset : a week ago
    - Mainly at night
    - Pattern : spiking
    - Duration : 3-4 hours
    - Associated symptoms
    chilling sense (+)
    cough (+), sputum (-), rhinorrhea (-), sore throat (-)
    abdominal bloating sense (+)
    sweating (-), weight loss (-)

## Past History

hypertension (-)

diabetes (-)

tuberculosis (-)

hepatitis (-)

## Family History

diabetes(-)

hypertension (-)

tuberculosis (-)

hepatitis (-)

## Social History

Occupation: 요양병원 이송직원

Smoking: 1 pack x 20 years

Alcohol: 맥주 3병/주, 20년

## Review of Systems

### General

| | |
|---|---|
| generalized edema (-) | easy fatigability (-) |
| dizziness (-) | weight loss (-) |

### Skin

| | |
|---|---|
| purpura (-) | erythema (-) |

### Head / Eyes / ENT

| | |
|---|---|
| headache (-) | hearing disturbance (-) |
| dry eyes (-) | tinnitus (-) |
| rhinorrhea (-) | oral ulcer (-) |
| sore throat (-) | dry mouth (-) |

### Respiratory

| | |
|---|---|
| cough (+): dry cough | sputum (-) |
| dyspnea (-) | wheezing (-) |

### Cardiovascular

| | |
|---|---|
| chest pain (-) | palpitation (-) |
| orthopnea (-) | Raynaud's phenomenon (-) |

## Gastrointestinal

anorexia (-)                           dyspepsia (-)

nausea (-)                             vomiting (-)

diarrhea (-)                           abdominal pain (-)


## Musculoskeletal

arthralgia (-)                         tingling sense (-)

back pain (-)                          myalgia (-)


# Physical Examination

Height 173 cm      Weight 92 kg     BMI  30.74 kg/m²

## Vital Signs

BP 140/87 mmHg - HR 113/min - RR 20/min - BT 38.7℃

## General Appearance

Acutely ill - looking                  alert

oriented to time, place, and person

## Skin

skin turgor: normal                    ecchymosis (-)

rash (-)                               purpura (-)

## Head / Eyes / ENT

visual field defect (-)                pinkish conjunctivae

anicteric sclera                       palpable lymph nodes (-)

## Chest

symmetric expansion without retraction   normal tactile fremitus

percussion: resonance                    crackles  (-)

## Heart

regular rhythm               normal heart sounds without murmur

## Abdomen

| | |
|---|---|
| abdomen contour : distended | normoactive bowel sound |
| tenderness (-) | rebound tenderness (-) |
| shifting dullness (+) | fluid wave (+) |

## Neurology

| | |
|---|---|
| motor weakness (-) | sensory disturbance (-) |
| gait disturbance (-) | neck stiffness (-) |

# Initial Laboratory Data

## CBC

| WBC $4\sim10\times10^3/mm^3$ | 5,500 | Hb (13~17 g/dl) | 14.0 |
|---|---|---|---|
| WBC differential count | neutrophil 76.4%<br>lymphocyte 14.9%<br>eosinophil 0.0% | platelet $(150\sim350\times10^3/mm^3)$ | 206 |

## Chemical & Electrolyte battery

| Ca (8.3~10 mg/dL) | 8.8 | glucose (70~110 mg/dL) | 125 |
|---|---|---|---|
| protein (6~8 g/dL)/ albumin (3.3~5.2 g/dL) | 5.9/2.0 | aspartate aminotransferase (AST)(~40 IU/L) /alanine aminotransferase (ALT)(~40 IU/L) | 41<br><br>17 |
| alkaline phosphatase (ALP)(40~120 IU/L) | 70 | gamma-glutamyl transpeptidase (r-GT) (11~63 IU/L) | 96 |
| total bilirubin (0.2~1.2 mg/dL) | 0.3 | BUN(10~26mg/dL) /Cr (0.7~1.4mg/dL) | 64/2.9 |
| C-reactive protein (~0.6mg/dL) | 26.92 | ESR (0~20 mm/hr) | 36 |
| Na(135~145mmol/L) / K(3.5~5.5mmol/L) / Cl(98~110mmol/L) | 134/4.3/101 | total $CO_2$ (24~31mmol/L) | 22.7 |

## Coagulation battery

| | | |
|---|---|---|
| PT (INR) (0.8~1.3) | 1.01 | activated partial thromboplastin time (aPTT) (25~35 sec)  30.2 |

## Urinalysis with microscopy

| | | | |
|---|---|---|---|
| specific gravity (1.005~1.03) | 1.020 | pH (4.5~8) | 6.5 |
| albumin (TR) | (-) | glucose (-) | (-) |
| ketone (-) | (-) | bilirubin (-) | (-) |
| occult blood (-) | (++++) | nitrite (-) | (-) |

## Chest X-ray

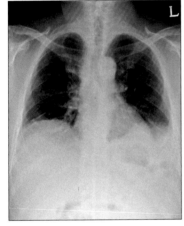 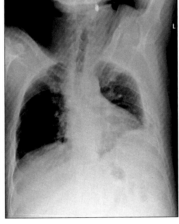

Left costophrenic angle의 blunting 소견이 보이며, Left decubitus view에서 fluid shifting이 확인되었다. Lung parenchyme의 infiltration은 simple x-ray에서 저명하지는 않았다.

## EKG

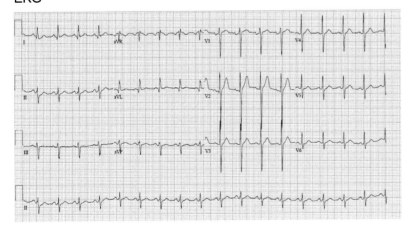

맥박수 100회로 normal sinus rhythm 이었다.

173

# Initial Problem List

#1. Ankylosing spondylitis on anti-TNF-alpha therapy

#2. Night Fever

#3. Left pleural effusion

#4. Abdominal discomfort with ascites

#5. Microscopic hematuria

# Assessment and Plan (1)

TNF-a blocker의 사용이 tuberculosis의 risk를 높인다고 알려져 있다는 점, 더군다나 현재 사용 중인 infliximab이 etanercept에 비해서도 TB risk가 2-3배 정도 높다는 점, 주로 밤에 악화되는 fever, 새롭게 발생한 pleural effusion 및 ascites에 대해서 TB pleurisy 및 TB peritonitis의 가능성이 높다고 판단하였다.
하지만, malignancy에 의한 pleural effusion , ascites 소견일 가능성을 배제할 수 없어 diagnostic paracentesis를 시행하고, APCT 및 chest CT를 시행하기로 하였다.

#1. Ankylosing spondylitis on anti-TNF-alpha therapy
#2. Night Fever
#3. Left pleural effusion
#4. Abdominal discomfort with ascites

| A) | TB pleurisy and TB peritonitis<br>Malignancy with pleural and peritoneal involvement |
|---|---|
| P) | Diagnostic plan〉<br>Diagnostic paracentesis<br>(SAAG, Protein, ADA, AFB smear, TB PCR and Cytology)<br>APCT, Chest CT<br><br>Therapeutic plan〉<br>Hold infliximab therapy |

# Hospital day #1

#1. Ankylosing spondylitis on anti-TNF-alpha therapy
#2. Night Fever
#3. Left pleural effusion
#4. Abdominal discomfort with ascites

S)  열은 계속 납니다. 컨디션도 좋아지지 않아요.

Ascitic fluid analysis
SAAG : 0.2 g/dL Protein : 4.5 g/dL
WBC : 8800 /uL
(Lymphocyte : 48%, Histiocyte : 40%, Neutrophil 11 %)
ADA : 156.9 U/L
AFB stain (-) M.TB PCR (-)

O)

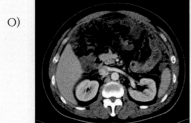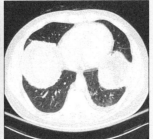

A)  TB pleurisy and TB peritonitis
Malignancy with pleural and peritoneal involvement

P)

Diagnostic plan〉
Laparoscopic peritoneal biopsy

Therapeutic plan〉
Consider anti-TB medication

## Hospital day #3

#1. Ankylosing spondylitis on anti-TNF-alpha therapy
#2. Night Fever
#3. Left pleural effusion
#4. Abdominal discomfort with ascites

| | |
|---|---|
| S) | 수술하고 아프네요. |
| O) | Laparoscopic excisional biopsy was done |
| A) | TB pleurisy and TB peritonitis<br>Malignancy with pleural and peritoneal involvement |
| P) | Diagnostic plan〉<br>Wait for the result of peritoneal biopsy<br><br>Therapeutic plan〉<br> Hold Infliximab therapy<br> anti-TB medication (INH ,RFP, EMB, PZA) |

## Hospital day

#1. Ankylosing spondylitis on anti-TNF-alpha therapy
#2. Night Fever
#3. Left pleural effusion
#4. Abdominal discomfort with ascites

| | |
|---|---|
| S) | 열도 내리고 편해지는 것 같아요. 수술부위는 아직 불편해요. |
| O) | 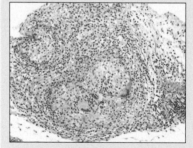<br>Chronic granulomatous inflammation |
| A) | TB pleurisy and TB peritonitis |
| P) | Therapeutic plan〉<br>anti-TB medication (INH ,RFP, EMB, PZA) |

## Updated problem list

#1. Ankylosing spondylitis on anti-TNF-alpha therapy

#2. Night Fever ⇨ TB pleurisy and TB peritonitis on HREZ

#3. Left pleural effusion ⇨ See #2

#4. Abdominal discomfort with ascites ⇨ See #2

#5. Microscopic hematuria

## OPD follow up (2 weeks after discharge)

#1. Ankylosing spondylitis on anti-TNF-alpha therapy
#2. Tuberculosis peritonitis with pleurisy on HREZ

S)   퇴원 후 일주일은 괜찮다가 일주일 전부터 미열이 납니다.

O)   CRP : 2.87 (퇴원 당시) → 8.69 (mg/dL)

A)   Paradoxical response after anti-TB medication

P)   Therapeutic plan〉
     Maintain anti-TB medication (INH ,RFP, EMB, PZA)

## OPD follow up (3weeks after discharge)

#2. Tuberculosis peritonitis with pleurisy on HREZ
#6. Fever with TB medication

S)   4일 전부터 배가 아프고, 다리에 발진이 생겼어요.
     오늘 아침부터는 배가 너무 아팠어요.

     CBC : WBC : 7300 /mm3 (Eosinophil : 73 /mm3)
           Hb : 12.6 g/dL
     ESR : 105 mm/hr  CRP: 8.13 mg/dL
     U/A  micro : RBC ; many/HPF
                  WBC ; 0-1/HPF
                  Albumin ; +

O)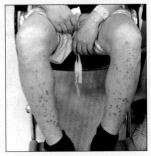

P)   Diagnostic plan〉
     Abdominopelvic CT

Biopsy 상 chronic granulomatous inflammation으로, TB peritonitis의 가능성이 매우 높을 것으로 보고, Anti-Tb medication을 유지하기로 하였다.

결핵치료에 따른 paradoxic response는 결핵치료 중, 면역력이 회복되면서 발생하는 현상인데, paradoxical response가 결핵치료 2주 (2주-8개월, 대부분 12주 이내)가 되는 시점에서 발생한다는 점, extrapulmonary TB에서 pulmonary TB에 비해서 paradoxic response가 더 흔하게 발생한다는 점, anti-TNF-a 치료를 중단한 것이 면역력 회복에 기여할 수 있다는 점에서 paradoxical response를 우선적으로 의심하여 항결핵제를 유지하고 경과관찰 하기로 하였다.

## Updated problem list

#1. Ankylosing spondylitis s/p anti-TNF-alpha therapy

#2. TB pleurisy and TB peritonitis on HREZ

#6. Fever with anti-TB medication

#7. Maculopapular rash, predominantly on both lower legs

#8. Periumbilical pain

## OPD follow up (3weeks after discharge)

TB medication 중에 발생한 Maculopapular rash에 대해서는 항결핵제에 의한 drug induced rash의 가능성을 우선적으로 고려하였다. Microscopic hematuria 및 abdominal pain과 같이 생각해볼 때, Henoch shcönilein purpura 와 같은 vasculitis의 가능성도 배제를 할 수가 없어서 skin biopsy 를 시행하기로 하였다.

#2. TB pleurisy and TB peritonitis on HREZ
#5. Microscopic hematuria
#7. Maculopapular rash, predominantly on both lower legs

| A) | Drug-induced rash<br>Vasculitis such as Henoch-Schö nlein purpura (HSP) |
|---|---|
| P) | Diagnostic plan〉<br>Skin biopsy<br>Dysmorphic RBC, albumin / Cr ratio<br><br>Therapeutic plan〉<br>Change anti-TB medication<br>(Moxifloxacin, cycloserin, streptomycin) |

# OPD follow up (3weeks after discharge)

#2. TB pleurisy and TB peritonitis on HREZ
#6. Fever with anti-TB medication
#8. Periumbilical pain

APCT상 terminal ileum에 segmental edematous bowel wall thickening과 mild mesenteric infiltration이 있어 paradoxical response와 vasculitis를 모두 생각할 수 있는 소견이었다.

O)

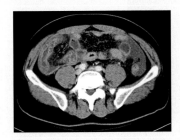

A)   Paradoxical response after anti-TB medication
Vasculitis such as Henoch-Schönlein purpura (HSP)

Diagnostic plan〉
Consider colonoscopy

P)   Therapeutic plan〉
NPO
Change anti-TB medication
(Moxifloxacin, cycloserin, streptomycin)
IV methylprednisone 30 mg

# 2nd Admission HD #3

#2. TB pleurisy and TB peritonitis on HREZ
#7. Maculopapular rash, predominantly on both lower legs

S)   발진은 약간 좋아지는 것 같아요.

Skin biopsy에서 leukocytoclastic vasculitis 소견이 보였고, drug induced rash 및 HSP 모두에서 보일 수 있는 nonspecific finding 으로, 섣불리 vasculitis소견으로 단정하지는 않았고, 변경한 항결핵제 를 유지하기로 하였다.

O)

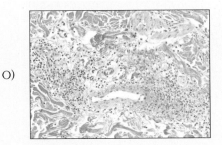

A)   Drug-induced rash
Vasculitis such as Henoch-Schönlein purpura (HSP)

Therapeutic plan〉
P)   Maintain changed anti-TB medications
(Moxifloxacin, Cycloserin, streptomycin)

#2. TB pleurisy and TB peritonitis on HREZ
#6. Fever with anti-TB medication
#8. Periumbilical pain with terminal ileum wall thickening on APCT

| | |
|---|---|
| S) | 배는 계속 아프고, 좋아지지가 않네요 |
| O) | 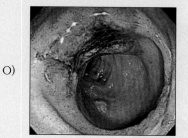 |
| A) | Paradoxical response after anti-TB medication<br>Vasculitis such as Henoch-Schönlein purpura (HSP) |
| P) | Therapeutic plan〉<br>NPO<br>Maintain changed anti-TB medications<br>Dose increment of steroid (IV mPD 60 mg) |

Microscopic hematuria에 대해서는 microalbuminuria도 동반되었고, HSP에 의한 vasculitis의 가능성을 고려하였고, 만약에 colonoscopic biopsy 소견이 diagnostic하지 않을 경우 kidney biopsy를 고려하기로 하였다.

#1. Ankylosing spondylitis on anti-TNF-alpha therapy
#2. TB pleurisy and TB peritonitis
#5. Microscopic hematuria

| | |
|---|---|
| S) | 혈뇨가 나오지는 않아요. |
| O) | Dysmorphic RBC 69%<br>Albumin / Cr ratio 96.7 mg/g |
| A) | Vasculitis such as Henoch-Schönlein purpura (HSP)<br>Tubulointerstitial nephritis, less likley |
| P) | Diagnostic plan〉<br>Colonoscopic biopsy가 diagnostic 하지 않을 경우<br>kidney biopsy 고려 |

# 2nd Admission HD #7

#2. TB pleurisy and TB peritonitis
#6. Fever with anti-TB medication
#7. Maculopapular rash, predominantly on both lower legs
#8. Periumbilical pain with terminal ileum wall thickening on APCT

S)  배 아픈 건 조금 나아요.

O)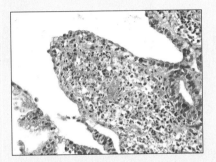

Colonoscopic biopsy상 terminal ileum에 chornic active ileitis 소견으로 HSP를 의심할 수는 있었지만, conclusive하지 않다고 판단하였지만, vasculitis의 가능성을 이전보다 더 높다고 판단하였다.

A)  Vasculitis such as Henoch-Schö nlein purpura (HSP)
Paradoxical response after anti-TB medication

P)  Therapeutic plan〉
Maintain changed anti-TB medications
(Moxifloxacin, Cycloserin, streptomycin)
Maintain current IV mPD 60 mg

#1. Ankylosing spondylitis on anti-TNF-alpha therapy
#2. TB pleurisy and TB peritonitis
#5. Microscopic hematuria

S)  혈뇨가 나오지는 않아요.

O)  Consultation to nephrology〉
1. skin biopsy의 결과 drug에 의한 vasculitis의 가능성이 높다고 생각합니다.
2. 혈뇨와 단백뇨의 원인은 이전 말씀드린대로 원인을 정확하게 알 수는 없지만 신기능이 정상이고 단백뇨의 양이 적기 때문에 혈뇨, 단백뇨의 원인 확인을 위해 조직 검사를 시행할 필요는 없습니다.
3. 하지만, 귀과적으로 kidney biopsy가 치료 방향 결정에 필요하다고 판단된다면 kidney biopsy 시행에 동의합니다.

A)  Vasculitis such as Henoch-Schö nlein purpura (HSP)
Tubulointerstitial nephritis

P)  Diagnostic plan〉
Kidney biopsy

Microscopic hematuria에 대해서는 nephrology와 상의하였고, 신기능이 정상이면서 albuminuria의 양이 적어 이에 대한 evaluation을 위해서 kidney biopsy는 필요 없겠으나, 향후 치료 방침 결정에 필요하다면 시행해볼 수 있다는 의견을 주었다. steroid 유지기간결정, 결핵일차약제의 유지여부, 그리고 paradoxical response라면 infliximab을 조기에 재사용하는 것도 고려해볼 수 있기 때문에 향후 치료 방침에 중요할 것으로 판단되어 kidney biopsy를 시행하기로 하였다.

## 2<sup>nd</sup> Admission HD #13

#2. TB pleurisy and TB peritonitis on HREZ
#7. Maculopapular rash, predominantly on both lower legs

| | |
|---|---|
| S) | 발진은 많이 가라 앉았어요. 이제 흔적으로 남는 것 같아요. |
| O) | 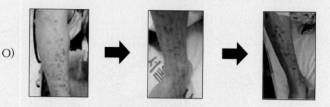 |
| A) | Vasculitis such as Henoch-Schönlein purpura (HSP)<br>Drug-induced rash |
| P) | Therapeutic plan⟩<br>Maintain changed anti-TB medications<br>(Moxifloxacin, Cycloserin, streptomycin) |

#2. TB pleurisy and TB peritonitis
#6. Fever with anti-TB medication
#7. Maculopapular rash, predominantly on both lower legs
#8. Periumbilical pain with terminal ileum wall thickening on APCT

| | |
|---|---|
| S) | 배 아픈 것도 많이 좋아졌어요. 밥먹으면서도 증상이 없어요. |
| O) | WBC : 15600 /mm3  ESR  48mm/hr CRP 1.08 mg/dL |
| A) | Vasculitis such as Henoch-Schönlein purpura (HSP)<br>Paradoxical response after anti-TB medication |
| P) | Therapeutic plan⟩<br>Maintain changed anti-TB medications<br>(Moxifloxacin, cycloserin, streptomycin)<br>Steroid 감량 (IV mPD 60 mg ⇨ 30 mg), |

#1. Ankylosing spondylitis on anti-TNF-alpha therapy

#2. TB pleurisy and TB peritonitis

#5. Microscopic hematuria

O)
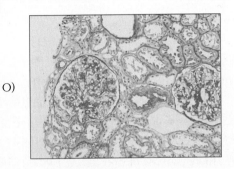

Kidney biopsy 상 focal mesangial and endocapillary proliferative glomerulonephritis 소견으로, Henoch–Schonlein purpura nephritis에 합당하다고 판단하였다.

A)  Henoch-Schönlein purpura due to anti-TB medication (HREZ)
    or TB per se

P)  Diagnostic plan〉
    Rifampin → Isoniazid → Pyrazinamide 순서로 rechallenge

## Updated problem list

#1 Ankylosing spondylitis s/p anti-TNF-alpha therapy

#2 TB pleurisy and TB peritonitis

#6 Henoch-Schönlein purpura

## 2nd Admission HD #21

#2. TB pleurisy and TB peritonitis

#8. Henoch-Schönlein purpura

S)  약먹고 2시간 정도 후부터 팔에 발진이 났고, 배도 다시 아팠어요.

O)
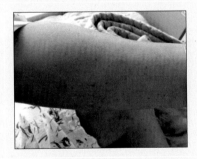

A)  Henoch-Schönlein purpura due to rifampin

P)  Rifampin 추후 투약 금지

## Updated problem list

#1. Ankylosing spondylitis s/p anti-TNF-alpha therapy

#2. TB pleurisy and TB peritonitis

#8. Henoch-Schönlein purpura due to rifampin

## Lesson of the case

Henoch-Schönlein purpura는 small vessel을 involve하는 IgA immune deposit을 특징으로 하는 질환으로, palpable purpura가 반드시 있어야 하며, arthritis, abdominal pain, renal involvement가 동반될 수 있는 질환이다. 보통 90%의 case가 소아에서 발병하지만, 환자의 10%정도는 성인에서 발생한다. 성인에서 발병할 경우, Kidney involvement가 있으면 ESRD로 진행할 가능성이 높아지고, GI involvement가 있을 경우에도 불량한 예후가 발생할 수 있다는 것이 소아에서와는 다른 특징이다. URI 또는 GI infection 이외에도 drug에 의해서 trigger 될 수 있다는 사실을 유념해야 한다.

# 1개월 전 시작된 발열로 내원한 66세 남자

## Chief Complaints

Febrile sense, started 1 month ago

## Present Illness

1개월 전부터 열감(하루에 한 번 특별한 시간대는 없음), 전신 근육통증 및 두통 발생하였고 근처 병원에서 진통제처방 받아 투여하였으나 큰 호전 없었다.

10일전 오한 및 전신 근육통이 지속되어 본원 응급실 방문하여 촬영한 흉부 x-선 사진상 우하엽에 침윤소견 보였다. 이에 지역사회 획득 폐렴으로 임상진단하여 경구용 levofloxacin 처방하여 퇴실 후 외래 방문하도록 하였다.

7일전 외래에서 Mycoplasma pneumonia IgM 양성 확인되어 levofloxacin유지하면서 2주 후 추적 관찰예정이었으나 이후 발열은 지속되고 근육통(특히 상지와 하지) 및 관절통(특히 손목부위) 동반되어 응급실에 내원하였다.

Associated symptom

chills (+)

general weakness (-) weight loss (-)

cough (-) sputum (-)

## Past History

Pulmonary tuberculosis (45년 전)

Chronic obstructive pulmonary disease(COPD) (5년 전)

Lt inguinal herniation s/p herniorraphy (5년 전)

Prostate cancer s/p operation (4년 전)

## Family History
Diabetes mellitus/Hypertension/Tuberculosis/Hepatitis/Malignancy (-/-/-/-/-)

## Social History
Occupation: 사업가
Alcohol: 막걸리 2병씩 1-2회/주 × 40년
Smoking: never-smoker

## Review of Systems

### General → see present illness

### Head / Eyes / ENT

| | |
|---|---|
| dizziness (-) | sore throat (-) |
| hair loss (-) | oral ulcer (-) |
| rhinorrhea (-) | |

### Respiratory → see present illness

### Cardiovascular

| | |
|---|---|
| chest pain (-) | palpitation (-) |
| orthopnea (-) | |

### Gastrointestinal

| | |
|---|---|
| dyspepsia (-) | abdominal pain (-) |
| Diarrhea (-) | constipation (-) |

### Genitourinary

| | |
|---|---|
| dysuria (-) | frequency (-) |
| voiding difficulty (-) | polyuria (-) |
| anuria (-) | oliguria (-) |
| nocturia (-) | |

### Musculoskeletal → see present illness

# Physical Examination

height 172 cm, weight 65 kg, body mass index 21.9 kg/m$^2$

## Vital Signs

BP 127/93 mmHg -  HR 115/min  -  RR 20/min -  BT 36.5℃

## General Appearance

looking acutely ill                                  alert

oriented to time, place, and person

## Skin

skin turgor: normal                             ecchymosis (-)

rash (-)                                                 purpura (-)

## Head / Eyes / ENT

whitish sclerae                                      pinkish conjunctivae

neck vein engorgement (-)                   palpable lymph nodes (-)

tonsilar hypertrophy (-)

## Chest

inspection:

    accessory muscles of respiration to breathe : none

    symmetric shape of the chest

    kyphoscoliosis: none

palpation:

    tactile fremitus: increase in right lower chest

    palpation of the trachea: midline

percussion:

    percussion: dullness in right lower chest

Auscultation

    bronchial breathing sound with crackle in right lower chest

## Heart

regular rhythm

normal heart sounds without murmur

## Abdomen

| | |
|---|---|
| normoactive bowel sound | soft and flat abdomen |
| abdomen tenderness (-) | rebound tenderness (-) |
| muscle guarding (-) | |

## Neurology

| | |
|---|---|
| motor weakness (-) | sensory disturbance (-) |
| gait disturbance (-) | neck stiffness (-) |

# Initial Laboratory Data

## CBC

| WBC $4\sim10\times10^3/mm^3$ | 12,100 | | Hb (13~17 g/dl) | 14.7 |
|---|---|---|---|---|
| WBC differential count | neutrophil 73.8% lymphocyte 12.9% monocyte 11.1% | | platelet $(150\sim350\times10^3/mm^3)$ | 433 |

## Chemical & Electrolyte battery

| Ca (8.3~10 mg/dL) /P (2.5~4.5 mg/dL) | 9.4/3.5 | glucose (70~110 mg/dL) | 125 |
|---|---|---|---|
| protein (6~8 g/dL)/ albumin (3.3~5.2 g/dL) | 7.3/2.7 | aspartate aminotransferase (AST)(~40 IU/L) /alanine aminotransferase (ALT)(~40 IU/L) | 39 40 |
| alkaline phosphatase (ALP)(40~120 IU/L) | 97 | | |
| total bilirubin (0.2~1.2 mg/dL) | 0.5 | | |
| BUN(10~26mg/dL) /Cr (0.7~1.4mg/dL) | 12/0.77 | | |
| C-reactive protein (~0.6mg/dL) | 9.59 | | |
| Na(135~145mmol/L) / K(3.5~5.5mmol/L) / Cl(98~110mmol/L) | 135/4.3/100 | total $CO_2$ (24~31mmol/L) | 23.1 |

## Coagulation battery

| | | | |
|---|---|---|---|
| prothrombin time (PT) (70~140%) | 90.8 | PT (INR) (0.8~1.3) | 1.06 |
| activated partial thromboplastin time (aPTT) (25~35 sec) | 30.1 | | |

## Urinalysis without microscopy

| | | | |
|---|---|---|---|
| specific gravity (1.005~1.03) | 1.010 | pH (4.5~8) | 5.0 |
| albumin (TR) | (-) | glucose (-) | (-) |
| ketone (-) | (-) | bilirubin (-) | (-) |
| occult blood (-) | (-) | nitrite (-) | (-) |

## Chest X-ray

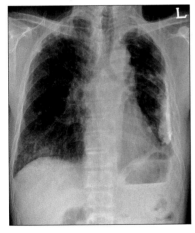

〈내원시〉

Chest x-ray상 10일전 응급실 방문시 에는 흉곽이나 폐실질에는 이상소견은 없었으나 내원 당일에는 RLL에 opacity 증가된 소견이 관찰됨.

**EKG**

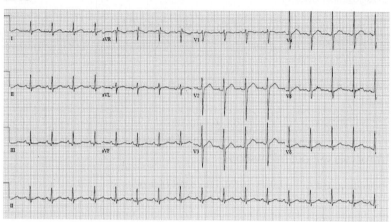

## Initial Problem List

#1. h/o Pulmonary tuberculosis (45YA)

#2. Chronic obstructive pulmonary disease(COPD) (5YA)

#3. h/o prostate cancer s/p operation (10YA)

#4. h/o inguinal herniorrhapy, Lt due to inguinal herniation (5YA)

#5. Fever, chilling sense accompanied with myalgia

#6. Mycoplasma pneumoniae IgM sero-positive

#7. Leukocytosis & elevated inflammatory marker (CRP)

#8. Increased RLL infiltration on chest x-ray

# Initial Assessment and Plan

#5. Fever, chilling sense accompanied with myalgia
#6. Mycoplasma pneumoniae IgM sero-positive
#7. Leukocytosis & elevated inflammatory marker (CRP)
#8. Increased RLL infiltration on chest x-ray

A)
1. Mycoplasma pneumonia
   D/Dx  Co-infection (virus & other drug resistant bacteria)
        Complication (pleural effusion, abscess,
                        metastatic infection, meningitis)
2. Relapsed Pulmonary tuberculosis
3. Organizing pneumonia (post-infectious, drug, connective tissue
   disease, cryptogenic (idiopathic) organising pneumonia
4. Malignancy (lung cancer, lymphoma)
5. Extrapulmonary manifestation of mycoplasma pneumoniae
   infection

P)
Diagnostic plan
1. sputum Gram stain & culture
2. sputum AFB smear & culture
3. blood culture
4. sputum atypical pneumonia PCR,
   repiratory virus multiplex PCR
5. M. pneumoniae IgG titer
6. chest CT

Therapeutic plan
1. change antibiotics
   : piperacillin/tazobactam + azithromycin
2. pain control for general myalgia

# Hospital day #3

#5. Fever, chilling sense accompanied with myalgia
#6. Mycoplasma pneumoniae IgM sero-positive
#7. Leukocytosis & elevated inflammatory marker (CRP)
#8. Increased RLL infiltration on chest x-ray

| | |
|---|---|
| S) | 추우면서 열이나요, 온 몸이 두드려 맞은 것 같이 아파요 기침은 아직 해요 때로는 가만히 있는데도 숨쉬기 힘든 적도 많아요. |
| O) | WBC: 10,100/ul (12,100/ul) CRP: 11.51 mg/dl (9.59 mg/dl)<br><br>blood culture: 2 days no growth<br>sputum culture: no growth<br>sputum AFB smear: negative<br>sputum atypical pneumonia PCR: negative<br>repiratory virus multiplex PCR: negative<br><br>Chest CT:<br>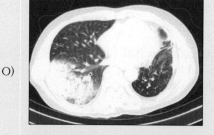<br><br>Chest x-ray<br>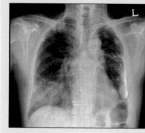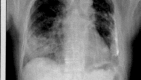<br>(HD #1)　　　　(HD #3) |
| A) | 1. pneumonia due to other pathogen, rather than M. pneumoniae<br>2. organizing pneumonia<br>　d/t post-infectious, connective tissue disease (CTD), drug,cryptogenic organizing pneumonia (COP) |
| P) | Change antibiotics<br>: meropenem + vancomycin + azithromycin |

Chest CT)
Right lower lung에 Ill-defined
patchy consolidation 과 ground-
glass opacity with air
bronchogram 소견 관찰됨

HD #1보다 #3에서 RLL에 patchy
consolidation이 증가됨

M. pneumoniae 에 준하여
Azythromycin을 사용하였으나
progression를 보여서 2번을
의심함

192

# Hospital day

#5. Fever, chilling sense accompanied with myalgia
#6. Mycoplasma pneumoniae IgM sero-positive
#7. Leukocytosis & elevated inflammatory marker (CRP)
#8. Increased RLL infiltration on chest x-ray

S) 열도 계속 나고 숨도 더 찹니다. 관절이 너무 아프고 목도 너무 아픕
니다. 손목 관절이나 무릎을 만지면 아파요

Chest x-ray

O)

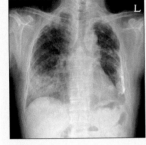 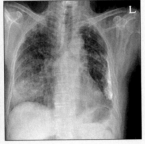

(HD #3)　　　　　(HD #6)

Chest x-ray F/U image에서
여전히 RLL에 patchy
consolidation이 보이고 이전과 큰
변화는 없었음.

blood culture 및 기타 호흡기 검사
상에서 negative 소견 보여
organizing pneumonia의 가능성을
고려하였고 이에 bronchoscopy를
시행하여 pathologic confirmation을
시행 하기로 함

관절 증상 호소하므로 RA factor
검사 및 류마티스 내과 협진 의뢰

A)
1. organizing pneumonia)
   d/t post-infectious, CTD, drug, COP
2. pneumonia due to multi-drug resistant pathogen
3. rheumatoid arthritis
4. reactive spondyloarthropathy

P)
1. Bronchoscopy and brohchoalveolar lavage (BAL) with transbr
   -onchial lung biopsy(TBLB)
2. anti-cyclic citrullinated peptide(CCP)Ab check
3. Rheumatoid factor check
4. RHE consult

# Hospital day #7

#5. Fever, chilling sense accompanied with myalgia
#6. Mycoplasma pneumoniae IgM sero-positive
#7. Leukocytosis & elevated inflammatory marker (CRP)
#8. Increased RLL infiltration on chest x-ray

S) 아직 이전과 큰 차이를 못 느끼겠어요. 관절은 아직 아파요.

Rheumatoid factor: 289.0 IU/mL
Anti-CCP Ab: positive() 340)

RHE reply

2010 ACR/EULAR classification
criteria for RA에 의거하여 환자는
both wrists(2점) 및 elbows(1점)
그리고 Rheumatoid factor가
upper limit of normal 보다
3배이상 증가(3점) 총 6점으로
Rheumatoid arthritis에 합당함.

감염내과 협진:
 환자의 임상경과가 일반적인
community acquired pneumonia
라 보기에 호흡기 증상도 거의 없어서
infection 중에서 비슷한 경과를 보
일 수 있는 질환인 Q fever같은
rickettial disease나 leptospirosis
정도 의심할 수 있으므로 이에 대한
blood test 및 antibiotics는
ceftriaxone + doxycycline으로
변경을 추천하여 검사를 시행함.

O)

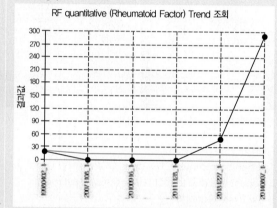

1. wrist swelling elbow에 contracture 및 RF, CCP 양성 등은 RA에 compatible한 소견입니다.
2. RA에 대해서 mPD 4mg 1T bid 및 mobic 7.5mg bid 투여하시는 것을 권해 드립니다.
3. 보통 오랜 기간 RA를 앓은 환자에서 주로 폐질환이 나타나며, 드 물게 본 환자에서처럼 acute한 course를 보이는 경우도 있다고 알 려져 있습니다.

A) 1. RA-OP(organizing pneumonia)

P)
1. TBLB and bronchoalveolar lavage
2. Q fever and leptospiral antibody check
3. change antibiotics
   : ceftriaxone + doxycycline
4. steroid treatment (1 mg/kg)

#5. Fever, chilling sense accompanied with myalgia
#6. Mycoplasma pneumoniae IgM sero-positive
#7. Leukocytosis & elevated inflammatory marker (CRP)
#8. Increased RLL infiltration on chest x-ray

S) 열은 더 이상 나지 않아요 숨찬 것도 나아졌어요

BAL(bronchoalveolar lavage) fluid analysis
| | |
|---|---|
| other color | colorless |
| other turbidity | mild turbid |
| specific gravity | 1.020 |
| PH-other | 6.0 |
| RBC, others | 550/uL |
| WBC, others | 1530/uL |
| Neutrophil | 47% |
| Lymphocyte | 22% |
| Eosinophil | 13% |
| Basophil | 2% |
| Alveolar macrophage | 16% |

O)

| | |
|---|---|
| BAL fluid TBC PCR | negative |
| BAL liquid based cytology | negative for malignant cells |
| Virus culture | negative |
| Q fever and leptospiral antibody | negative |

Lung biopsy
Bronchus, (right lower lobe anterobasal segment), transbronchial lung biopsy:
  - Mild interstitial inflammation with multifocal intraalveolar fibroblastic plug, consistent with organizing pneumonia

A) 1. organizing pneumonia associated with rheumatoid arthritis

P) 1. keep steroid
2. discharge and OPD Follow up

Organizing pneumonia (OP)

OP는 distinctive clinicopathological freatures가 있는 inflammatory lung disease이다. OP는rheumatoid arthritis의 질병활성도가 증가되면서 발생할 수 있다.
대부분의 OP는 RA가 몇 년동안 진행되어 발생되는데, 간혹 pulmonary manifestations가 먼저 발생해서 rheumatoid arthritis를 촉진 또는 자극시키는 경우가 있다.

OP의 radiographic features로는 multiple patchy airspace consolidation, small nodular opacities and small linear opacity 등의 소견이 보인다.

OP associated RA의 treatment로는 corticosteroid가 drug of choice이다.

## Updated problem list

#1. h/o Pulmonary tuberculosis (45YA)

#2. Chronic obstructive pulmonary disease(COPD) (5YA)

#3. h/o prostate cancer s/p operation (10YA)

#4. h/o inguinal herniorrhapy, Lt due to inguinal herniation (5YA)

#5. Fever, chilling sense accompanied with myalgia

→ due to rheumatoid arthritis-associated organizing pneumonia

#6. Mycoplasma pneumonia IgM sero-positive

→ false positive

#7. Leukocytosis & elevated inflammatory marker (CRP)

→ due to #5

#8. Increased RLL infiltration on chest x-ray

→ due to #5

## Clinical course

퇴원 후 환자는 호흡기내과 및 류마티스내과 외래 F/U 하면서 약제조절 중으로 Rheumatoid arthritis 및 organizing pneumonia 모두 호전되는 경과를 보이고 있다.

## Lesson of the case

호흡기 증상을 동반한 폐침윤이 있는 환자는 폐렴 외에도 다양한 비감염성 질환이 원인일 수 있으므로 환자가 호소하는 전신증상 등에 대한 주의 깊은 병력청취가 필요할 수 있다.

# 10일 전 시작된 발열로 내원한 58세 남자

## Chief Complaints

Fever, started 10 days ago

## Present Illness

10일 전 하루 종일 지속되는 오한을 동반한 발열, 전신 무력감, 식욕 감소, 구역, 구토 발생하였다. 7일 전 연고지 병원 내원하였다. 당시 황달이 있다고 듣고 복부 초음파 시행하였으나 특이 소견 없다고 들었다. 상기 증상 호전 없이 지속되어 응급실 방문하였다.

## Past History

Hypertension (-)

Diabetes mellitus (+) 10년 전 진단받아 NPH Insulin 22단위 투여

Hepatitis (-)

Tuberculosis (-)

## Family History

Diabetes mellitus (+) 어머니          Malignancy (-)

## Social History

Residence: 전북 익산, 아파트

Occupation: 가전 제품 판매업

Smoking (+) 1.5갑/일, 20년 간 흡연

Alcohol (-)

Travel history (-)

## Review of Systems

### General

| | |
|---|---|
| Weight loss (-) | Sweating (-) |

### Head / Eyes / ENT

| | |
|---|---|
| Headache (-) | Visual disturbance (-) |
| Hearing disturbance (-) | Postnasal drip (-) |
| Rhinorrhea (-) | Sore throat (-) |

### Respiratory

| | |
|---|---|
| Cough (-) | Sputum (-) |
| Rhinorrhea (-) | Dyspnea (-) |

### Cardiovascular

| | |
|---|---|
| Chest pain (-) | Palpitation (-) |
| Orthopnea (-) | |

### Gastrointestinal

| | |
|---|---|
| Abdominal pain (-) | Hematemesis/Melena/Hematochezia (-/-/-) |
| Heartburn (-) | Dyspepsia (-) |

### Genitourinary

| | |
|---|---|
| Dysuria (-) | Frequency (-) |
| Hematuria (-) | Flank pain (-) |

### Neurologic

| | |
|---|---|
| Motor weakness (-) | Sensory change (-) |

# Physical Examination

Height 170 cm, Weight 64.5 kg, BMI 22.3 kg/m²

## Vital Signs

BP 115/74 mmHg - HR 121/min - RR 22/min - BT 38.5℃

## General Appearance

Autely ill-looking          Aert and oriented to time, person, place

## Skin

Rash (-)                    Eschar (-)

Palmar erytherma (-)        Spider angioma (-)

## Head / Eyes / ENT

Icteric sclera (+)          Pinkish conjunctivae (+)

Pharyngeal injection (-)    Tonsilar hypertrophy (-)

Neck vein engorgement (-)   Palpable lymph node (-)

## Chest

Normal contour, symmetric expansion without retraction

Clear breathing sound without wheezing or crackles

Regular heart beats s murmur

## Abdomen

Soft & flat abdomen         Normoactive bowel sound

Shifting dullness (-)       Fluid wave (-)

Abdominal tenderness (-)    Rebound tenderness (-)

Palpable liver (+) 3 finger breadths   Palpable spleen (+)

## Neurology

Motor weakness (-)          Sensory disturbance (-)

Flapping remor (-)          neck stiffness (-)

## Initial Laboratory Data

### CBC

| WBC 4~10×10³/mm³ | 17,300 | Hb (13~17 g/dl) | 10.2 |
|---|---|---|---|
| WBC differential count | neutrophil 82.2% lymphocyte 4.4% monocyte 3.4% | platelet (150~350×10³/mm³) | 552 |

### Chemical & Electrolyte battery

| Ca (8.3~10 mg/dL) /P (2.5~4.5 mg/dL) | 8.3/4.0 | glucose (70~110 mg/dL) | 197 |
|---|---|---|---|
| protein (6~8 g/dL)/ albumin (3.3~5.2 g/dL) | 6.2/2.0 | aspartate aminotransferase (AST)(~40 IU/L) /alanine aminotransferase (ALT)(~40 IU/L) | 139 88 |
| alkaline phosphatase (ALP)(40~120 IU/L) | 70 | gamma-glutamyl transpeptidase (r-GT) (11~63 IU/L) | 229 |
| total bilirubin (0.2~1.2 mg/dL)/ direct bilirubin (~0.5mg/dL) | 16.6/9.3 | | |
| BUN(10~26mg/dL) /Cr (0.7~1.4mg/dL) | 14/0.99 | | |
| C-reactive protein (~0.6mg/dL) | 19.51 | | |
| Na(135~145mmol/L) / K(3.5~5.5mmol/L) / Cl(98~110mmol/L) | 135/3.7/101 | total $CO_2$ (24~31mmol/L) | 22.4 |

## Coagulation battery

| prothrombin time (PT)<br>(70~140%) | 49.5 | PT (INR) (0.8~1.3) | 1.52 |
|---|---|---|---|
| activated partial<br>thromboplastin time<br>(aPTT)<br>(25~35 sec) | 46.3 | | |

## Urinalysis without microscopy

| specific gravity<br>(1.005~1.03) | 1.020 | pH (4.5~8) | 5.0 |
|---|---|---|---|
| albumin (TR) | ++ | glucose (-) | trace |
| ketone (-) | trace | occult blood (-) | trace |
| bilirubin (-) | +++ | Urobilinogen | ++ |
| WBC (-) | ++ | nitrite (-) | + |

## Chest X-ray

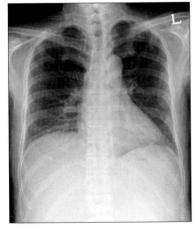 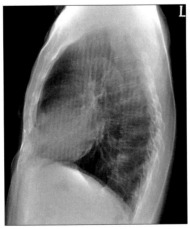

| 흉부 X-ray는 정상이다.

**EKG**

HR 100회 정도의 sinus tachycardia 이다.

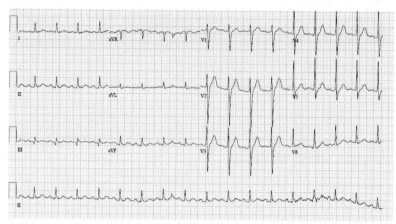

## Initial Problem List

#1. Fever with elevated liver enzyme

#2. Normocytic normochromic anemia

#3. Pyuria

#4. Diabetes mellitus

#5. Current smoker, 30PY

## Initial Assessment and Plan

| #1. Fever with elevated liver enzyme | |
|---|---|
| A) | Acute viral hepatitis<br>Other infectious hepatitis: Leptospirosis, Q fever<br>Malignancy: Hemophagocytic lymphohistiocytosis (HLH)<br>Autoimmune hepatitis |
| P) | Diagnostic plan<br>1) Abdomen pelvic CT<br>2) Serologic test for HAV, HBV, HEV, Leptospira, Scrub typhus, Coxiella burnetii infection<br>3) HLH work up including liver & bone marrow biopsy<br>4) Autoimmune markers |

| #2. Normocytic normochromic anemia | |
|---|---|
| A) | Anemia of chronic disease |
| P) | Diagnostic plan<br>Peripheral blood smear with anemia lab |

#3. Pyuria

A) Asymptomatic bacteriuria

P) Diagnostic plan
Urine culture, observation

# Hospital day #3

#1. Fever with elevated liver enzyme

S) 열은 떨어지지 않고 계속 납니다. 아직도 소변 색은 진합니다.
인슐린 외에 약이나 민간 약재 복용한 적 없습니다.

Abdomen-pelvis CT

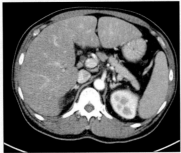

⟨Dynamic pancreas CT⟩
Fatty liver 및 splenomegaly 소견
외에 focal lesion 없다.

O)
HAV IgM Ab (-), HAV IgG Ab (+)
HBsAg (-), HBc IgM Ab (-), Anti-HBs Ab (+)
HCV Ab screening (-)
ANA ⟨ 1:40, AMA ⟨ 1:20, ASMA ⟨ 1:40, LKM1 Ab (-)
HEV IgM (-), HEV IgG (+)
O. tsutsugamushi Ab (-), R. typhi Ab (-), Leptospiral Ab (-)

Bone marrow biopsy

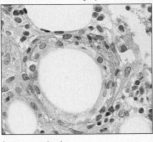

(H&E, ×400)

Liver biopsy

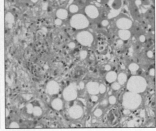

(H&E, ×200)

⟨Bone marrow biposy⟩
정상 cellularity의 bone marrow로
lymphoid malignancy 의심되지
않으며 fibrin ring granuloma 소견
보인다. 이는 Hodgkin's disease,
acute or chronic EBV infection,
Q fever 등에서 관찰된다.

⟨Liver biopsy⟩
Central lipid vacuole 주변으로
fibrin ring과
epithelioid histiocytes이 보이는
'fibrin ring granuloma' 소견이다.

EBV, CMV, Hepatitis A,
Toxoplasmosis, Coxiella burnetii,
Richettsia conorii, 등의 감염증 및
Giant cell arteritis, Hodgkin
disease 등의 질환에서 보일 수 있다.

A) Q fever, likely

P) Doxycycline 100mg po q 12 hr

#2. Normocytic normochromic anemia

| | |
|---|---|
| S) | 기운은 없지만 숨 차거나 어지러운 증상 없습니다.<br>대변에 피 섞여 나오거나 검은 변 본 적 없습니다. |
| O) | PBS: Normocytic normochromic anemia, Anisopoikilocytosis<br> Mild leukocytosis, Reactive neutrophila<br> Mild thrombocytosis<br>Iron 32 ug/dL, TIBC 133 ug/dL, Ferritin 1839.6 ng/mL |
| A) | Anemia of chronic disease |
| P) | Underlying disease control |

## Updated problem list

#1. Fever with elevated liver enzyme → Q Fever

#2. Normocytic normochromic anemia → Anemia of chronic disease

#3. Pyuria → Improved

#4. Diabetes mellitus

#5. Current smoker, 30PY

## Hospital day #10

Acute Coxiella burnetii infection
의 진단은Anti-phase II Antibody
가 IgG ≥ 200 & IgM ≥ 50 for
IgM 이상일 때 또는Anti-phase II
IgG 가 급성기와 회복기에 4배 이상
차이 날 때 가능하다.

참고로 Phase I IgG Ab titer가
800 이상일 경우 또는 치료 6개월
후에도 Anti-phase I antibody가
high titer로 지속될 경우 chronic
infection 을 시사한다.

Acute Q fever는 2주 이내 자연적
으로 호전되는 경과를 보이나
Doxycycline 이 치료 기간을 줄일
수 있다. 알려진 연구가 많지 않지
만 Fluroquinolone 및 Macrolide
역시 치료 목적으로 쓰일 수 있다.

| | |
|---|---|
| S) | 설사도 줄고 얼굴에 노란 기도 좋아지고 있습니다.<br>열이 떨어졌습니다. 다리에 피부 발진이 생겼습니다. |
| O) | 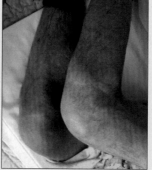<br><br>Coxiella burnetii Phase I IgM 1:32, IgG (-)<br> Phase II IgM 1:64, IgG 1:512 |
| A) | Q fever<br>Drug rash due to Doxycycline |
| P) | Doxycycline 중단, Azithromycin으로 변경, 외래 경과.관찰 |

## Clinical course

Q fever로 확진되어 doxycycline 및 azithromycin 유지하며 LFT, Bilirubin, CRP 호전되고 발열 소실되었다. 항균제 총 1개월 간 유지하였고, 이후 LFT 정상회 되어 추적관찰 중단하였다.

## Lesson of the case

Acute hepatitis의 원인은 viral hepatitis가 가장 흔하나 Hepatitis A 외에는 발열 동반하는 경우가 흔하지 않고 환자 나이 고려할 때 acute hepatitis A 가능성이 떨어진다. 성인의 febrile hepatitis 원인으로 viral hepatitis 외에 Q fever, leptospirosis, tuberculosis, malignancy 와 같은 원인의 감별이 필요하다.

# CASE 17

# 1일 전 발생한 발열로 내원한 70세 남자

## Chief Complaints

Fever, started 1 day ago

## Present Illness

1개월 전 전신 쇠약감 발생하였고, 4kg 정도의 체중 감소( 52→ 48 kg)가 있었다. 1주전 부 터 심한 야간 발한이 발생하였다.

10일 전 양쪽 목의 림프절이 만져져서 OO병원에서 left supraclavicular lymph node aspiration biopsy를 시행하였다.  조직검사결과 lymphoid hyperplasia 가 확인되어 정밀검사 예정이었다.

1일전부터 40℃의 고열이 발현하였고 기침이나 가래는 없었으나 호흡곤란이 동반되어 응급실 내원하였다.

## Past History

diabetes (+, 21YA) hypertension(+,21YA) tuberculosis(-) hepatitis (-)

## Family History

diabetes (-) hypertension (-) tuberculosis (-) malignancy (+)
큰형: 피부암
셋째형: 전립선암

## Social History

alcohol :소주 1병,1회/주/50년
smoking : ex-smoker, 30 PY, 20 년 전부터 금연
occupation :무직

## Review of Systems

### General

| | |
|---|---|
| general weakness (+) | easy fatigability (+) |
| dizziness (-) | weight loss (+) |

### Head / Eyes / ENT

| | |
|---|---|
| headache (-) | rhinorrhea (-) |
| sore throat (-) | dizziness (+) |

### Respiratory

→ See the present illness

### Cardiovascular

| | |
|---|---|
| chest pain (-) | palpitation (-) |
| orthopnea (-) | dyspnea on exertion (-) |

### Gastrointestinal

| | |
|---|---|
| anorexia (+) | nausea (-) |
| vomiting (-) | constipation (-) |
| diarrhea (-) | abdominal pain (-) |
| hematochezia (-) | melena (-) |

### Genitourinary

| | |
|---|---|
| flank pain (-) | gross hematuria (-) |
| genital ulcer (-) | dysuria (-) |
| urinary frequency (-) | |

### Neurologic

| | |
|---|---|
| motor-sensory change (-) | cognitive dysfunction (-) |

### Musculoskeletal

| | |
|---|---|
| pretibial pitting edema(+) | back pain(-) |

# Physical Examination

## Vital Signs

BP 99/55 mmHg   HR 150 /min   RR 20 /min   BT 40.0℃

## General Appearance

acutely ill - looking                    alert

oriented  to time,person,place (+/+/+)

## Skin

skin turgor : normal              ecchymosis (-)

rash (-)                          purpura (-)

## Head / Eyes / ENT

visual field defect (-)              pale conjunctiva (-)

palpable lymph nodes (+)              icteric sclera (-)
   - Location  : both level II ~ VI
   - Size : 1-2 cm
 - tenderness (-)
 - texture : movable, soft, rubbery

## Chest

symmetric expansion without retraction    normal tactile fremitus

percussion : resonance              crackles (+)
                                 : anterior Rt. lower chest wall,
                                 inspiratory crackle

## Heart

regular rhythm                    normal hearts sounds without murmur

dyspnea on exertion : NYHA  functional class III

## Abdomen

soft and flat abdomen              normoactive bowel sound

hepatomegaly (-)                  splenomegaly (+) : 1finger size

direct tenderness (-)              rebound tenderness (-)

## Back and extremities

pretibial pitting edema (+/+)        costovertebral angle tenderness (-/-)

## Neurology

motor weakness (-)                    sensory disturbance (-)

## Initial Laboratory Data

### CBC

| WBC 4~10×10³/mm³ | 10,200 | Hb (13~17 g/dl) | 8.6 |
|---|---|---|---|
| MCV(81~96 fl) | 87.1 | MCHC(32~36 %) | 34.4 |
| WBC differential count | neutrophil 47.4% lymphocyte 34.9% monocyte 13.3% | platelet (150~350×10³/mm³) | 101 |

### Chemical & Electrolyte battery

| Ca (8.3~10 mg/dL) | 8.6 | glucose (70~110 mg/dL) | 187 |
|---|---|---|---|
| protein (6~8 g/dL)/ albumin (3.3~5.2 g/dL) | 7.4/2.5 | aspartate aminotransferase (AST)(~40 IU/L) /alanine aminotransferase (ALT)(~40 IU/L) | 9 6 |
| alkaline phosphatase (ALP)(40~120 IU/L) | 44 | total bilirubin (0.2~1.2 mg/dL) | 0.5 |
| Cr  (0.7~1.4mg/dL) | 2.2 | estimated GFR ( ≥60ml/min/1.7m²) | 28 |
| Na(135~145mmol/L) / K(3.5~5.5mmol/L) / Cl(98~110mmol/L) | 132/4.6/97 | total $CO_2$ (24~31mmol/L) | 16.6 |
| LDH(120~250IU/L) | 264 | | |

## Coagulation battery

| | | | |
|---|---|---|---|
| prothrombin time (PT) (70~140%) | 58.0 | PT (INR) (0.8~1.3) | 1.32 |
| activated partial thromboplastin time (aPTT) (25~35 sec) | 29.1 | | |

## Urinalysis

| | | | |
|---|---|---|---|
| specific gravity (1.005~1.03) | 1.015 | pH (4.5~8) | 5.0 |
| albumin | (TR) | glucose | (-) |
| ketone | (-) | Bilirubin | (-) |
| occult blood | (++++) | Nitrite | (-) |
| Urobilinogen | (TR) | WBC | (-) |

## Chest PA

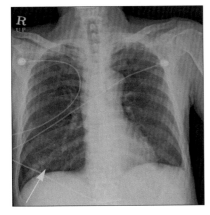

Chest PA사진에서 RLLZ의 patchy opacity 보이고 있어 pneumonia가 의심되는 소견이다(화살표).

## Outside neck CT

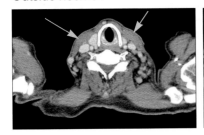 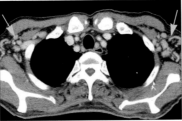

양측 neck의 level II에서 VI까지 그리고 supraclavicular area, 양측 axilla와 mediastinum에 걸쳐서 multiple homogeneous enhancement를 보이는 enlarged lymph nodes가 있다(화살표).

RLL의 subpleural area에 약 3 cm의 irregular consolidation이 있다(좌측화살표).

Mediastinum에 multiple enlarged lymphadenopathy 소견을 보이고 있다 (우측사진).

## Outside chest CT

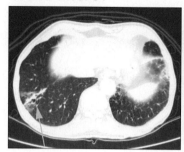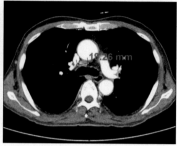

## Initial Problem List

#1. Fever

#2. Multiple lymphadenopathy with general weakness, weight loss, and night sweating

#3. Pitting edema and Hypoalbuminemia

#4. Rt. Lower lung field infiltration in chest X-ray

#5. Leukocytosis and elevated CRP

#6. Anemia and thrombocytopenia

#7. Microscopic hematuria

#8. Azotemia

#9. DM

#10. Hypertension

---

#1. Fever
#4. Rt. Lower lung field infiltration in chest X-ray
#5. Leukocytosis and elevated CRP

| | A) | Community acquired pneumonia |
|---|---|---|
| | P) | Diagnostic plan〉 Blood culture Sputum gram stain / culture, sputum AFB smear/culture Pneumococcal urinary antigen<br><br>Therapeutic plan〉 Chest X-ray follow up Ampicillin/sulbactam + azithromycin |

#2. Multiple lymphadenopathy with general weakness, weight loss, and night sweating
#3. Pitting edema and Hypoalbuminemia
#6. Anemia and thrombocytopenia

A)
Reactive lymphadenopathy, associated with systemic infection
Lymphoproliferative disease,
Kikuchi's disease
Multiple myeloma

P)
Diagnostic plan〉
외부 biopsy slide 자문판독
외부 biopsy 결과 확인 후 필요시 excisional biopsy 시행
PBS, blood cell morphology

#7. Microscopic hematuria
#8. Azotemia
#9. DM
#10. Hypertension

A)
AKI d/t infection and dehydration
Transient microscopic hematuria
DM nephropathy
Glomerulonephritis

P)
UA with micro f/u
Dysmorphic RBC
Urine cytology
Urine albumin/Cr ratio

# HD#2

#2. Multiple lymphadenopathy with general weakness, weight loss, and night sweating
#3. Pitting edema and hypoalbuminemia

S)  기운이 없고 식은땀이 계속 나요.

O)  외부 left supraclavicular lymph node aspiration biopsy :
lymphoid hyperplasia

A)
Reactive lymphadenopathy, associated with systemic infection
Lymphoma
Lymphoproliferative disease,
such as Castleman's disease or Kikuchi's disease
Multiple myeloma, less likely

P)  Rt. supraclavicular lymph node excisional re-biopsy

## HD#3

#6. Anemia and thrombocytopenia

| | |
|---|---|
| S) | 어지러워요. 땅이 빙빙 돌지는 않아요. 하루에 두세번, 수 분에서 수십 분 가요. |
| O) | CBC : WBC 7,800 / uL, Hb 7.4 g /dL, PLT 92,000 / uL<br>PBS : normocytic normochromic anemia<br>Stool occult blood : negative<br>Corrected reticulocyte count(%) = 0.12(%)<br>Reticuloycyte Index = 0.06 |
| A) | DIC<br>Bone marrow involvement of hematologic disorder |
| P) | DIC w/u<br>Rt. supraclavicular lymph node excisional re-biopsy 결과 확인<br>RBC transfusion |

## HD#5

#1. Fever
#4. Rt. Lower lung field infiltration in chest X-ray
#5. Leukocytosis and elevated CRP

| | |
|---|---|
| S) | 기침이나 가래, 호흡곤란은 없어요. |
| O) | PEx) both lung sound clear<br>Lab) Sputum culture : no growth<br><br>〈Chlamydophilia pneumoniae titer〉<br><br>Chest X-ray : decreased infiltration in right lower lung field |

| | 내원시 | 6주 뒤 |
|---|---|---|
| IgG | 1:256 | 1:512 이상 |

| | |
|---|---|
| A) | Community acquired pneumonia (chlamydophilia pneumoniae) |
| P) | Chest X-ray follow up<br>Continue antibiotics |

#2. Multiple lymphadenopathy with general weakness, weight loss, and night
   sweating
#3. Pitting edema and Hypoalbuminemia
#6. Anemia and thrombocytopenia

S)   열은 없어요. 주로 밤에 식은땀은 계속 나요.

Rt. supraclavicular lymph node excisional re-biopsy 결과

O)

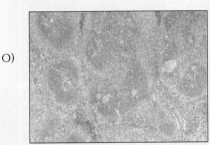
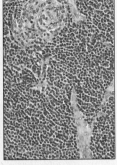

H&E, X100                    H&E, X400

A)   Castleman's disease

P)   APCT, PET, Bone marrow biopsy
     ANCA, ANA, complement level

저배율사진(좌): 림프조직과 다양한
크기의 여포로 구성되고 여포 주위
외투층 림프구들이 동심원형
(concentric)으로 배열되어있다.
여포 중심은 혈관이 증식되고 혈관벽이
유리질변화로 두꺼워지며 여포사이
간질조직에는 형질세포, 면역모세포,
호산구 침윤 소견이 관찰된다
("Lollipops" sign).

고배율사진(우): 혈관벽이 유리질
변화로 두꺼워지고, 혈관 내피세포가
저명하며 형질세포의 미만성 증식이
관찰된다.

이러한 소견은 Castleman's
disease에 합당하다.

Castleman's disease에 드물게
동반될 수 있는 membranous
proliferative
glomerulonephritis(MPGN)를 감별
하기 위해 ANCA, ANA,
complement level을 측정하였다.

# HD#7

#2. Multiple lymphadenopathy with general weakness, weight loss, and night
   sweating
#3. Pitting edema and Hypoalbuminemia
#6. Anemia and thrombocytopenia

S)   기운이 없어요.

Abdomen - Pelvis CT(non enhance)

O)

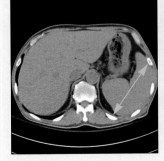
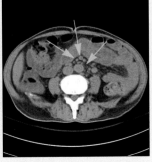

Splenomegaly (좌측사진, 화살표,
12.7mm) 및 left paraaortic, left
pelvic side wall, both inguinal
area에 multiple
lymphadenopathy(우측, 화살표)가
있다.

215

Both parotid glands, both cervical level I~VI, suboccipital, both axillary, bilateral mediastinal, left interlobar, retroperitoneal, both iliac chain, both inguinal areas에 hypermetabolic lymph nodes가 있다.

< Treatment of Castleman's disease >
Solitary form의 경우 수술적 절제를 하고 multicentric form의 경우 high dose steroid, monoclonal Ab를 투약해 볼 수 있다. organ involvement가 있는 경우 chemotherapy등을 시도해 볼 수 있지만 아직까지 정립된 치료법은 없다.
서서히 진행하는Castleman's disease는 치료를 하기보다는 경과 관찰을 하는 것이 추천되고 있다.

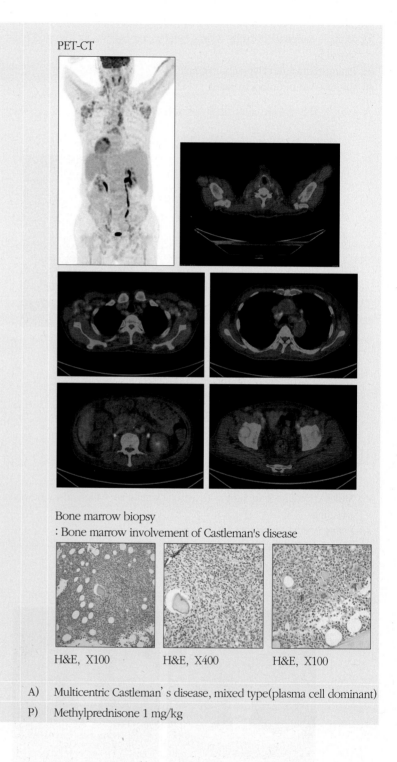

PET-CT

Bone marrow biopsy
: Bone marrow involvement of Castleman's disease

H&E, X100          H&E, X400          H&E, X100

A)  Multicentric Castleman's disease, mixed type(plasma cell dominant)

P)  Methylprednisone 1 mg/kg

#6. Anemia and thrombocytopenia

S)  어지러워요.

O)  DIC w/u 결과 :
CBC : WBC 7,800 / uL, Hb 7.4 g /dL, PLT 92,000 / uL
PT(%)           56 % (70-140 %)
aPTT            30.0 sec (25.0-35.0 sec)
Fibrinogen      346mg/dL(200-400 mg/dL)
FDP             3.7 ug/dL(-5.0ug/dL)
D-dimer         17.10 ug/mL (-0.5 ug/mL)
Antithrombin    57% (80-120%)

A)  Bone marrow involvement of Castleman's disease

P)  Castleman's disease treatment 유지

# Updated problem list

#1. Fever
    → Community acquired pneumonia (Chlamydia pneumoniae)

#2. Multiple lymphadenopathy with general weakness, weight loss, and
    night sweating
    → Multicentric Castleman's disease, Mixed type(Plasma cell dominant)

#3. Pitting edema and hypoalbuminemia (reversed A/G ratio)
    → #2

#4. Rt. Lower lung field infiltration in chest X-ray
    → #1

#5. Leukocytosis and elevated CRP
    → #1

#6. Anemia and thrombocytopenia
    → #2

## HD#8

Castleman's disease에서 드물게 MPGN이 동반되었다는 보고가 있어 MPGN과 같은 combined glomerulonephritis 가능성이 있을 것으로 판단하였다. 하지만 thrombocytopenia가 동반되어 biopsy로 인한 bleeding risk가 높아 kidney biopsy는 보류하고 우선 kidney ultrasonography를 시행하였다.

#7. Microscopic hematuria
#8. Azotemia
#9. DM
#10. Hypertension

| | |
|---|---|
| S) | 소변 보는데 불편한 점은 없어요. |
| O) | C3    37.8 mg / dL   C4  1.9 mg / dL<br>CH50   10.0 U / mL<br>ANA titer(serum)   < 1:40<br>ANCA IF(serum) : negative<br>Spot Albumin/Cr ratio   60.8 (-30)<br>Urine cytology : negative for malignant cells<br>Dysmorphic RBC : inadequate RBC<br><br>Kidney ultrasonography<br>1) Mild hydronephrosis in right kidney.<br>2) Several cysts in left kidney (up to 4.3 cm). |
| A) | AKI and transient microscopic hematuria d/t infection and dehydration Combined glomerulonephritis, such as MPGN |
| P) | U/A follow up<br>→ hematuria악화시 kidney biopsy고려 |

## Clinical course

Steroid 투여 후 증상 호전되었고 follow up urinanalysis 결과 occult blood ++++에서 ++로 호전되어 kidney biopsy는 시행하지 않고 경구 스테로이드 투약 유지, 퇴원하였다.

## Lesson of the case

Castleman's disease는 흔치 않은 lymphoproliferative disease의 일종으로 B symptom, multiple lymphadenopathy가 있을 때 염두 해 두어야 할 질병이다. 또한 Castleman's disease에서는 본 증례와 같이 MPGN이 동반될 수 있다는 점도 염두 해 두어야겠다.

# Dyspnea on exertion으로 내원한 62세여자

## Chief Complaints

Dyspnea on exertion, started 3 years ago

## Present Illness

내원 3년전 dyspnea on exertion(DOE)있어 OO병원 내원하여 운동부하검사 및 심초음파검사 받고, 심장이 안좋아 약을 꾸준히 복용해야 한다고 들음. 약물 복용 시작하고 2개월뒤 증상이 호전되어 자의로 약물복용 중단함.

내원 3개월전 DOE, 양측하지부종 발생하여 XX병원 내원. 심초음파에서 increased LV & RV wall thickness, normal LV function, diastolic dysfunction, minimal pericardial effusion 있다는 이야기 듣고 같은 병원 입원하여 이뇨제 포함한 약물치료 시작함.

큰병원 권유받고 본원 내원함.

## Past History

Diabetes(-)/ Hypertension(-)/ Tuberculosis(-)/ Hepatitis(-)

## Family History

Diabetes (-) Hypertension (-)

Tuberculosis (-) Hepatitis (-)/ Hemorrhagic stroke (+):부

## Social History

Occupation: 무직

Alcohol(-)

Smoking(-)

## Review of Systems

### General

| | |
|---|---|
| general weakness (-) | easy fatigability (-) |
| weight loss (-) | |

### Skin

| | |
|---|---|
| purpura (-) | erythema (-) |

### Head / Eyes / ENT

| | |
|---|---|
| headache (-) | hearing disturbance (-) |
| dry eyes(-) | tinnitus(-) |
| rhinorrhea(-) | oral ulcer (-) |
| sore throat (-) | dizziness(-) |

### Respiratory

| | |
|---|---|
| cough (-) | sputum (-) |
| hemoptysis (-) | |

### Cardiovascular

| | |
|---|---|
| chest pain (-) | palpitation (-) |
| orthopnea (-) | |

### Gastrointestinal

| | |
|---|---|
| Abdominal pain (-) | Nausea / vomiting (-/-) |
| Hematemesis (-) | Melena (-) |

### Genitourinary

| | |
|---|---|
| flank pain (-) | gross hematuria (-) |
| genital ulcer(-) | costovertebral angle tenderness (-) |

## Neurologic

seizure(-)                          cognitive dysfunction(-)

psychosis(-)                        motor-sensory change(-)

## Musculoskeletal

pretibial pitting edema(-)          tingling sense(-)

back pain(-)                        muscle pain(-)

# Physical Examination

height 152cm, weight 43.55kg

body mass index 18.8kg/cm$^2$

## Vital Signs

BP 88/45mmHg - HR 79/min - RR 20/min - BT36.6℃

## General Appearance

Chronically ill-looking appearance    alert

oriented to time,person,place

## Skin

Normal skin color and texture        ecchymosis (-)

rash(-)                              Purpura(-)

spider angioma(-)                    palmar erythema(-)

Warm and dry

## Head / Eyes / ENT

visual field defect (-)              pale conjunctiva (-)

icteric sclera (-)                   palpable lymph nodes (-)

Neck vein engorgement(+)

## Chest

symmetric expansion without retraction    bronchial breath sound withcrackleson both anterior lower thorax

normal tactile fremitus              percussion : resonance

## Heart

regular rhythm                       normal hearts sounds without murmur

## Abdomen

| | |
|---|---|
| distended abdomen | Normoactive bowel sound |
| hepatomegaly(-) | splenomegaly(-) |
| tenderness(-) | shifting dullness(-) |

## Back and extremities

| | |
|---|---|
| flapping tremor (-) | costovertebral angle tenderness(-) |
| pretibial pitting edema (++/++) | |

## Neurology

| | |
|---|---|
| motor weakness(-) | sensory disturbance(-) |
| gait disturbance(-) | neck stiffness(-) |

## Initial Laboratory Data

### CBC

| WBC $4{\sim}10\times10^3/mm^3$ | 5,600 | Hb (13~17 g/dl) | 12.4 |
|---|---|---|---|
| MCV(81~96 fl) | 80.6 | MCHC(32~36 %) | 34.4 |
| WBC differential count | Neutrophil 62.2% lymphocyte 30.7% eosinophil 14.7% | platelet $(150{\sim}350\times10^3/mm^3)$ | 150 |

## Chemical & Electrolyte battery

| | | | |
|---|---|---|---|
| Ca (8.3~10 mg/dL) /P (2.5~4.5 mg/dL) | 9.1/4.3 | glucose (70~110 mg/dL) | 91 |
| protein (6~8 g/dL)/ albumin (3.3~5.2 g/dL) | 6.0/3.6 | aspartate aminotransferase (AST)(~40 IU/L) | 19 |
| | | /alanine aminotransferase (ALT)(~40 IU/L) | 20 |
| alkaline phosphatase (ALP)(40~120 IU/L) | 128 | gamma-glutamyltranspeptidase (r-GT)(11~63 IU/L) | - |
| total bilirubin (0.2~1.2 mg/dL) | 0.4 | direct bilirubin (~0.5mg/dL) | 0.2 |
| BUN(10~26mg/dL) /Cr (0.7~1.4mg/dL) | 21/1.33 | estimated GFR ( $\geq$60ml/min/1.7m$^2$) | 40 |
| C-reactive protein (~0.6mg/dL) | 0.05 | cholesterol | 172 |
| Na(135~145mmol/L) / K(3.5~5.5mmol/L) / Cl(98~110mmol/L) | 145/4.3/110 | total CO$_2$ (24~31mmol/L) | 23.7 |

## Coagulation battery

| | | | |
|---|---|---|---|
| prothrombin time (PT) (70~140%) | 93.4 | PT (INR) (0.8~1.3) | 1.02 |
| activated partial thromboplastin time (aPTT) (25~35 sec) | 25.1 | | |

## Urinalysis

| | | | |
|---|---|---|---|
| specific gravity (1.005~1.03) | 1.020 | pH (4.5~8) | 5.0 |
| albumin(TR) | (-) | glucose (-) | (-) |
| ketone (-) | (-) | bilirubin (-) | (-) |
| occult blood (-) | (-) | nitrite (-) | (-) |
| Urobilinogen | (-) | | |

## Chest PA

Cardiomegaly, increased
vascular marking, CPA blunting
소견관찰된다.

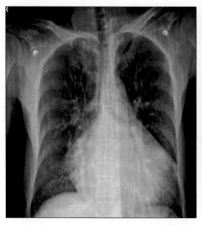
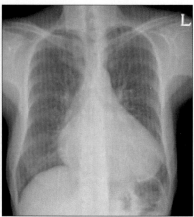

## Electrocardiogram

Electrocardiogram에서 limb leads
의 low voltage 소견(<5mm) 및
Precordial lead(5-6)의 T-wave
inversion

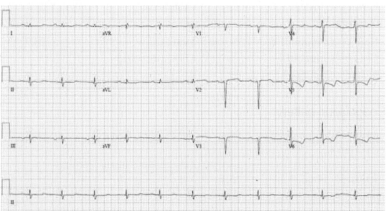

# Initial Problem List

#1. Known heart failure with preserved ejection fraction

#2. Biventricular hypertrophy by outside echocardiogram

#3. Minimal pericardial effusion

#1. Heart failure with preserved ejection fraction

#2. Biventricular hypertrophy

#3. Minimal pericardial effusion

A)
Heart failure with preserved ejection fraction, due to
hypertrophic cardiomyopathy,
infiltrative cardiomyopathy

P)
Diagnostic plan〉
Transthoracic echocardiograhy

Treatment plan〉
Diuretics 포함한 heart failure management

Echocardiography의 경우 당시
외부 병원 동영상이 없었고, 진단에
중요할 것으로 생각되어 재시행

# Hospital day #1

#1. Heart failure with preserved ejection fraction

#2. Biventricular hypertrophy

#3. Minimal pericardial effusion

S) 병원에 와서는 좋아졌어요. 숨도 안차고 붓지도 않아요

O)
Transthoracic echocardiography

1. Normal LV,enlarged LA chamber dimensions with thickened LV walls. LV의myocardium의 echogenicity가 증가되어 보이며 LV wall이 두꺼워져 있음. RV wall의 echogenicity도 증가 되어 있음. E/E' ratio 37으로 LV filling pressure가 증가 되어 있음.

2. LV에 definite regional wall motion abnormality 없이 LV EF 59% 내외의 normal LV systolic function이며 RV contractility 유지됨.

3. Mitral valve: mild thickening, trivial MR
Aortic valve: minimal thickening, normal function
Tricuspid valve: minimal thickening. Trivial TR.
No evidence of pulmonary hypertension.

4. LV posterolateral side로 6-10mm 내외의 small amount of pericardial effusion. IVC plethora는 관찰되지 않음.

A)
Heart failure with preserved ejection fraction, due to infiltrative cardiomyopathy most likely

P)
Cardiac MR 진행
Cardiac biopsy 고려

225

# Hospital day #2

**#1. Infiltrative cardiomyopathy**

| | |
|---|---|
| S) | 어제는 잠자기 편했어요. |
| O) | Cardiac MR<br>    1. Thickened LV wall with intermediate signal intensity on T1<br>       and T2-weighted images.<br>    2. Global hypokinesia on cine images.<br>    3. Diffuse transmural or subendocardial enhancement at bothLV<br>       and RV walls on delayed enhancement image.<br>    4.   Pericardial effusion.<br>CONCLUSION :<br>c/w cardiac amyloidosis |
| A) | Infiltratrive cardiomyopathy due to cardiac amyloidosis likelys |
| P) | Cardiac biopsy<br>Seurm PEP/IEP, urine PEP/IEP<br>  Serum free light chain |

# Hospital Day #4

AL amyloidosis는 immunoglobulin light chain이 조직에 침착 되는 병이다. Plasma cell dyscrasia때문에 발생한다. 단독으로 발생할 수 도 있으며, multiple myeloma, Waldenstrom's macroglobulinemia, non-Hodgkin's lymphoma 등에 합병 될 수 있다.

**#1. Infiltrative cardiomyopathy → cardiac amyloidosis**

| | |
|---|---|
| S) | 숨쉬기도 편하고 붓지도 않아요 |
| O) | Urine PEP/IEP: Monoclonal gammopathy (-)<br>Serum PEP/IEP: Monoclonal gammopathy (-)<br>Serum free light chain<br>    Kappa free light chain 2040.00mg/L<br>    Lambda free light chain, serum 17.90 mg/L<br>    Kappa/Lambda free light chain ratio 114.00<br>Heart, ( myocardium ), endoscopic biopsy: Amyloidosis.<br>    * Note:<br>          congo-red stain is positive for amyloid deposits.<br>          The results of immunohistochemical staining:<br>          prealbumin, (+); amyloid A, (-)<br>          kappa chain, (++); lambda chain, (-); |
| A) | AL amyloidosis with cardiac involvement |
| P) | Diagnostic plan<br>Plasma cell dyscrasia work up<br>    BM biopsy<br>    Serum beta2-microglobulin<br>IgG/A/M/D/E quantificaiton<br>    Bone survey<br>Therapeutic plan<br>Diuretics 포함한 heart failure management 유지<br>이상소견 확인시 consultation |

AL amyloidosis with cardiac involvement 의 경우 예후가 매우 나쁘기 때문에 진단시점에 환자/보호자 교육도 필요하다.

# Hospital Day #6-9

AL amyloidosis with cardiac involvement

S)  숨쉬기도 편하고 붓지도 않아요

Bone survey, whole spine MR,
- Normal range of bone marrow signal intensity

M : E ratio = 1.1 : 1
Megakaryocytes: Adequate in No.
Granulocytic  : Adequate in No.
Erythroid     : Adequate in No.
Storage Iron  : Adequate amount of hemosiderin particles
*Special stain : Congo red stain - weak positive on a thickened
vessels and some areas with amorphous material

O)  Marrow Biopsy and Clot Section (specimen quality; adequate)
Cellularity  : 45%,  Fibrosis (-)
Megakaryocytes : Adequate in No. (2.0/HPF)
Nucleated cells: Hematopoietic cells
*Immunohistochemistry : CD138 - positive on some interstitial
or small nodular infiltrated plasma cells

kappa - positive on some plasma cells

lambda - positive on few plasma cells

DIAGNOSIS : Bone marrow, iliac crest, right, aspiration and biopsy :
1. Plasmacytosis, mild
2. Amyloid deposit in Bone marrow

A)  AL amyloidosis, cardiac involvement & BM involvement

P)  Consultation to ONC

9일째 종양내과 상의하여 추가적인 amyloidosis work up 위해 BNP, TnI, PT,
factor X, free T4/TSH, random cortisol, abdominal US, EGD/CFS with biopsy
시행하기로 했다. BNP는 620pg/mL로 상승되어 있었다. 이외 검사는 모두
negative 확인 되었다. 외래에서 추적 관찰 하기로 했다.

## Outpatient clinic visiting

| | AL amyloidosis with cardiac involvement |
|---|---|
| O) | Serum and urine PEP, IEP (-/-)<br>　Serum FLC: kappa 2040, ratio 114<br>　BM: plasmacytosis, amyloid deposit (+)<br>　Cardiac Bx: amyloidosis, prealbumin (+), kappa (2+), lambda (-)<br>　BNP 629<br>　Echo: EF 59%, E/E' 37, normal LV wall thickness<br>　urine alb/cr ratio 4.7 |
| A) | AL amyloidosis heart/bone marrow involvement |
| P) | High-dose dexamethasone<br>　Consider heart transplantation,<br>　followed by autologous stem cell transplantation<br><br>　Inform the risk of the disease, such as sudden cardiac death |

심장내과 외래 내원하여 heart transplantation 준비하기로 했고, 입원하여 필요한 work up을 시행하고 퇴원 했다.

이후 3개월 동안 high dose dexamethasone을 투약하면서 amyloidosis를 치료했다. CR 획득했다. 하지만, heart 문제들은 악화되어 heart failure management 및 heart transplantation 진행하기 위해 입원했다.

## Second admission

Dyspnea on exertion 악화되어 heart failure management 및 heart transplantation 진행하기 위해 입원했다.

# Hospital Day #2

AL amyloidosis with cardiac involvement→ cardiac & BM involvement
→ s/p high dose steroid → CR

O)

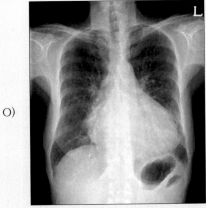

Cardiomegaly 지속되고 있음

A) Progressive heart failure

P) Therapeutic plan
Inotropic support
Diuretics
Heart transplantation

Heart failure에 대해 inotropic support 하면서심장이식 대기하였고, HD #13
심장이식 수술을시행했다.
25세 남성의 정상 심장을 이식 받았다.

#1. AL amyloidosis with cardiac → cardiac & BM involvement
     → s/p high dose steroid → CR
#2. s/p heart transplantation

O)

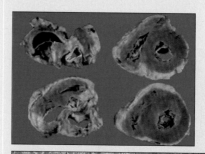

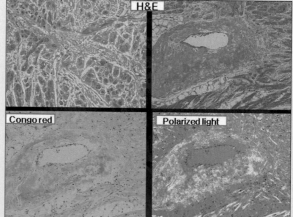

수술후 gross pathology에서 심장이 커져 있고, ventricle, atrial wall 이 두꺼워져 있는것으로 확인 되었다. Amyloidosis에 합당한 소견. Polarized light, Congo red stain에서도 amyloidosis가 다시 한번 확인 되었다.

환자는 심장이식 후 특이 합병증 발생하지 않았으며, 정해진 protocol 대로이식 후 echocardiography, heart CT 등을 시행했으며 정상소견 확인되었다. Baseline study로 시행한 coronary angiogram에서도 coronary artery disease는 관찰되지 않았다.

A) Cardiac amyloidosis, s/p heart transplantation

P) Post transplantation care
High dose dexamethasone 유지
추후 autologous stem cell transplantation

〈이후경과〉
환자는퇴원하여다시 high dose dexamethasone을투약하기시작했고, systemic amyloidosis는 CR 상태로유지되었다.
면역억제제용량을조절하면서 1년동안경과관찰했다.
심장이식 8개월뒤 bone marrow suppression 효과가강한 mycophenolic acid 투약을중단했고, 이로부터 3개월뒤자가조혈모세포이식을진행하기로했다.

## Third admission

자가조혈모세포이식을 시행하기 위해 입원했다. 정해진 regimen에 따라 autologous stem cell collection을 진행 했다.

이후 high-dose mephalan투약 하였고, 2일뒤 cell infusion 진행 했다.

Neutropenic fever 발생 했으나 neutropenia 호전되면 fever subside 되어 퇴원 했다.

## 이후의 경과

현재까지 CR상태이며, heart function 정상으로 외래에서 경과 관찰중이다.

## Updated problem list

#1. Known heart failure with preserved ejection fraction → AL amyloidosis with cardiac & BM involvement → s/p high dose steroid → CR

#2. Biventricular hypertrophy by outside echocardiogram → see #1

#3. Minimal pericardial effusion → see #1

#4. s/p autologous stem cell tranplantation d/t #1

#5. s/p heart transplantation d/t #1

## Lesson of the case

Heart failure의 원인은 다양하며, 2D echo에서 infiltrative cardiomyopathy가 의심될 때 여러가지 검사를 통해서 cardiac amyloidosis를 진단할 수 있다.

일반적으로 cardiac amyloidosis의 예후는 나쁜것으로 알려져 있으나, 심장이식 후 자가조혈모세포 이식을 하는 방법으로 더 좋은 예후를 기대할 수 있게 되었다.

## CASE 19 Easy bruisability로 내원한 33세 여자

## Chief Complaints

Further w/u for suspicious of MEN

## Present Illness

2년 전 환자의 어머니가 OO 병원에서 Multiple endocrine neoplasia 진단 받았다. 1개월 전 털이 많아 △△병원 방문하여 Multiple endocrine neoplasia에 대한 검사 진행 하였다.

Papillary thyroid carcinoma, Hyperparathyroidism, Cushing's syndrome, adrenal mass 및 pancreatic mass 확인 되어 further evaluation 위해 본원 외래 경유하여 입원하였다.

## Past History

diabetes (-)/ hypertension(-)/ hepatitis (-)

## Family History

외삼촌 : 췌장 종괴 절제 (15년전)
이모 : 뇌하수체 종괴 절제 (7년전)
어머니 : 췌장 및 부갑상선 부분 절제 ⇨ MEN type 1 (2년 전)

## Social History

Occupation : 간호사
Smoking (-)
Alcohol (-)

## Review of Systems

### General

| | |
|---|---|
| generalized weakness (-) | easy fatigability (-) |
| dizziness (-) | central obesity (-) |

### Skin

| | |
|---|---|
| easy bruisability (+) | erythema (-) |

### Head / Eyes / ENT

| | |
|---|---|
| headache (-) | moon face (+) |
| dry eyes(-) | tinnitus(-) |
| rhinorrhea(-) | oral ulcer (-) |
| sore throat (-) | dizziness(-) |

### Respiratory

| | |
|---|---|
| dyspnea (-) | hemoptysis (-) |
| cough (-) | sputum (-) |

### Cardiovascular

| | |
|---|---|
| chest pain (-) | palpitation (-) |
| orthopnea (-) | dyspnea on exertion (-) |

### Gastrointestinal

| | |
|---|---|
| Abdominal pain (-) | Nausea / vomiting (-/-) |
| Hematemesis (-) | Melena (-) |

### Genitourinary

| | |
|---|---|
| flank pain (-) | gross hematuria (-) |
| genital ulcer(-) | costovertebral angle tenderness (-) |

## Neurologic

seizure(-)

psychosis(-)

cognitive dysfunction(-)

motor-sensory change(-)

## Musculoskeletal

pretibial pitting edema(-)

back pain(-)

proximal muscle weakness (+)

muscle pain(-)

# Physical Examination

Height 163cm, weight 87.5kg

Body mass index 32.9 kg/cm²

## Vital Signs

BP 127/94mmHg - HR 86/min - RR 18/min - BT36.7℃

## General Appearance

Not so ill - looking

oriented to time,person,place

alert

## Skin

skin turgor: normal

bruise (+)

spider angioma(-)

ecchymosis (-)

purpura(-)

palmar erythema(-)

## Head / Eyes / ENT

visual field defect (-)

icteric sclera (-)

pale conjunctiva (-)

palpable lymph nodes (-)

## Chest

symmetric expansion without retraction

percussion : resonance

normal tactile fremitus

coarse breath sound, crackle

## Heart

regular rhythm

No murmur

## Abdomen

| | |
|---|---|
| Abdominal contour : obese | decreased bowel sound |
| Hepatomegaly(-) | Splenomegaly(-) |
| Tenderness(-) | shifting dullness(-) |

## Back and extremities

| | |
|---|---|
| flapping tremor (-) | costovertebral angle tenderness(-) |
| pretibial pitting edema (-/-) | |

## Neurology

| | |
|---|---|
| motor weakness(-) | sensory disturbance(-) |
| gait disturbance(-) | neck stiffness(-) |

# Initial Laboratory Data

## CBC

| WBC<br>$4\sim10\times10^3/mm^3$ | 9,000 | Hb (13~17 g/dl) | 16.4 |
|---|---|---|---|
| MCV(81~96 fl) | 80.6 | MCHC(32~36 %) | 34.4 |
| WBC<br>differential count | Neutrophil  71.5%<br>lymphocyte  17.9% | platelet<br>$(150\sim350\times10^3/mm^3)$ | 249 |

## Chemical & Electrolyte battery

| | | | |
|---|---|---|---|
| Ca (8.3~10 mg/dL) /P (2.5~4.5 mg/dL) | 11.4/3.4 | glucose (70~110 mg/dL) | 99 |
| protein (6~8 g/dL)/ albumin (3.3~5.2 g/dL) | 7.2/3.8 | aspartate aminotransferase (AST)(~40 IU/L) | 24 |
| | | /alanine aminotransferase (ALT)(~40 IU/L) | 51 |
| alkaline phosphatase (ALP)(40~120 IU/L) | 132 | gamma-glutamyltranspeptidase (r-GT)(11~63 IU/L) | 62 |
| total bilirubin (0.2~1.2 mg/dL) | 0.7 | direct bilirubin (~0.5mg/dL) | 0.2 |
| BUN(10~26mg/dL) /Cr (0.7~1.4mg/dL) | 26/1.11 | estimated GFR ( ≥60ml/min/1.7m$^2$) | 60 |
| C-reactive protein (~0.6mg/dL) | 0.19 | cholesterol | 151 |
| Na(135~145mmol/L) / K(3.5~5.5mmol/L) / Cl(98~110mmol/L) | 140/4.7/107 | total $CO_2$ (24~31mmol/L) | 23.3 |

## Coagulation battery

| | | | |
|---|---|---|---|
| prothrombin time (PT) (70~140%) | 157.7 | PT (INR) (0.8~1.3) | 0.82 |
| activated partial thromboplastin time (aPTT) (25~35 sec) | 27.8 | | |

## Urinalysis

| | | | |
|---|---|---|---|
| specific gravity (1.005~1.03) | 1.025 | pH (4.5~8) | 5.0 |
| albumin(TR) | (-) | glucose (-) | (-) |
| ketone (-) | (-) | bilirubin (-) | (-) |
| occult blood (-) | (-) | nitrite (-) | (-) |
| Urobilinogen | (-) | | |

## 외부병원 Hormone study

| | | | |
|---|---|---|---|
| Serum ACTH (<15) | 16.5 pg/mL | 24 hr urine free cortisol (<100) | 277 ug/day |

Chest PA

| Chest PA는 정상소견이다.

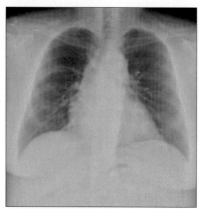

Outside CT

오른쪽 부신에 2cm, 왼쪽 부신에
1.5cm 정도되는 nodular lesion
있고 Precontrast scan 에서 평균
2.5 HU으로 adenoma 가능성
높다. 또한 Pancreas에 head,
neck, body, tail에 걸쳐 multiple
enhancing lesion들이 보이고
있다.

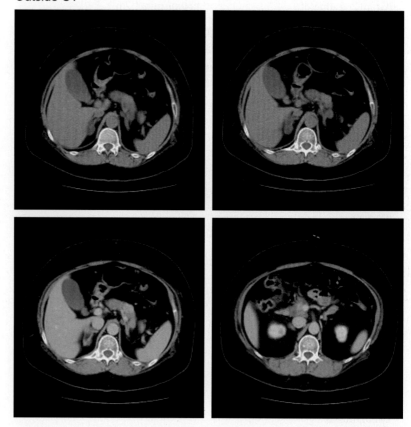

# Initial Problem List

#1. Cushing's syndrome

#2. Bilateral adrenal mass

#3. Primary hyperparathyroidism

#4. Pancreatic multiple mass

#5. Family history of MEN-1

#6. Papillary thyroid

#1. Cushing's syndrome

#2. Bilateral adrenal mass

    A)    Cushing's syndrome

        Low dose DXM suppression test

    P)    High dose DXM suppression test
            Sella, MR

환자가 보였던 Cushing feature 및 선별검사에서 양성 소견으로 Cushing's syndrome 으로 평가하고, diagnostic plan으로 확진 검사인 low dose dexamethasone억제 검사 시행하기로 하였다. 확진 검사에서 양성이 나오면, ACTH dependent 인지 independent 인지를 나누어 생각해야 하는데, 환자는 ACTH 레벨이 16.5 pg/mL 으로 기준인 15보다 증가되어 있었으므로 Cushing's disease 와 ectopic ACTH overproduction 감별 위해 high dose DXM 및 sella MR 시행하기로 하였다.

#5. Papillary thyroid carcinoma

    A)    Papillary thyroid carcinoma

    P)    Diagnostic plan〉
            외부병원 FNA slide 리뷰
            Therapeuticplan〉
            수술적치료상의

#3. Primary hyperparathyroidism

    A)    Primary hyperparathyroidism

    P)    Diagnostic plan〉
            Parathyroid scan
            Ca/P monitoring
            Therapeuticplan〉
            Hypercalcemia에 대해 normal saline hydration, 호전 없을 경우 bisphosphonate 투여 고려

Primary hyperparathyroidism 소견에 대해서는 나이 50세 미만으로 수술 적응증에 해당 하였고, 병변 localization 위해 parathyroid scan 시행하고, Ca/P monitoring 및 hypercalcemia에대해 saline hydration, 필요 시 bisphosphonate 투약 하기로 하였다.

#1. Cushing's syndrome

#2. Bilateral adrenal mass

#3. Primary hyperparathyroidism

#4. Pancreatic mass

#5. Family history of MEN-1

    A)    MEN-1

    P)    Diagnostic plan〉
            MEN-1 gene test

# Hospital day #2-17

#1. Cushing's syndrome
#2. Bilateral adrenal mass

### High dose dexamethasone suppression test

|  | Cortisol (ug/dL) | ACTH (pg/mL) | 24 hr urine cortisol |
|---|---|---|---|
| Baseline | 15.4 | 10.0 | 293 |
| After suppression | **3.3** | 5.1 | **20.8** |

Sella, MR

O)

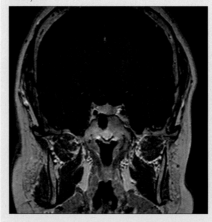

Sella MR에서 pituitary gland의 left side에 1cm의 low attenuating lesion 이 확인 되며 이는 pituitary adenoma 가능성이 높은 소견이다.

### Hormone study

O)
Prolactin 36.1 ng/mL (2.7-19.7), hGH 1.2 ng/mL (0-5)
LH 5.9 mIU/mL (0.8-10.4), IGF-I 342 ng/mL (140-405)
FSH 2.5 mIU/mL (3.4-33.1), TSH 2.8 μU/mL (0.4-5)
Free T4 1.3 ng/dL (0.8-1.9)

### Inferior Petrosal Sinus Sampling (IPSS)

| | Basal | Post CRH infusion | | | |
|---|---|---|---|---|---|
| | | 1min | 3min | 5min | 10min |
| Lt. petrosal | 1219 | ⟩1830 | ⟩1830 | ⟩1830 | ⟩1830 |
| Rt. petrosal | 240 | ⟩1830 | ⟩1830 | 1136 | 534 |
| Peripheral | 31.3 | 26.4 | 48.5 | 58.6 | 72.5 |

ACTH (pg/mL)

Sella MR에서 pituitary microadenoma 확인되어 baseline pituitary hormone 검사 시행했고, prolactin 36.1 ng/mL로 약간 상승된 것 이외 특이소견 없었다. 이 환자는 pituitary, adrenal gland 에서 모두 종괴가 확인 되어 ACTH dependency를 결정하는 것이 중요 했다. 따라서, IPSS를 시행하였다. 기저 수치를 볼 때 말초 혈액에 비해 infra-petrosal blood sampling에서 ACTH level이 2배 이상 높았고, corticotropin releasing hormone 투여 후 3배 이상 높아 Cushing's disease로 진단을 내릴 수 있었다.

#3. Primary hyperparathyroidism

Parathyroid scan

O)

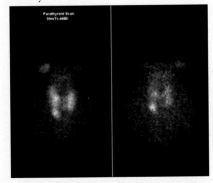

Primary hyperparathyroidism에 대해서 시행한 parathyroid scan 검사에서 Rt. lower poleight lower pole에 adenoma에 합당한 병변이 발견되었다.

A)    Parathyroid adenoma in right lower pole

#4. Pancreatic mass

EUS guided FNA

pancreas body의 약 2.4 cm 크기의 well demarcated hypoechoic mass ⇨ Pancreas neuroendocrine tumor

O)

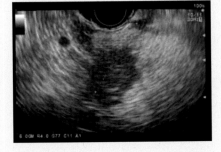

Needle Biopsy
Pancreas, ( body ), needle biopsy
   - NEUROENDOCRINE TUMOR.

#1. Cushing' s syndrome
#2. Bilateral adrenal mass
#3. Primary hyperparathyroidism
#4. Pancreatic mass
#7. Family history of MEN-1

MEN1 gene mutation test
O)    Consistent with MEN1
      (c.825-2A〉G (IVS5(-2)A〉G) of MEN1)

241

## HD#20

(내분비내과, 소화기내과, 신경외과, 갑상선유방외과, 췌담도외과)
수술진행순서와 pre/post OP management 에대해상의함.

수술 및 시술 순서

1. Pituitary adenoma (Cushing's disease)
2. Parathyroid adenoma/ Papillary thyroid carcinoma
3. Pancreas neuroendocrine tumor

## HD#27

2014/03/19 Endonasal TSA and removal of the tumor

Frozen)
- pituitary adenoma

Biopsy)
A) Brain, ( left side of pituitary gland ), trans-sphenoidaladenectomy:
- Pituitary adenoma.
- Immunohistochemical staining: ACTH (+)

# 2nd admission

Lt. hemi-thyroidectomy with central node dissection

# 3rd admission

## Hospital Day #2

### EUS-Ethanol ablation #1
- Neck : 1.7 * 1.4cm, ethanol ablation (total 7.1cc)
- Uncinate : 1.3 * 1.4cm, ethanol ablation (total 3cc)

Pancreas neuroendocrine tumor 에 대한 치료 위해 세번 입원하였다. Pancreas head의 병변에 대해서 ethanol ablation 치료하기로 하였고, 이후 pancreas body, tail 병변에 대해서 distal pancreatectomy계획했다.

## Hospital Day #3

Pancreas NET

S)  배가 너무 아파요.

  Vital sign 130/ 96mmHg - 99회/min  - 18회/min - 38.1℃
  P/Ex   normoactive bowel sound
      abdominal  tenderness/rebound tenderness(+/-)

O)  CBC  14,000/mm3 - 12.5 g/dl - 310,000/mm3
  Amylase/Lipase 1403 / 2181 U/L
  CRP(quant) 1.32 mg/dL

A)  Acute pancreatitis after ethanol ablation in pancreas head

P)  Abdomen-Pevis CT
  NPO,  IV hydration, empirical antibiotics

시술 다음 날 NRS 8점의 복부 통증 호소하였고, 38.1도의 fever와 P/E 상 abdominal tenderness, 혈액검사 상 leukocytosis 및 CRP 1.32 mg/dL로 증가되었고, amylase/lipase증가되어 시술 이후 acute pancreatits가 합병된 것으로 판단하였고, 복부 CT 확인하고, 금식, 수액 주입, 경험적 항생제 치료 하였다.

## Hospital Day #4

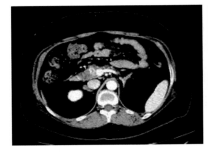 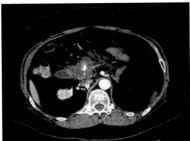

## Hospital Day #23

수술적 치료에 대해 외과와 상의하였다. Neck에 있는 viable lesion 때문에 지금 수술하게 될 경우 pancreas head만 남게 되어, neck 부위 병변에 대해 ethanol ablation  한 차례 더 시행하면 췌장 절제 범위 줄일 수 있다는 의견이었다.

## Hospital Day #25

EUS-Ethanol ablation #2

 - Neck: 1.4 * 0.9 cm, ethanol ablation(total 4cc)

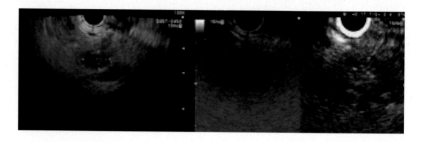

neck 에 남아있는 neuroendocrine tumor 에대해 ethanol ablation 한 차례 더 시행 후 퇴원하였다.

## 이후의 경과

환자는 지속적으로 외래 진료를 받으면서 body와 tail 에 남겨진pancreas NET에 대한 수술적 시기에 대해 상의 중 이다.

## Lesson of the case

본 증례는 MEN의 특징적인 진단 및 치료에 대한 증례였다. MEN은 다발성 내분비 질환으로 발현되기 때문에 특정 내분비 질환이 진단되면 MEN의 가능성에 대해 염두해 두어야 하고, 필요시 선별검사를 통해서 이를 진단해야 한다.

MEN의 치료는 각 장기에 따라 개별적으로 이루어지게 되며, 본 증례에서 췌장에 대한 ethanol injection을 한 것과 마찬가지로 최근 이에 대한 치료법이 발전이 지속적으로 이루어지고 있다.

2달전부터 시작된
fever로 내원한
36세남자

## Chief Complaints

Fever, started 2 months ago

## Present Illness

2달전 근육통을 동반한 발열이 있었고, 당시 침 삼킬 때 목 아프고 우측 경부
림프절 촉지되어 급성인후염으로 판단하고 대증치료 받았다.
이 후 약 2달간 비슷한 증상이 4차례정도 2-3일정도 발생하였고, 경부림프절
은 커졌다 작아졌다를 반복하였다.
2일전부터발열, 오한이 발생하였고, 림프절 크기가 증가하여 응급실 내원하
였다.

## Past History

Diabetes (-)/Hypertension (-)/Hepatitis (-)/ Tuberculosis (-)

## Family History

Diabetes (-)
Hypertension (-)
Hepatitis (-)
Tuberculosis (-)

## Social History

occupation: OO 병원응급의학과레지던트
smoking: 10 pack-years current smoker
alcohol:(+), 주3-4회, 1병/주, 10년간

## Review of Systems

### General

| | |
|---|---|
| generalized weakness (-) | easy fatigability (-) |
| dizziness (-) | weight loss (+), 4kg/2달 |

### Skin

| | |
|---|---|
| purpura (-) | erythema (-) |

### Head / Eyes / ENT

| | |
|---|---|
| headache (-) | hearing disturbance (-) |
| dry eyes (-) | Tinnitus (-) |
| Rhinorrhea (-) | Dizziness (-) |

### Respiratory

| | |
|---|---|
| dyspnea (-) | hemoptysis (-) |
| cough (-) | sputum (-) |

### Cardiovascular

| | |
|---|---|
| chest pain (-) | palpitation (-) |
| orthopnea (-) | dyspnea on exertion (-) |

### Gastrointestinal

| | |
|---|---|
| Abdominal pain (-) | Nausea / vomiting (-/-) |
| Hematemesis (-) | Melena (-) |

### Genitourinary

| | |
|---|---|
| flank pain (-) | gross hematuria (-) |
| genital ulcer(-) | costovertebral angle tenderness (-) |

## Neurologic

seizure (-)                          cognitive dysfunction (-)

psychosis (-)                        motor-sensory change (-)

## Musculoskeletal

pretibial pitting edema (-)          tingling sense (-)

back pain (-)                        muscle pain (-)

# Physical Examination

height 183cm, weight 80kg

body mass index 23.9kg/cm²

## Vital Signs

BP 121/62mmHg - HR 79 /min-RR 20/min - BT 38.5℃

## General Appearance

Acutely ill - looking                alert

oriented to time, person, place

## Skin

skin turgor: normal                  ecchymosis (-)

rash(-)                              purpura (-)

spider angioma (-)                   palmar erythema (-)

## Head / Eyes / ENT

visual field defect (-)              pinkish conjunctivae

                                     palpable lymph nodes (+)
whitish sclerae                      Rt. level II, fixed, 4-5cm sized tender,
                                     rubbery texture

## Chest

symmetric expansion without retraction    normal tactile fremitus

percussion : resonance               clear breath sound

## Heart

regular rhythm                       normal hearts sounds without murmur

## Abdomen

| | |
|---|---|
| flat abdomen | decreased bowel sound |
| hepatomegaly (-) | splenomegaly (-) |
| tenderness (-) | shifting dullness (-) |

## Back and extremities

| | |
|---|---|
| flapping tremor (-) | costovertebral angle tenderness (-) |
| pretibial pitting edema (-/-) | |

## Neurology

| | |
|---|---|
| motor weakness (-) | sensory disturbance (-) |
| gait disturbance (-) | neck stiffness (-) |

# Initial Laboratory Data

## CBC

| WBC $4\sim10\times10^3/mm^3$ | 3,300 | Hb (13~17 g/dl) | 15.6 |
|---|---|---|---|
| MCV(81~96 fl) | 89.6 | MCHC(32~36 %) | 34.7 |
| WBC differential count | Neutrophil 57.7% lymphocyte 33.9% eosinophil 0.0% | platelet $(150\sim350\times10^3/mm^3)$ | 143 |

## Chemical & Electrolyte battery

| | | | |
|---|---|---|---|
| Ca (8.3~10 mg/dL) /P (2.5~4.5 mg/dL) | 8.5/2.6 | glucose (70~110 mg/dL) | 130 |
| protein (6~8 g/dL)/ albumin (3.3~5.2 g/dL) | 7.3/3.7 | aspartate aminotransferase (AST)(~40 IU/L) | 25 |
| | | /alanine aminotransferase (ALT)(~40 IU/L) | 25 |
| alkaline phosphatase (ALP)(40~120 IU/L) | 65 | gamma-glutamyltranspeptidase (r-GT)(11~63 IU/L) | - |
| total bilirubin (0.2~1.2 mg/dL) | 0.4 | direct bilirubin (~0.5mg/dL) | - |
| BUN(10~26mg/dL) /Cr (0.7~1.4mg/dL) | 12/1.23 | estimated GFR ( $\geq$60ml/min/1.7m$^2$) | 76 |
| C-reactive protein (~0.6mg/dL) | 0.57 | cholesterol | 174 |
| Na(135~145mmol/L) / K(3.5~5.5mmol/L) / Cl(98~110mmol/L) | 136/4.5/101 | total $CO_2$ (24~31mmol/L) | 22.7 |

## Coagulation battery

| | | | |
|---|---|---|---|
| prothrombin time (PT) (70~140%) | 92.5 | PT (INR) (0.8~1.3) | 1.05 |
| activated partial thromboplastin time (aPTT) (25~35 sec) | 32.8 | | |

## Urinalysis

| | | | |
|---|---|---|---|
| specific gravity (1.005~1.03) | 1.020 | pH (4.5~8) | 6.0 |
| albumin(TR) | (-) | glucose (-) | (-) |
| ketone (-) | (++) | bilirubin (-) | (-) |
| occult blood (-) | (-) | nitrite (-) | (-) |
| Urobilinogen | (-) | | |

Chest PA 상 특이 소견 관찰되지
않는다.

## Chest PA

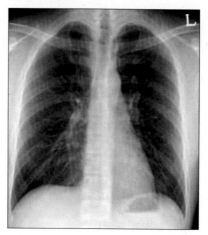

## Initial Problem List

#1. Right cervical lymphoadenopathy

#2. Fever with relative bradycardia

#3. Leukopenia & thrombocytopenia

## Assessment and plan

2달 전부터 간헐적으로 발생하는
발열 및 완전히 없어지지 않은 경부
림프절, bicytopenia 및 relative
bradycardia 를 통하여 우선
비감염성 질환 그중에서도 특히
lymphoma 의 가능성을 가장 먼저
고려하였고, 반복적으로 발생하는
상기 증상들로 Kikuchi-Fujimoto
disease의 가능성도 고려하였다.
또, 2일전부터 발생한 발열을
별개로 보았을 경우 inflammatory
marker 높지 않고 상대적 서맥 등
고려했을 때 바이러스 감염성을 생각
하였고, 국내 유병률 고려하였을 때
Tb lymphadenitis 의 가능성도
생각하였다. relative bradycardia
관찰되어 typhoid fever 감별
필요할 것으로 생각하였다.
우선 lymphoma 진단을 위하여
neck mass excisional biopsy,
CT, PET을 계획하였고, 그 밖에
감염성 질환을 배제하지 못한
상황에서 blood culture 시행 및
경험적 항생제 투약 시작하였다.

#1. Right cervical lymphadenopathy

#2. Fever with relative bradycardia

#3. Leukopenia & thrombocytopenia

| | |
|---|---|
| A) | Non-infectious disease<br>    Hematologic malignancy, such as lymphoma<br>    Kikuchi-Fujimoto disease<br>Infectious disease<br>    Tuberculosis<br>    Viral infection<br>    Typhoid fever |
| P) | Diagnostic plan〉<br>    Neck mass excisional biopsy<br>    neck/chest/abdomen-pelvic CT<br>    Whole body PET<br>    Blood culture & gram stain<br><br>Treatment plan〉<br>    Empirical antibiotics, ceftriaxone |

## Hospital day #2

#1. Right cervical lymphadenopathy

S)   너무 기운이 없어요

Neck CT:
  r/o hematologic malignancy such as lymphoma, more likely
APCT, chest CT: No abnormal findings

O)

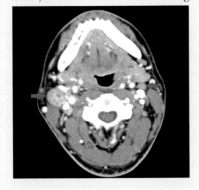

    Non-infectious disease
A)   Lymphoma, more likely
    Kikuchi-Fujimoto disease

P)   Neck mass biopsy 결과확인

CT 시행하였고, neck level II에 multiple node enlargement 보여 lymphoma 의 가능성을 우선 생각 하였다.

## Hospital day #3

#2. Fever with relative bradycardia
#3. Leukopenia & thrombocytopenia

S)   아직도 열이나고 목도 아프고 힘들어요

O)   Vital sign: 115/54 mmHg - 74/min - 20/min - 39.1℃
    CBC : 2,100 × $10^3$/uL - 14.3 g/dl - 101 × $10^3$ /uL
    Blood culture : 2day no growth
    Neck mass biopsy : pending

A)   Infectious disease
      Tb lymphadenitis, viral, Typhoid fever

P)   Blood culture 결과 확인 및 경험적 항생제 유지

여전히 발열이 있는 가운데, bicytopenia 악화소견 보였다. 감염질환을 완전히 배제하지 못한 상태로, 혈액배양검사 및 경험적 항생제 유지하였다.

251

# Hospital day #4

SFTS는 Bunyaviridae의 phlebovirus에 속하는 진드기 매개성 열성질환으로, 주로 5월에서 8월에발생한다. 발열, 혈소판 감소증, 백혈구 감소증이나타나며 disseminated intravascular coagulation 및 multi organ failure 로 약 40% 에서 사망할 수 있으며 아직 치료법은 없다.

#1. Right cervical lymphadenopathy
#2. Fever with relative bradycardia
#3. Leukopenia & thrombocytopenia

| | |
|---|---|
| S) | 도움이 될지 모르겠지만, 며칠 전에 응급실근무하다 심폐소생술을 했는데, 그 환자 피가 여기저기 많이 뛰었고 결국 사망했었어요. 나중에 SFTS 라고 진단되었어요 |
| O) | CBC: 1,700 × 10³/uL - 14.1 g/dl - 75 × 103 /uL<br>AST / ALT: 51 / 45 IU/mL, aPTT 36.8s, PT 86% |
| A) | Nosocomial infection of SFTS(severe fever with thrombocytopenia syndrome), likely |
| P) | CPCR 당시 사망환자 medical record review 및 사람간 전염된 케이스가 있는지 확인 |

당시 사망환자 medical record 검토하였고, 밭일하는 68세 여자로 내원 1주전부터 발열이 있었고, 내원 2일 전부터 전신 멍이 들었으며 내원 당일 의식 저하를 주소로 내원하였고, 내원 당일 경련을 동반한 호흡정지 발생하여 30분간 심폐소생술 시행하였으나 사망하였다.

# Hospital Day #5

아직 완전히 배제되지 않은 lymphoma 여부 확인 위해 neck mass biopsy 결과 대기 및 SFTS 확진을 위하여 PCR 과 serologic test 의뢰하였다.

#1. Right cervical lymphadenopathy

| | |
|---|---|
| S) | 수술한 곳 이제 괜찮아요 |
| O) | Neck mass biopsy : pending |
| A) | Lymphoma, more likely |
| P) | Neck mass biopsy 결과확인 |

#2. Fever with relative bradycardia
#3. Leukopenia & thrombocytopenia

| | |
|---|---|
| S) | 이제 열도 떨어지고 컨디션 좋아요. |
| O) | CBC : 3,800 × 103/uL - 14.4 g/dl - 99 × 103 /Ul<br>SFTS 유병률이 높은 중국의 증례 보고에 따르면, 사람간의 SFTS 전파도 가능함 |
| A) | Nosocomial infection of SFTS |
| P) | SFTS PCR 및 serologic test의뢰 |

## Hospital Day #9

#1. Right cervical lymphadenopathy

    O)    Pathology : consistent with Kikuchi-Fujimoto disease

    P)    경과관찰

#2. Fever with relative bradycardia

#3. Leukopenia & thrombocytopenia

    S)    이제 열도 안 나고 피검사 수치도 좋아지는 것 같아요

    O)    SFTS RT-PCR : negative

    A)    Nosocomial infection of SFTS

    P)    SFTS PCR 재의뢰 및 serology test 확인

> SFTS PCR 은 재검에서도 negative 였으나, IgG titer 는 10배 이상 증가하여 SFTS 로 진단하였다. 단, 기존 알려진 vector 가 아닌, 환자의 혈액으로 감염된 경우로 viral load는 적을 것으로 판단하였다.

> SFTS PCR 이 음성 나왔으나 위음성 고려하여 검사 재시행 및 열 없고 혈액검사 호전 추세로 퇴원 하여 외래에서 경과관찰 하기로 하였다.

## Outpatient follow -up

#2. Fever with relative bradycardia

#3. Leukopenia & thrombocytopenia

        SFTS RT-PCR: negative

    O)    Serologic test

        Ig M (-), Ig G, 1:32 ⇨ 1:512 로상승

    A)    Nosocomial infection of SFTS

    P)    임상경과 호전추세로 경과 관찰

## Updated problem list

#1. Right neck mass

    ⇨ Kikuchi-Fujimoto disease

#2. Fever with relative bradycardia

    ⇨ Nosocomial infection of SFTS

#3. Leukopenia & thrombocytopenia

    ⇨ See #2

## Clinical course

당시 index case에 노출되었던 의료진에 대해 SFTS PCR 및 serologic test 진행하였고, 직접 심폐소생술에 참여한 6명의 의료진중에 총 4명이 비슷한 증상을 보였고, 이중 3명에서 serologic test 에서 양성을 보였다.

## Lesson of the case

비슷한 증상 및 징후가 있을 경우 하나의 질환에 의한 것으로 생각하고 환자를 접근하는 것이 일반적이지만, 이와 동시에 서로 다른 질환이 같이 있을 가능성도 항상 염두에 두어야 한다. 이렇게 하기 위해서는 무엇보다도 자세하고 정확한 병력청취가 가장 중요함을 알려주는 증례이다.

# 1주 전 시작된 발열로 내원한 34세 여자

## Chief Complaints

Fever, started 1 week ago

## Present Illness

3년 전 폐결핵으로 HREZ 복용 도중 발열, 발진으로 cycloserine, streptomycin, moxifloxacin로 변경하여 3개월 가량 복용 했으나, 지속되는 발진으로 자의로 약제 중단하였다.

2개월 전 발열, 기침으로 입원 후 폐결핵 및 결핵 림프절염(anterior mediastinum, Lt. supraclavicular lymph node) 진단 받고, isoniazid, moxifloxacin 투약시작 했으나 간 독성, 발진, 발열로 6일 투약 후 중단하였다.

1개월 전 amikacin, cycloserine 로 약제 변경 후 2주간 투약 했으나, AST/ALT 400 IU/L이상으로 증가하여, 모든 약제 중단 후 경과 관찰하였다.

1주 전 발열, 오한 발생하였고, 점차 악화되는 경과로 응급실 내원하였다.

## Associated symptom

Chilling sense, fatigue, night sweating.

Cough, sputum (whitish, scanty)

Pleuritic chest pain on Rt. anterior lower thorax

## Past History

Diabetes/hypertension/tuberculosis/hepatitis: (-/-/+/-)

Medication side effect
 - RFP, INH, EMB, PZA : Fever, Rash (31개월 전)
 - Cycloserine, Streptomycin, Moxifloxacin : Rash (29개월 전)
 - INH, Moxifloxacin : Hepatitis, Rash (2개월 전)
 - Amikacin, Cycloserine : Hepatitis, Arthralgia (1개월 전)

# Family History

Diabetes/hypertension/tuberculosis/hepatitis: (-/-/-/-)

# Social History

Occupation: 무

Alcohol(-)

Smoking(-)

# Review of Systems

### General

| | |
|---|---|
| dizziness (-) | weight loss (-) |

### Skin

| | |
|---|---|
| rash (-) | pruritus (-) |

### Head / Eyes / ENT

| | |
|---|---|
| anorexia (-) | nausea (-) |
| vomiting (-) | diarrhea (-) |
| hematochezia (-) | hematemesis (-) |
| melena (-) | |

### Respiratory

| | |
|---|---|
| dyspnea (-) | hemoptysis (-) |

### Cardiovascular

| | |
|---|---|
| orthopnea (-) | palpitation (-) |

### Gastrointestinal

| | |
|---|---|
| abdominal pain (-) | nausea / vomiting (-/-) |
| hematemesis (-) | melena (-) |

### Genitourinary

| | |
|---|---|
| flank pain (-) | gross hematuria (-) |
| genital ulcer(-) | |

## Neurologic

seizure (-)

psychosis (-)

memory impairment (-)

motor-sensory change (-)

## Musculoskeletal

pretibial pitting edema (-)

back pain (-)

tingling sense (-)

muscle pain (-)

# Physical Examination

Height 163cm, weight 48 kg

body mass index 18.06kg/cm²

## Vital Signs

BP 122/85mmHg - HR 117 /min - RR 20/min - BT 38.5℃

## General Appearance

chronically ill-looking appearance     alert

oriented to time,person,place

## Skin

normal skin color and texture

rash(-)

spider angioma(-)

warm and dry

ecchymosis (-)

purpura(-)

palmar erythema(-)

## Head / Eyes / ENT

visual field defect (-)

icteric sclera (-)

pale conjunctiva (-)

neck vein engorgement (-)

Palpable neck node : Lt. SCN, 1.5cm sized, fixed, non-tender, rubbery

## Chest

symmetric expansion without retraction   normal tactile fremitus

percussion : dullness on both lower
thorax

decreased lung sound on both lower
thorax

## Heart

regular rhythm

normal hearts sounds without murmur

## Abdomen

| | |
|---|---|
| distended abdomen | normoactive bowel sound |
| hepatomegaly(-) | splenomegaly(-) |
| tenderness(-) | shifting dullness(-) |

## Back and extremities

| | |
|---|---|
| flapping tremor (-) | costovertebral angle tenderness(-) |
| pretibial pitting edema (-/-) | |

palpable axillary nodes : bilateral, 1-2cm sized, non-tender, fixed, rubbery.

## Neurology

| | |
|---|---|
| motor weakness (-) | sensory disturbance (-) |
| gait disturbance (-) | neck stiffness (-) |

# Initial Laboratory Data

## CBC

Corrected reticulocyte count = (reticulocyte %) x [Hb( g/dL) / 15]

RPI = Corrected reticulocyte / maturation time index

RPI = 0.31, 2.5 미만으로 Hypo-proliferative anemia와 함께 Pancytopenia 소견.

| WBC $4 \sim 10 \times 10^3/mm^3$ | 2,300 | Hb (13~17 g/dl) | 8.2 |
|---|---|---|---|
| MCV(81~96 fl) | 88.3 | MCHC(32~36 %) | 29.9 |
| Reticulocyte (0.5~1.8 %) | 1.16 | Red cell production index | 0.31 |
| WBC differential count | Neutrophil 55.6% lymphocyte 30.2% monocyte 12.9% | platelet (150~350 × 10³/mm³) | 134,000 |

## Chemical & Electrolyte battery

| | | | |
|---|---|---|---|
| Ca (8.3~10 mg/dL) /P (2.5~4.5 mg/dL) | 7.2/2.8 | glucose (70~110 mg/dL) | 83 |
| protein (6~8 g/dL)/ albumin (3.3~5.2 g/dL) | 5.3/2.5 | aspartate aminotransferase (AST)(~40 IU/L) | 95 |
| | | /alanine aminotransferase (ALT)(~40 IU/L) | 23 |
| alkaline phosphatase (ALP)(40~120 IU/L) | 120 | gamma-glutamyltranspeptidase (r-GT)(11~63 IU/L) | 130 |
| total bilirubin (0.2~1.2 mg/dL) | 0.3 | direct bilirubin (~0.5mg/dL) | - |
| BUN(10~26mg/dL) /Cr (0.7~1.4mg/dL) | 8/0.46 | estimated GFR ( ≥60ml/min/1.7m$^2$) | >90 |
| C-reactive protein (~0.6mg/dL) | 0.1 | cholesterol | 152 |
| Na(135~145mmol/L) / K(3.5~5.5mmol/L) / Cl(98~110mmol/L) | 139/4.0/108 | total $CO_2$ (24~31mmol/L) | 19.1 |

## Coagulation battery

| | | | |
|---|---|---|---|
| prothrombin time (PT) (70~140%) | 107.6 | PT (INR) (0.8~1.3) | 0.93 |
| activated partial thromboplastin time (aPTT) (25~35 sec) | 30.3 | | |

## Urinalysis

| | | | |
|---|---|---|---|
| specific gravity (1.005~1.03) | 1.015 | pH (4.5~8) | 5.0 |
| albumin(TR) | (-) | glucose (-) | (-) |
| ketone (-) | (-) | bilirubin (-) | (-) |
| occult blood (-) | (-) | nitrite (-) | (-) |
| Urobilinogen | (-) | | |

## Chest PA

〈3개월 전 폐결핵 진단 당시 Chest
PA.〉
LUZ, central portion, biopsy
proven TB lesion 이 관찰된다.

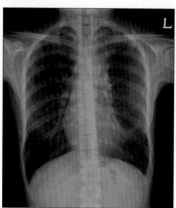

〈입원 당시 Chest PA〉
Both LLZ infiltration.
Both pleural effusion.
CTR 0.54 의 mild cardiomegaly
가 새롭게 발생했다.

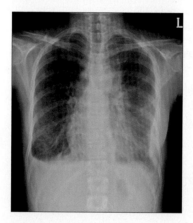

## Both decubitus view

Both CPA blunting 에 비해서 fluid
shifting 정도가 적어, loculated
effusion 이 의심되었다.

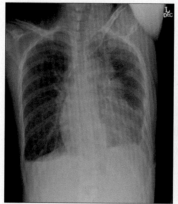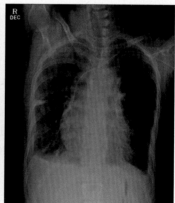

## Electrocardiogram

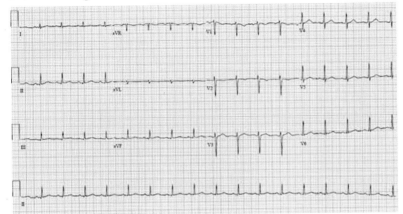

Ventricular rate 102/min 의 sinus tachycardia.

# Initial Problem List

#1. Fever with multiple LN enlargement, pulmonary infiltration.

#2. Known pulmonary TB with lymphadenitis.

#3. Side effect of anti-TB medications : rash, fever, hepatitis.

#4. Pleuritic chest pain with bilateral pleural effusion.

#5. Cardiomegaly.

#6. Pancytopenia with hypo-proliferative anemia (RPI = 0.31)

---

#1. Fever with multiple LN enlargement, pulmonary infiltration.
#2. Known pulmonary TB with lymphadenitis.
#3. Side effect of anti-TB medications : rash, fever, hepatitis.

   A)   Pulmonary TB with lymphadenitis

       Diagnostic plan⟩
       Sputum AFB stain, culture, TB PCR
       약제감수성결과 확인.

   P)

       Treatment plan⟩
       Anti-TB medications : rifabutin trial.
       Education : 결핵약제 중단을 의사 상의 없이 하지 말 것을 교육.

#4. Pleuritic chest pain with bilateral pleural effusion.
#5. Cardiomegaly.

| | |
|---|---|
| A) | Pleural, pericardial tuberculosis<br>Congestive heart failure |
| P) | Diagnostic plan〉<br>  Consider chest CT & diagnostic thoracentesis<br>Echocardiography, BNP  check<br><br>Treatment plan〉<br>Anti-TB medications : rifabutin 시도해보기로 함 |

#6. Pancytopenia with hypoproliferative anemia (RPI = 0.31)

| | |
|---|---|
| A) | Anemia of chronic disease<br>Drug induced marrow suppression<br>BM involvement of tuberculosis<br>Cobalamine or Folate deficiency |
| P) | Diagnostic plan〉<br>  Peripheral blood smear<br>Iron profile, Serum B12, folate level.<br>Consider BM exam, if deterioration. |

## Hospital day #1-2

### Chest CT

〈3개월 전 Chest CT, enhance〉
Anterior mediastinal mass
biopsy 로 tuberculosis 진단됨.

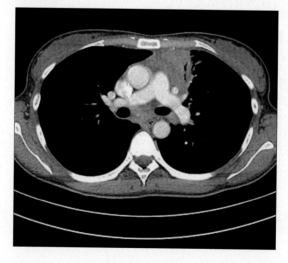

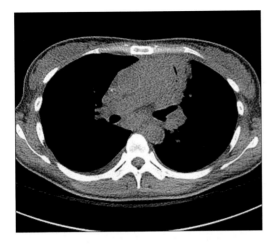

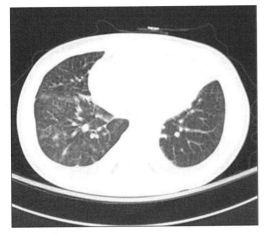

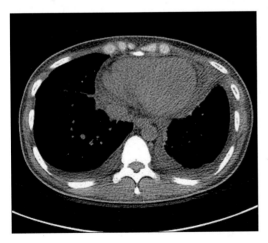

〈입원 당시 Chest CT〉
TB proven anterior mediastinal
mass 는 큰 변화 없음.

Rt. Lung 의 Centrilobular
nodules.
이 새롭게 관찰 되었다.

소량의 Pericardial, both pleural
effusion 이 관찰되었다.

#1. Fever with multiple LN enlargement, pulmonary infiltration.
#2. Known pulmonary TB with lymphadenitis.
#3. Side effect of anti-TB medications : rash, fever, hepatitis.

| | |
|---|---|
| S) | 결핵약(Rifabutin) 먹고 구역질, 구토가 너무 심하다. |
| O) | Blood culture : 2 days no growth <br> Sputum AFB stain : 1-2/300F <br> Sputum Gram stain culture : no growth |
| A) | Pulmonary TB with lymphadenitis <br> GI trouble due to rifabutin |
| P) | Rifabutin 중단. <br> Prothionamide 투약 시도. <br> Symptomatic care : GI motility drug (metoclopramide) |

#4. Pleuritic chest pain with bilateral pleural effusion.
#5. Cardiomegaly

| | |
|---|---|
| S) | 기침하지 않으면 흉통은 견딜만 하다. |
| O) | BNP = 54 pg/mL  (0 ~ 100) <br> Echocardiography : <br> - Normal LV and RV contractility <br> - Small amount of pericardial effusion at LV lateral side <br>   without hemodynamic significance |
| A) | Pleural & pericardial TB |
| P) | 흉수 천자는 양이 적어, 시행하지 않기로 함. <br> 항결핵약제 복용 지속하면서 경과 관찰. |

Iron profile 상 ACD( Anemia of chronic disease) 가능성이 높을 것으로 보이지만, serum iron이 normal range 로 전형적인 ACD pattern은 아님.
Young female, pleurisy를 고려 할 때 Auto-immune disease 감별이 필요할 것으로 보았다.

#6. Pancytopenia with hypoproliferative anemia (RPI = 0.31)

| | |
|---|---|
| S) | 기력이 없어서 골수검사는 가급적하고 싶지 않다. |
| O) | PBS : Dysmorphic cells / Tear drop cells / Leukoerythroblastic (-/-/-) <br> Iron : 102 ug/dL (50 ~ 130), TIBC : 137 ug/dL (280 ~ 400) <br> Ferritin : 507.0 ng/mL (10 ~ 290) <br> Vitamin B12 : 377 pg/mL (211 ~ 911) <br> Folate : 5.6 ng/mL (5.4 ~ ),  RBC folate : 586 ng/mL (280 ~ 791) <br> Haptoglobin : 93.7 mg/dL (30 ~ 200), plasma Hb : 2.0 mg/dL ( ~ 5) <br> ANA titer (serum) : ⟨1:40 titer |
| A) | Anemia of chronic disease, likely <br> BM involvement of tuberculosis, cannot excluded. <br> Auto-immune disease such as SLE |
| P) | Plasam Hb, haptoglobin, FANA check. |

# Hospital day #3

#6. Pancytopenia with hypoproliferative anemia (RPI = 0.31)

O)     Folate : 5.6 ng/mL (5.4 ~ ), RBC folate : 586 ng/mL (280 ~ 791)
Haptoglobin : 93.7 mg/dL (30 ~ 200), plasma Hb : 2.0 mg/dL ( ~ 5)
ANA titer (serum) : <1:40 titer

A)     Anemia of chronic disease, likely
BM involvement of tuberculosis, cannot excluded.

P)     FANA 음성으로 자가면역질환은 배제.
항결핵약제 복용 지속하면서 경과 관찰.
혈구감소증 악화시 골수검사 고려

# Hospital day #4-5

#1. Fever with multiple LN enlargement, pulmonary infiltration.
#2. Known pulmonary TB with lymphadenitis.
#3. Side effect of anti-TB medications : rash, fever, hepatitis.
#4. Pleuritic chest pain with bilateral pleural effusion
#5. Cardiomegaly

S)     Prothionamide 도 오심, 구토 심해서 먹지 못하겠다.

O)     Blood culture : 5 days no growth
Sputum AFB stain : 1-2/300F, TB-PCR positive.

A)     Pulmonary TB with lymphadenitis
Pleural & pericardial tuberculosis
Intractable GI trouble due to rifabutin, prothionamide

P)     조절되지 않는 위장관장애로 경구약은 중단.
Parenteral agent, linezolid 로 투약시도.

## Hospital day #6-9

#1. Fever with multiple LN enlargement, pulmonary infiltration.
#2. Known pulmonary TB with lymphadenitis.
#3. Side effect of anti-TB medications : rash, fever, hepatitis.
#4. Pleuritic chest pain with bilateral pleural effusion
#5. Cardiomegaly

| | |
|---|---|
| S) | 오심, 구토 견딜만 하다. 밤이 되면 열이 난다. |
| O) | 11PM V/S : 114/81mmHg - 98/min - 18/min - 37.8℃ |
| A) | Pulmonary TB with lymphadenitis<br>Pleural & pericardial tuberculosis<br>Intractable GI trouble due to rifabutin, prothionamide |
| P) | Linezolid 유지. Amikacin 소량부터 투약 시도. |

## Hospital day #10-14

#1. Fever with multiple LN enlargement, pulmonary infiltration.
#2. Known pulmonary TB with lymphadenitis.
#3. Side effect of anti-TB medications : rash, fever, hepatitis.
#4. Pleuritic chest pain with bilateral pleural effusion
#5. Cardiomegaly

| | |
|---|---|
| S) | Amikacin 주사 후 전신이 가렵고, 발진이 생겼다. |
| O) | Erythematous maculopapular on whole body<br>결핵 약제 감수성 결과 : All susceptible to 1&2nd line medications<br>Platelet : 134k ⇨ 120k ⇨ 100k ⇨ 48k<br>WBC : 2200 ⇨ 2500 ⇨ 2400 ⇨ 2200<br>Hb : 8.5 ⇨ 8.2 ⇨ 8.6 ⇨ 8.6 |
| A) | Pulmonary TB with lymphadenitis<br>Pleural & pericardial tuberculosis<br>Hypersensitivity reaction to amikacin<br>Thrombocytopenia due to linezolid |
| P) | Linezolid, amikacin 중단.<br>Anti-histamine & topical steroid 적용.<br>Hypersensitivity reaction에 대해서 desensitization protocol 적용 |

## Updated Problem List

#1. Fever with multiple LN enlargement, pulmonary infiltration.

⇨ #1. Pulmonary TB with lymphadenitis

#2. Known pulmonary TB with lymphadenitis. : See #1.

#3. Side effect of anti-TB medications : rash, fever, hepatitis.

⇨ #3. Adverse reaction of TB medications

#4. Pleuritic chest pain with bilateral pleural effusion.

#5. Cardiomegaly.: Pericardial effusion

#6. Pancytopenia with hypo-proliferative anemia (RPI = 0.31)

#7. Intractable GI troube due to rifabutin, prothionamide.: See #3

#8. Hypersensitivity reaction to amikacin, cycloserine.: See #3

#9. Thrombocytopenia due to linezolid : See #3

## Hospital day #15-19

#1. Pulmonary TB with lymphadenitis.
#3. Adverse reaction of TB medications.
#4. Pleuritic chest pain with bilateral pleural effusion
#5. Pericardial effusion

S) 발진, 가려움은 악화되지는 않는다.
우측 흉부통이 더 심해졌다. 밤마다 열은 반복된다.

O) V/S : 116/80mmHg - 102/min - 18/min - 38.3℃
Platelet : 30k ⇨ 54k/uL
Chest X-ray, PA : Increased right pleural effusion.

A) Pulmonary TB with lymphadenitis.
Adverse reaction of TB medications.
Pleural & pericardial tuberculosis

P) Rifampin desensitization
⇨ 0.03mg 부터 시작. 1시간 간격으로 증량하여, 13시간에 걸쳐
총 600mg 을 복용함.
Anti-histamine & topical steroid 에 큰 호전 없는 hypersensitivity
reaction에 대해서 Prednisolone 15mg qd 함께 투약.

입원 당시와 비교하여 both lower lung fields infiltration, both pleural effusion 이 증가하였다.

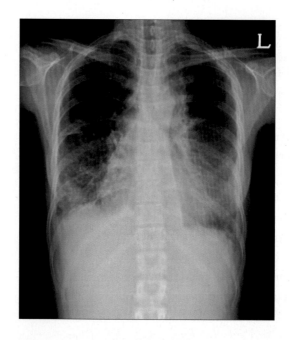

## Hospital day #20-24

#1. Pulmonary TB with lymphadenitis.
#3. Adverse reaction of TB medications.
#4. Pleuritic chest pain with bilateral pleural effusion
#5. Pericardial effusion

| | |
|---|---|
| S) | Rifampin 먹어도 발진, 가려움 좋아지고 있어요. 우측 흉부통도 좋아졌어요. |
| O) | Chest X-ray, PA : Decreased both pleural effusion. |
| A) | Pulmonary TB with lymphadenitis. Adverse reaction of TB medications. Pleural & pericardial tuberculosis |
| P) | Rifampin, prednisolone 15mg qd 유지. Isoniazid desensitization ⇨ 0.02mg 부터 시작. 1시간 간격으로 증량하여, 13시간에 걸쳐 총 300mg을 복용함. Pyridoxine replacement. |

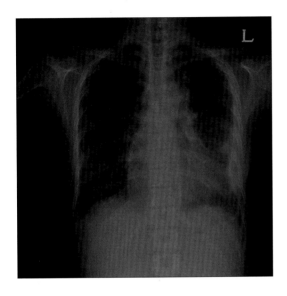

Steroid 적용 4일째, 흉부통 감소와
함께 Chest X-ray 상 both pleural
effusion 감소가 확인 되었다.

#6. Pancytopenia with hypoproliferative anemia (RPI = 0.31)
#10. Anemia progression with reticulocytosis.

Linezolid 중단하면서 혈소판 수치는
회복이 되었다. Rifampin 투약 4일
째, anemia 가 악화 되었고, 입원
당시와 비교하여 reticulocytosis 가
동반되었다.

O) PLT : 54k ⇨ 103k, WBC : 2200 ⇨ 2500, Hb : 8.9 ⇨ 7.9 g/dL
Reticulocyte 3.85%, RPI = 1.07 (previous 0.31)

A) Hemolytic anemia related to rifampin

Peripheral blood smear.
P) Plasma Hb, Haptoglobin, Iron profile check.
BM exam, if deterioration.

## Hospital day #25-26

#1. Pulmonary TB with lymphadenitis.
#3. Adverse reaction of TB medications.
#4. Pleuritic chest pain with bilateral pleural effusion
#5. Pericardial effusion

S) Isoniazid도 잘 먹고 있다.

O) WBC-Hb-Platelet: 2400 - 8.0 - 119k
AST/ALT/ALP/GGT/Total bilirubin : 145/70/151/108/0.3

A) Pulmonary TB with lymphadenitis.
Adverse reaction of TB medications.
Pleural & pericardial tuberculosis
Rifampin & Isoniazid induced hepatotoxicity

Mild transaminase elevation 으로 경과관찰.
P) Rifampin, isoniazid 복용 지속 및 Prednisolone 15mg qd 유지.
Pyrazinamide 추가.

#6. Pancytopenia with hypoproliferative anemia (RPI = 0.31)
#10. Anemia progression with reticulocytosis.

| | |
|---|---|
| O) | Iron 114 ug/dL (50~130), TIBC 145 ug/dL (280 ~ 400)<br>Ferritin 553.4 ng/mL (10 ~290),<br>Haptoglobin 7.8 mg/dL (30 ~ 200), plasma Hb 2.0 mg/dL ( ~ 5)<br>LDH 296 IU/L (120 ~ 250) |
| A) | Extravascular hemolytic anemia |
| P) | Coombs test, FANA check. |

## Hospital day #27

#6. Pancytopenia with hypoproliferative anemia (RPI = 0.31)
#10. Anemia progression with reticulocytosis.
⇨ FANA positive hemolytic anemia

| | |
|---|---|
| S) | Isoniazid도 잘 먹고 있다. |
| O) | Direct Coombs test : 4+ (IgG : 4+, IgM/IgA/C3d -/-/-)<br>Indirect Coombs test : 2+<br>ANA titer : Homogeneous, 1:320 (입원 시점 〈 1:40) |
| A) | FANA positive hemolytic anemia |
| P) | ENA, Anti-dsDNA, C3/C4/CH50 check<br>Anti-phospholipid syndrome study.<br>Routine UA with microscopy, albumin/Cr ratio<br>자가면역질환 관련 병력 청취 보강. |

## Hospital day #28-29

#6. Pancytopenia with hypoproliferative anemia (RPI = 0.31)
#10. FANA positive hemolytic anemia

S) 한달 전부터 양측 손목, 무릎의 관절통이 있었다. 점점 심해진다.
모발이 얇아지고, 많이 빠진다.

O) C3/C4 : 26.6/3.4 mg/dL    CH50 : 16.2 U/mL
Anti-dsDNA : 650 IU/mL (0~7),
ENA : histone Ab positive 8.0 S/C ratio
ACA IgG/IgM, B2-GPI IgG/IgM : Negative.
UA microscopy
: Albumin ++, OB +++, WBC +, Nitrite -
    RBC 11-20/HPF, Dysmorphic RBC 80%, WBC 0-2/HPF
Albumin/Cr ratio (Urine) : 707 mg/g ( ~ 30)

A) Idiopathic SLE, drug induced lupus, cannot excluded.

P) Prednisolone 15mg qd 유지.
Arthralgia에 대해서 hydroxychlroquine 200mg bid추가.
결핵치료 후 lupus nephritis 감별 위해 renal biopsy 고려.

SLICC classification criteria for SLE 에 적용해 보았을 때, Non-scarring alopecia,
Renal involvement (Albuminuria, hematuria),

Hemolytic anemia,
ANA, Anti-dsDNA,
Low complement,
Direct Coombs test 양성으로 진단 기준 7/17를 만족함.

Rash 에 대해서는 약제 과민반응과 감별이 필요함.

Serositis 에 대해서는 Lupus serositis 와 TB pleurisy 와 감별이 필요함.

## Hospital day #28-29

#1. Pulmonary TB with lymphadenitis.
#3. Adverse reaction of TB medications.
#4. Pleuritic chest pain with bilateral pleural effusion
#5. Pericardial effusion

S) 기침, 가래 줄었고, 흉통 없다.

O) WBC-Hb-Platelet: 2400 - 8.6 - 123k
AST/ALT/ALP/GGT/Total bilirubin : 44/34/114/0.3
Sputum AFB stain : Negative

A) Pulmonary TB with lymphadenitis.
Adverse reaction of TB medications.
Pleural & pericardial tuberculosis
Rifampin & Isoniazid induced hepatitis, resolving.

P) Sputum AFB stain 음성 확인 되어 퇴원.
Rifampin, isoniazid, pyrazinamide 6개월 유지.
Prednisolone 15mg qd 유지하면서 외래 추적 관찰.

Idiopathic SLE와 drug induced lupus의 감별이 필요하다.
Anti-dsDNA high titer,
Hypo-complementemia,
Renal involvement
등은 Idiopathic SLE를 더 시사한다.

특히, drug induced lupus 에서 anti-dsDNA 가 양성으로 나오는 경우는 매우 드물다.

따라서, Drug induced lupus 보다는 결핵 감염 및 이에 대한 치료 도중 유발된 idiopathic SLE로 판단했다.

## Updated Problem List

#1. Fever with multiple LN enlargement, pulmonary infiltration.
   ⇨ #1. Pulmonary TB with lymphadenitis
#2. Known pulmonary TB with lymphadenitis. : See #1.

#3. Side effect of anti-TB medications : rash, fever, hepatitis.
   ⇨ #3. Adverse reaction of TB medications

#4. Pleuritic chest pain with bilateral pleural effusion.
   ⇨ #4. Pleural & pericardial tuberculosis or Lupus serositis
#5. Pericardial effusion : See #5.

#6. Pancytopenia with hypo-proliferative anemia (RPI = 0.31)
   ⇨ #6. Idiopathic SLE

#7. Intractable GI troube due to rifabutin, prothionamide. : See #3
#8. Hypersensitivity reaction to amikacin. : See #3
#9. Thrombocytopenia due to linezolid : See #3

#10. FANA positive hemolytic anemia : See #4
#11. Microscopic hematuria with albuminuria : See #4
#12. Maculopapular rash with arthralgia : See #4

## Outpatient clinic visiting

1주일 지나 외래 내원 했고, rifampin, isoniazid, pyrazinamide 3제 결핵약에 대해서 특별한 부작용 없이 복용을 유지하고 있었다. 이에 대해서 6개월 유지할 계획을 세웠다.

SLE 에 대해서도 prednisolone 15mg qd에 대해서 천천히 감량하기로 하였고, 장기적으로 hydroxychloroquine 200mg bid를 유지 및 향후 결핵 치료 후 renal involvement 여부 확인을 위해서 kidney biopsy를 고려하기로 하였다.

## Lesson of the case

결핵에 대한 치료를 시작하면서 과민반응은 상대적으로 흔하게 경험하게 되지만, 이번 증례에서와 같이 여러 약제에 동시 다발적인 과민반응을 갖고 있는 경우는 드물다.

본 증례의 경우 Herxheimer reaction을 고려하여 소량의 스테로이드 사용이 도움이 될 수 있으며, 중요 결핵약제에 대해서 탈감작을 시도해 볼 수 있다.

본 증례는 결핵 환자에게서 루프스가 진단된 경우로 감염증은 루프스의 유발

Herxheimer reaction : 균 감염증에 대한 항생제 치료 도중 악화되는 전신 염증반응에 대해 기술한 것. dead bacteria 에 대한 과민반응이 기전으로 제시되고 있다.

ACD(Anemia of chronic disease)의 iron profile은 전형적으로 serum iron, TIBC 가 낮고, serum ferritin 높은 값을 보인다.
본 증례에서는 결핵이라는 만성 질환을 갖고 있으며, serum ferritin이 높고, TIBC 가 낮지만, serum iron이 정상 범위에 있어 전형적인 ACD pattern에는 합당하지 않았다

인자이기도 하다. 결핵과 같은 만성 감염증 환자에서 만성 질환에 의한 빈혈 (Anemia of chronic disease)은 흔하게 발생할 수 있지만 전형적인 패턴이 아니라면 적극적인 검사를 통해 원인을 규명하는 것이 진단 및 치료에 도움이 될 것으로 보인다.

## CASE 22

# 1주 전 시작된 호흡곤란으로 내원한 84세 여자

## Chief Complaints

Dyspnea, Started 1 week ago

## Present Illness

17년 전, 심방 세동 및 완전방실차단 진단되어 aspirin 100mg 복용 시작하였고 영구 심박동기 삽입하였다.

2년 전 양측 다리 부종으로 입원하여 systolic eart failure진단받았고 심방 세동에 대하여 다시 평가한 결과 CHA2DS2 VASc 5점(C, H, A2, Female)으로 Aspirin 중단하고 warfarin 2mg 항응고치료 시작하였다.

5주 전, 손가락 한마디 정도의 검은 변과 변기가 가득 찰 만큼의 선홍색의 변을 1차례 본 후 본원 응급실 내원하였고 당시 혈액검사에서 Hemoglobin 7.0, PT(INR) 4.3이었다. 상부위장관내시경에서 위궤양 (gastric ulcer with bleeding  at high body/posterior wall and uge gastric ulcer at antrum/great curvature) 확인되어서 조직검사 시행하였고 high grade dysplasia 소견이었다. 당시 입원 거부하여 proton pump inhibitor 복용하기로 하고 warfarin 2mg으로 유지하기로 하고 퇴원하였으며 1달 뒤 상부 위장관 검사하기로 하였다.

1주 전부터 양측 다리 부종 악화되었고 호흡곤란 발생하여 내원하였다.

Associated symptom) orthopnea (+),  chest discomfort (-)

## Past History

- Brain tumor s/p craniotomy (40YA)
- Severe TR with Secondary resting pulmonary HTN (16YA)
- Bronchiectasis (8YA)

- HTN/DM/ TB/Hepatitis (+/-/+/-) : TB pleurisy(50YA)

CHA2DS2-VASc
: non-valvular AF에서 stroke risk 평가 및 antithrombotic therapy 추천

C : Congestive heart failure/LV dysfunction (score 1)
H : Hypertension (score 1)
A : Age >= 75 (score 2)
D : DM (score 1)
S : Stroke/TIK/thrombo-embolism (score 2)
V : Vascular disease including prior MI, peripheral artery disease and aortic plaque (score 1)
A : Age 65~74 (score 1)
S : female (score 1)

Total score
>=2 : OAC(oral anticoagulant)
1 : OAC or aspirin
0 : aspirin or no antithrombotic therapy

\# Current medication
- Isosorbide dinitrate     40mg bid
- Furosemide     40mg bid
- Digoxin     0.125mg qd
- Warfarin     2mg p8

## Family History

Hypertension (-)    Malignancy (-)    Arrhythmia (-)
Coronary artery disease (-)

## Social History

Occupation: none
Alcohol (-)
Smoking (-)

## Review of Systems

### General

| | |
|---|---|
| General weakness (-) | Febrile sense (-) |

### Skin

| | |
|---|---|
| rash (-) | pruritus (-) |

### Head / Eyes / ENT

| | |
|---|---|
| headache (-) | rhinorrhea (-) |
| sore throat (-) | oral ulcer (-) |

### Respiratory

| | |
|---|---|
| cough (-) | sputum (-) |

### Gastrointestinal

| | |
|---|---|
| abdominal pain (-) | nausea / vomiting (-/-) |
| hematemesis (-) | melena (-) |

### Genitourinary

| | |
|---|---|
| flank pain (-) | gross hematuria (-) |

## Musculoskeletal

pretibial pitting edema (+++/+++)   tingling sense (-)
back pain (-)                       muscle pain (-)

# Physical Examination

Height 148.1cm, weight 51.1kg
body mass index 23.29kg/m$^2$

## Vital Signs

BP 112/65mmHg-HR 77/min-RR 24/min-BT 36.5℃

## General Appearance

Acute ill - looking appearance    alert
oriented to time, person, place

## Skin

normal skin color and texture    ecchymosis (-)
rash (-)                          purpura (-)
spider angioma (-)                palmar erythema (-)
cool & wet

## Head / Eyes / ENT

whitish sclerae    neck vein engorgement (+/+)

## Chest

Symmetric expansion
Tactile fremitus: symmetric
Crackle (+): Rt.anterior lower chest

## Heart

regular rhythm    pansystolic murmur (GradeIII) on left lower sternal border

## Abdomen

| | |
|---|---|
| Soft and flat  abdomen | normoactive bowel sound |
| hepatomegaly (-) | splenomegaly (-) |
| Tenderness  (-) | shifting dullness (-) |

## Back and extremities

| | |
|---|---|
| pretibial pitting edema (+++/+++) | costovertebral angle tenderness(-) |

# Initial Laboratory Data

이전 응급실 퇴원 당시 Hb8.9 g/dl 에 비해 현저한 감소는 보이지 않음.

## CBC

| WBC $4{\sim}10\times10^3/mm^3$ | 6.900 | Hb (13~17 g/dl) | 8.4 |
|---|---|---|---|
| platelet $(150{\sim}350\times10^3/mm^3)$ | | 195,000 | |
| MCV(81~96 fl) | 98 | MCHC(32~36 %) | 34 |

## Chemical & Electrolyte battery

| Ca (8.3~10 mg/dL) /P (2.5~4.5 mg/dL) | 8.6/3.5 | glucose (70~110 mg/dL) | 100 |
|---|---|---|---|
| protein (6~8 g/dL)/ albumin (3.3~5.2 g/dL) | 7.0/2.8 | aspartate aminotransferase (AST)(~40 IU/L) /alanine aminotransferase (ALT)(~40 IU/L) | 22 6 |
| alkaline phosphatase (ALP)(40~120 IU/L) | 84 | C-reactive protein (~0.6mg/dL) | 0.28 |
| total bilirubin (0.2~1.2 mg/dL) | 0.5 | BNP(0~100 pg/mL) | 906 |
| BUN(10~26mg/dL) /Cr  (0.7~1.4mg/dL) | 25/1.24 | estimated GFR ( $\geq$60ml/min/1.7m$^2$) | 40 |
| Na(135~145mmol/L) / K(3.5~5.5mmol/L) / Cl(98~110mmol/L) | 140/4.3/100 | total CO$_2$ (24~31mmol/L) | 26.3 |

## Coagulation battery

| | | | |
|---|---|---|---|
| prothrombin time (PT) (70~140%) | 30.3 | PT (INR) (0.8~1.3) | 2.39 |
| activated partial thromboplastin time (aPTT) (25~35 sec) | 34.4 | | |

## Chest PA

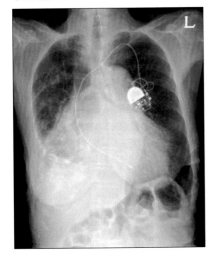

1) PPM삽입상태로,
2) Cardiomegaly 소견이 보이고
3) Rt.lung lesion은 이전 TB에 의한 sequle로 이전 CXR과 비교했을 때 차이는 없었다.

## Electrocardiogram

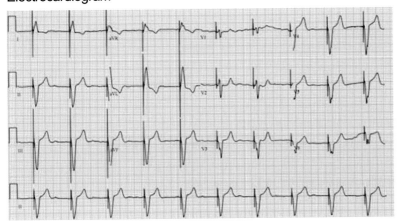

V pacing, rate 60회

## Esophagogastroduodenoscopy (내원 5주 전)

Huge gastric ulcer scar(S2) at antrum

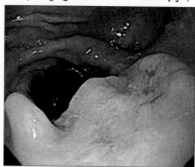

Gastric ulcer(A2) at High body/posterior wall

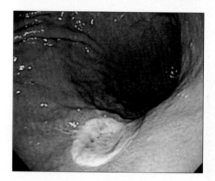

## Initial Problem List

#1. TB pleurisy (50YA)

#2. Brain tumor s/p Tumor resection (40YA)

#3. HTN (22YA)

#4. Bronchiectasis (8YA)

#5. Atrial fibrillation (17YA)

#6. Complete AV block s/p PPM insertion (17YA)

#7. Severe TR with secondary resting pulmonary HTN (16YA)

#8. Systolic heart failure (2YA)

#9. Gastric ulcer with bleeding at high body/posterior wall
   Huge gastric ulcer at antrum/great curvature

#10. Dyspnea with both leg pitting edema

#11. Anemia

#8. Systolic heart failure
#10.Dyspnea with both leg pitting edema
#11. Anemia

A)  Heart failure aggravation d/t anemia

Diagnostic plan〉
Consider Echocardiography
Treatment plan〉
P)  1) Consider Transfusion
2) Heart failure medication: 이뇨제
3) Education plan: 약을 잘 먹도록 교육함.

#9. Gastric ulcer with bleeding  at high body/posterior wall
Huge gastric ulcer at antrum/great curvature
#11. Anemia

A)  High grade dysplasia

Diagnostic plan〉
Follow-up EGD: 육안소견이 cancer 의심되어 재시행하기로 함
P)  Treatment plan〉
Proton pump inhibitor 유지

## Hospital day #1-6

#8. Systolic heart failure
#10.Dyspnea with both leg pitting edema

S)  숨찬 것도 좋아졌어요. (NYHA Fc IV ⇨ III)
약이 너무 많아서 사실 그 동안 잘 안 먹었어요.

O)  Decreased leg pitting edema (+++/+++ ⇨ ++/++)

A)  Heart failure aggravation d/t poor compliance

P)  1) 기존 약제 및 이뇨제 유지
2) Education plan: 약제 조정 및 복약 시간 조정, 순응도 교육

## F/U EGD (Hospital day #7)

r/o adenoma or EGC, IIa at antrum/Greater curvature

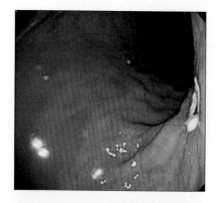

Gastric ulcer, H1 at Mid-body/Posterior wall

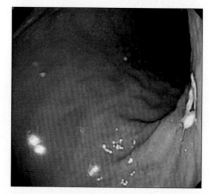

## Hospital day #7-8

#9. Gastric ulcer with bleeding   at high body/posterior wall
Huge gastric ulcer at antrum/great curvature
(Bx : High grade dysplasia)
#11. Anemia

| | |
|---|---|
| S) | 혈변 안 봤어요. |
| O) | Melena (-)  Hematochezia (-)<br>Hb 8.5 g/dL |
| A) | Gastric ulcer, H1 (Mid body, posterior wall)<br>R/O adenoma or early gastric cancer, IIa (antrum, great curvature) |
| P) | 추후 Biopsy 결과 확인하기로 하고 퇴원함 |

## Updated Problem List

#1. TB pleurisy (50YA)

#2. Brain tumor s/p Tumor resection (40YA)

#3. HTN (22YA)

#4. Bronchiectasis (8YA)

#5. Atrial fibrillation (17YA)

#6. Complete AV block s/p PPM insertion (17YA)

#7. Severe TR with Secondary resting pulmonary HTN (16YA)

#8. Systolic heart failure (2YA)

#9. Gastric ulcer with bleeding at high body/posterior wall

  Huge gastric ulcer at antrum/great curvature

#10. Dyspnea with both leg pitting edema

  ⇨ Acute decompensated Heart failure d/t poor compliance ⇨ resolved

#11. Normocytic normochromic anemia

# 2nd Admission

## Chief Complaint

Hematochezia, started 3days ago

## Brief Present Illness

내원 3일 전( 퇴원 익일 )부터 혈변 지속되어 warfarin 자가 중단하였으나 혈
변이 지속되어 응급실로 내원하였다. 이전 입원시 시행한 조직검사에서
Tubular adenoma with high grade 로 확인되었다.

Digital rectal exam: Bloody stool

## Review of Systems

### General

General weakness (-)     Febrile sense (-)

### Skin

rash (-)       pruritus (-)

### Head / Eyes / ENT

| | |
|---|---|
| headache (-) | rhinorrhea (-) |
| sore throat (-) | oral ulcer (-) |

### Respiratory

| | |
|---|---|
| cough (-) | sputum (-) |

### Gastrointestinal

| | |
|---|---|
| abdominal pain (-) | nausea / vomiting (-/-) |
| hematemesis (-) | melena (-) |

### Genitourinary

| | |
|---|---|
| flank pain (-) | gross hematuria (-) |

### Musculoskeletal

| | |
|---|---|
| pretibial pitting edema (2+/2+) | tingling sense (-) |
| back pain (-) | muscle pain (-) |

## Physical Examination

### Vital Signs

BP 142/62mmHg - HR 80/min- RR 20/min- BT 36.6℃

### General Appearance

| | |
|---|---|
| acute ill - looking appearance | alert |
| oriented to time, person, place | |

### Skin

| | |
|---|---|
| normal skin color and texture | ecchymosis (-) |
| rash (-) | purpura (-) |
| spider angioma(-) | palmar erythema(-) |

### Head / Eyes / ENT

| | |
|---|---|
| sclerae (-) | neck vein engorgement (-/-) |

## Chest

Symmetric expansion

Tactile fremitus: symmetric

Crackle(+): Rt.anterior lower chest

## Heart

regular rhythm     pansystolic murmur(GradeIII) on left lower sternal border

## Abdomen

Soft and flat  abdomen                normoactive bowel sound

hepatomegaly (-)                      splenomegaly (-)

tenderness(-)                         shifting dullness (-)

## Back and extremities

pretibial pitting edema (++/++)       costovertebral angle tenderness(-)

## Initial Laboratory Data

### CBC

| | | | |
|---|---|---|---|
| WBC $4 \sim 10 \times 10^3/mm^3$ | 6.500 | Hb ($13 \sim 17$ g/dl) | 6.0 |
| platelet ($150 \sim 350 \times 10^3/mm^3$) | | 199,000 | |
| MCV($81 \sim 96$ fl) | 99 | MCHC($32 \sim 36$ %) | 32 |

## Chemical & Electrolyte battery

| | | | |
|---|---|---|---|
| protein (6~8 g/dL)/ albumin (3.3~5.2 g/dL) | 7.0/2.9 | aspartate aminotransferase (AST)(~40 IU/L) /alanine aminotransferase (ALT)(~40 IU/L) | 23<br><br>9 |
| alkaline phosphatase (ALP)(40~120 IU/L) | 68 | C-reactive protein (~0.6mg/dL) | 0.17 |
| total bilirubin (0.2~1.2 mg/dL) | 0.5 | BNP(0~100 pg/mL) | 1560 |
| BUN(10~26mg/dL) /Cr (0.7~1.4mg/dL) | 42/1.49 | estimated GFR ( ≥60ml/min/1.7m$^2$) | 33 |
| Na(135~145mmol/L) / K(3.5~5.5mmol/L) / Cl(98~110mmol/L) | 144/3.7/107 | total $CO_2$ (24~31mmol/L) | 23.4 |

## Coagulation battery

| | | | |
|---|---|---|---|
| prothrombin time (PT) (70~140%) | 43.5 | PT (INR) (0.8~1.3) | 1.67 |
| activated partial thromboplastin time (aPTT) (25~35 sec) | 27.9 | | |

## Chest PA

2월17일 입원 당시 CXR 비교하여 Cardiomegaly 증가 혹은 pulmonary edema등의 변화는 보이지 않음.

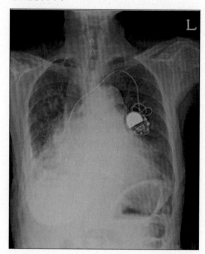

### Electrocardiogram

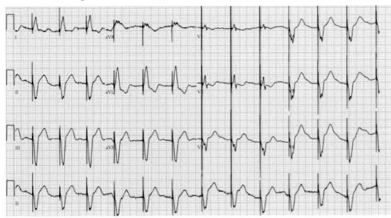

이전 ECG와 비교하여 특별한 변화
는 관찰되지 않았습니다.

## Initial Problem List

#1. TB pleurisy (50YA)

#2. Brain tumor s/p Tumor resection (40YA)

#3. HTN (22YA)

#4. Bronchiectasis (8YA)

#5. Atrial fibrillation (17YA)

#6. Complete AV block s/p PPM insertion (17YA)

#7. Severe TR with Secondary resting pulmonary HTN (16YA)

#8. Systolic heart failure (2YA)

#9. Gastric ulcer with bleeding at high body/posterior wall
Huge gastric ulcer at antrum/great curvature

#10. Dyspnea with both leg pitting edema
⇨ Acute decompensated Heart failure d/t poor compliance ⇨ resolved

#11. Normocytic normochromic anemia

#12. Hematochezia

#9. Gastric ulcer with bleeding at high body/posterior wall
    Huge gastric ulcer at antrum/great curvature
#12.Hematochezia

| A) | Upper GI bleeding d/t high grade dysplasia,less likely<br>Lower GI bleeding, more likely |
| --- | --- |
| P) | Diagnostic plan〉<br>    EGD<br>    SFS<br>Treatment plan〉<br>    Stop warfarin<br>    Transfusion |

## EGD

Bleeding focus 명확하지 않고 이 전과 비교해서 큰 변화 없었음.

Gastric ulcer A2 at Mid-)body/Posterior wall

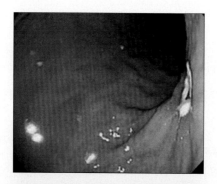

Gastric adenoma vs. EGC IIb at antrum GC

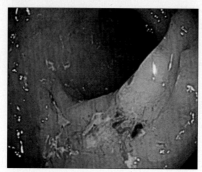

# SFS (ER 내원 당시)

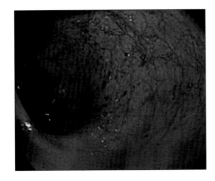

관찰가능 범위 내에서는 출혈의 증거
가 없었습니다.

## Hospital day #1-2

#9. Gastric ulcer with bleeding at high body/posterior wall
   Huge gastric ulcer at antrum/great curvature
#12.Hematochezia

S)    아직 변 못 봤어요.

      Hb 9.6 g/dL
      Biopsy
O)    -      Gastric ulcer(A2) at high body/posterior wall
      -      EGC at antrum (adenocarcinoma, well-differentiated)
      -      Helicobacter pylori infection

A)    EGC

P)    Diagnostic plan
         APCT

## Updated Problem List

#1.  TB pleurisy (50YA)

#2.  Brain tumor s/p Tumor resection (40YA)

#3.. HTN (22YA)

#4.  Bronchiectasis (8YA)

#5.  Atrial fibrillation (17YA)

#6.  Complete AV block s/p PPM insertion (17YA)

#7.  Severe TR with Secondary resting pulmonary HTN (16YA)

#8.  Systolic heart failure (2YA)

#9.  Gastric ulcer with bleeding at high body/posterior wall
        Huge gastric ulcer at antrum/great curvature
        ⇨ EGC at antrum, benign gastric ulcer at high body

#10.Dyspnea with both leg pitting edema
　　⇨ Acute decompensated Heart failure d/t poor compliance ⇨ resolved
#11. Normocytic normochromic anemia ⇨ see #9
#12. Hematochezia ⇨ see #9

## Lesson of the case

EGD에서 육안적으로 악성종양이 의심되는 병변이 있다면 조직검사에서 음성으로 나와도 반복적인 조직검사가 반드시 필요하다. Warfarin복용중인 환자에서 출혈이 발생했을 때, warfarin의 CVA등에 대한 예방적 효과와 출혈 위험성을 비교하여 사용하는 것이 필요하다.

# 14일 전 시작된 인후통으로 내원한 58세 남자

## Chief Complaints

Sore throat, started 2 weeks ago

## Present Illness

2주 전 인후통 발생 후, 음식 삼키기 어려울 정도로 악화되며 목소리 변화 동반하였다. 2일 전 본원 이비인후과 외래 내원하여, 경구 항생제 처방 받아 귀가하였으나 통증 호전되지 않고 발열 동반하여 응급실 통해 입원하였다.

## Past History

Acute myocardial infarction

      s/p Stent insertion at RCA (20 years ago)

Recurrent episodes of idiopathic anaphylaxis (20 years ago)

Hyperlipidemia (18 years ago)

Hypertension (14 years ago)

Stable angina, 3VD, diffuse in-stent-restenosis at RCA

      s/p CABG (12 years ago)

Diabetes mellitus (3 years ago)

Scleritis, OU (3 months ago)

Medication: metformin 500mg bid, sitagliptin 50mg qd

        aspirin 100mg qd, amlodipin 5mg qd, atorvastatin 20mg qd

## Family History

Ischemic heart disease (+) 어머니, 형          Malignancy (-)

## Social History

Occupation: 사무직

Smoking (+) Current, 30 pack-year

Alcohol (-)

Travel history (-)

## Review of Systems

### General

| | |
|---|---|
| Weight loss (+, 3kg/1months) | Myalgia (+) |
| Chills (-) | |

### Head / Eyes / ENT

| | |
|---|---|
| Headache (-) | Visual disturbance (-) |
| Hearing disturbance (-) | Rhinorrhea (-) |

### Respiratory

| | |
|---|---|
| Cough (-) | Sputum (-) |
| Dyspnea (-) | Hemoptysis (-) |

### Cardiovascular

| | |
|---|---|
| Chest pain (-) | Palpitation (-) |
| Orthopnea (-) | |

### Gastrointestinal

| | |
|---|---|
| Anorexia/nausea/vomiting/diarrhea/constipation (-/-/-/-/-) | |
| Melena/hematochezia/hematemesis (-/-/-) | Abdominal pain (-) |

### Genitourinary

| | |
|---|---|
| Frequency (-) | Dysuria (-) |
| Hematuria (-) | Voiding difficulty (-) |

### Neurologic

| | |
|---|---|
| Motor weakness (-) | Sensory change (-) |

## Skin

Rash (-)

## Physical Examination

Height 171 cm, Weight 53.8 kg, BMI 18.42 kg/m$^2$

## Vital Signs

BP 110/70 mmHg - HR 83/min - RR 18/min - BT 38.0℃

## General Appearance

Acutely ill-looking      Alert and oriented to time, person, place

## Skin

Rash (-)      Purpura (-)

## Head / Eyes / ENT

Whitish sclerae      Pinkish conjunctivae

Post nasal drip (-)      Pharyngeal injection (-)

Tonsilar hypertrophy (++/+)      Neck vein engorgement (-)

Palpable lymph node (-)      Palpable neck mass (-)

Neck tenderness (+, Rt. Submandibular area)

## Chest

Normal contour, symmetric expansion without retraction

Clear breathing sound without wheezing or crackles

Regular heart beats without murmur

## Abdomen

Soft & flat abdomen      Normoactive bowel sound

Abdominal tenderness (-)      Rebound tenderness (-)

Palpable liver (-)      Palpable spleen (-)

## Back and extremities

CVAT (-/-)                 Pretibial pitting edema  (-/-)

## Neurology

Motor weakness (-)         Sensory disturbance (-)

Gait disturbance (-)

# Initial Laboratory Data

## CBC

| WBC<br>$4\sim10\times10^3/mm^3$ | 12,900 | Hb (13~17 g/dl) | 11.4 |
|---|---|---|---|
| WBC<br>differential count | neutrophil  65.6%<br>lymphocyte 13.2%<br>eosiniphil  16.9% | platelet<br>$(150\sim350\times10^3/mm^3)$ | 364 |

## Chemical & Electrolyte battery

| Ca (8.3~10 mg/dL)<br>/P (2.5~4.5 mg/dL) | 9.1/3.7 | glucose<br>(70~110 mg/dL) | 156 |
|---|---|---|---|
| protein (6~8 g/dL)/<br>albumin (3.3~5.2 g/dL) | 7.0/2.3 | aspartate aminotransferase<br>(AST)(~40 IU/L)<br>/alanine aminotransferase<br>(ALT)(~40 IU/L) | 18<br><br>24 |
| alkaline phosphatase<br>(ALP)(40~120 IU/L) | 145 | total bilirubin<br>(0.2~1.2 mg/dL) | 0.7 |
| BUN(10~26mg/dL)<br>/Cr (0.7~1.4mg/dL) | 31/1.42 | C-reactive protein<br>(~0.6 mg/dL) | 10.26 |
| Na(135~145mmol/L)<br>/ K(3.5~5.5mmol/L)<br>/ Cl(98~110mmol/L) | 137/4.7/101 | total $CO_2$<br>(24~31mmol/L) | 24.5 |

## Coagulation battery

| | | | |
|---|---|---|---|
| prothrombin time (PT) (70~140%) | 98.7 | activated partial thromboplastin time (aPTT) (25~35 sec) | 27.9 |

## Urinalysis without microscopy

| | | | |
|---|---|---|---|
| specific gravity (1.005~1.03) | 1.015 | pH (4.5~8) | 5.0 |
| albumin (TR) | ++ | glucose (-) | - |
| ketone (-) | - | occult blood (-) | ++++ |
| bilirubin (-) | - | Urobilinogen | trace |
| WBC (-) | - | nitrite (-) | - |

## Chest PA

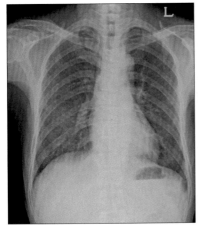 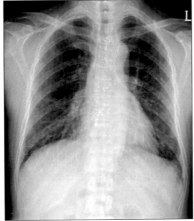

Previous chest x-ray (2 years ago)

2년 전 본원 영상과 비교 시 Rt. Lower lung field의 opacity가 diffuse하게 증가되어 있다. 이외 tracheal deviation, cardiomegaly, pleural effusion 등은 관찰되지 않았다.

## Electrocardiogram

HR 90 회의 normal sinus rhythm
이다

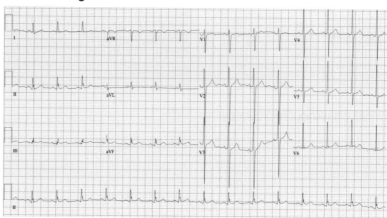

## Laryngoscope

Rt. tonsil 커져있고, Arytenoid 및
piriform sinu의 swelling 보인다.

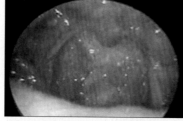 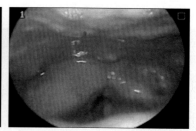

# Initial Problem List

#1. Sore throat, Odynophagia

#2. Fever

#3. Normocytic normochromic anemia

#4. Peripheral eosinophilia

#5. Azotemia, FENa 0.5%

#6. Elevation of CRP

#7. Hematuria, albuminuria

#8. Increased opacity in Rt. Lower lung zone on chest x-ray

#9. h/o Acute myocardial infarction

    s/p Stent insertion at RCA (20 years ago)

    h/o Stable angina, 3VD, diffuse in-stent-restenosis at RCA

    s/p CABG (12 years ago)

#10. Recurrent episodes of idiopathic anaphylaxis & urticaria (20 years ago)

#11. Hyperlipidemia (18 years ago)

#12. Hypertension (14 years ago)

#13. Diabetes mellitus (3 years ago)

#14. h/o Scleritis, OU (3 months ago)

## Initial Assessment and Plan

#1. Sore throat, Odynophagia

#2. Fever

#6. Elevation of CRP

    A)    Tonsilitis, Hypopharyngitis with or without abscess formation

        Diagnostic plan
          1) Blood culture
          2) Neck CT with enhancement

    P)

        Therapeutic plan
          1) Ampicillin/Sulbactam iv
          2) Incision & drainage if an abscess is present

#2. Fever

#6. Elevation of CRP

#8. Increased opacity in Rt. Lower lung zone on chest x-ray

    A)    Pneumonia

        Diagnostic plan
          Sputum gram stain/culture,
          Sputum mycoplasma, legionella pneumonia PCR
          Respiratory virus PCR

    P)        Pneumococcal & Legionella urinary antigen
          Chest x-ray follow-up, Blood culture

    –    Therapeutic plan
          Ampicillin/Sulbactam iv

#4. Peripheral eosinophilia

    A)    Parasite infection
        Eosinophilic pneumonia

        Diagnostic plan
          Induced sputum eosinophil count, Total IgE
          Stool culture, Parasite antibody test

    P)

        Therapeutic plan
          Empirical albendazole for 7 days, Praziquantel for 1 day

#11. Azotemia, FENa 0.5%

A) Prerenal azotemia

P) Diagnostic plan
　　BUN, Cr follow-up
　Therapeutic plan
　　Normal saline hydration

# Hospital day #1

#1. Sore throat, Odynophagia
#2. Fever
#6. Elevation of CRP

〈Neck CT〉
Rt. tonsil 및 arytenoids 커져있으며, hypopharynx mucosal enhancement 보인다. Rt. Tonsil 및 piriform sinus 주변으로 1cm 이상의 low-attenuation lesion 보여 early stage abscess formation 가능한 소견이다

〈Laryngoscope〉
Peritonsilar abscess 가능성에 대해 incision 시행하였지만 pus 보이지 않고, bloody discharge 만 확인되었다.

O)

CT, neck with enhancement

A) Tonsillitis, hypopharyngitis with abscess formation

P) Ampicillin/Sulbactam 유지

# Hospital day #3

#1. Sore throat, Odynophagia
#2. Fever
#6. Elevation of CRP

S) 삼킬 때 통증은 조금 나아졌습니다. 열은 계속되고 있습니다.

O) BP 107/56mmHg - HR 81/min - RR 18/min - BT 38.1℃
   WBC 12,900/uL, CRP 14.73mg/dL

A) Tonsillitis, hypopharyngitis with abscess formation

P) Ampicillin/Sulbactam 유지

#2. Fever
#6. Elevation of CRP
#8. Increased opacity in Rt. Lower lung zone on chest x-ray

S) 기침이나 가래는 없습니다.

내원 시와 비교하여 Rt. lower lung field patchy opacity 증가하여 Chest CT with enhancement 시행하였다.

Blood & sputum culture: 2 day no growth
Sputum mycoplasma, legionella pneumoinia PCR (-)
Respiratory virus PCR (-)
Legionella & pneumococcal urinary antigen (-/-)

O)
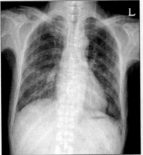

CT, chest with enhancement

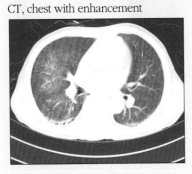

RML, RLL에 GGO with reticular opacity 보여 당시 pneumonia 또는 aspirated blood 로 판단하였다.

A) Aggravation of pneumonia

P) Antibiotic escalation to piperacillin/tazobactam and levofloxacin

# Hospital day #5

#1. Sore throat, Odynophagia
#2. Fever
#6. Elevation of CRP

| | |
|---|---|
| S) | 목 붓기는 죽 삼킬 정도로는 좋아졌습니다. |

Hypopharynx swelling 은 현저히 호전되었다.

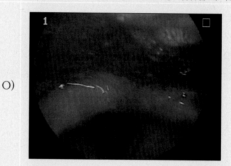

| | |
|---|---|
| O) | |
| A) | Tonsillitis, hypopharyngitis with abscess formation : improving status |
| P) | Medical treatment and supportive care |

#2. Fever
#3. Normocytic normochromic anemia
#6. Elevation of CRP
#8. Increased opacity in Rt. Lower lung zone on chest x-ray

| | |
|---|---|
| S) | 기침하면서 가래와 섞인 피가 나왔습니다. |

항생제 변경 후에도 Rt. lower lung field haziness 범위가 점차 증가하였다.

CT review 하였고, Diffuse GGO pattern 보이는 것 및, Anemia 동반된 점 고려할 때 Alveolar hemorrhage 가능성에 대해 Bronchoscopy with BAL 계획하였다

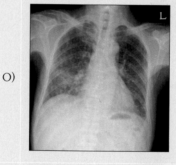

| | |
|---|---|
| O) | |
| A) | Diffuse alveolar hemorrhage<br>Progression of pneumonia |
| P) | Bronchoscopy with BAL<br>Maintain piperacillin/tazobactam + Levofloxacin |

#4. Peripheral eosinophilia

Parasite antibody all negative로 albendazole 중단하였다.

O)

WBC 11,700 /uL (Eosinophil 9.3%, 980 /uL)
Toxocara antibody: negative
Clonorchis antibody: negative
Paragonimus antibody: negative
Cysticercus antibody: negative
Sparganum antibody: negative

Total IgE 214 KU/L
Stool helmingth ova, protozoa cyt & trophozoite: not observed

A)   Parasite infection, less likely

P)   Stop albendazole

## Hospital day #7

#2. Fever
#6. Elevation of CRP
#8. Increased opacity in Rt. Lower lung zone on chest x-ray
#15. Hemoptysis

S)   가래 뱉을 때 피 섞여 나오는 건 계속되고 있습니다.

Bronchoscopy

O)

BAL fluid analysis: RBC 220,000 /uL
                    WBC 450 (N 45%, L 2%, Eo 13%, Ma 40%)
BAL 시행시 sequential하게 bloody해지는 양상으로 drain됨

A)   Diffuse alveolar hemorrhage

P)   BAL fluid culture 결과 및 connective tissue disease w/u

BAL 시행했을 때 drain되는 fluid가 sequetial하게 점점 bloody해지는 양상으로, 이는 Diffuse alveolar hemorrhage로 진단되는 소견이다.

BAL fluid WBC count는 흡연자임을 고려할 때 정상 범위에 속하고, Eosinophil count 25% 미만으로 Eosiniphilic pneumonia 배제되었다.

Diffuse alveolar hemorrhage에 대해 Coagulopathy, Infection, Connective tissue disease 등을 감별해야 한다.

Anemia, azotemia 악화되었고, 앞서 언급한 alveolar hemorrhage 와 연관시켜보면 systemic vasculitis의 kidney involvement 가능성이 높았다.

DM Retinopathy 없고, Hematuria 동반한 점 고려하면 DM nephropathy 가능성은 낮았다.

#3. Normocytic normochromic anemia

#5. Azotemia

#7. Hematuria, albuminuria

| | |
|---|---|
| S) | 소변보면서 불편한 증상은 없습니다. |
| O) | Hb 7.6g/dL<br>BUN/Creatinine 54/2.70 mg/dL, (FENa 4.8%) |
| A) | Renal involvement of systemic vasculitis<br>DM nephropathy, less likely<br>Multiple myeloma, less likely |
| P) | Urine albumin/creatinine ratio<br>Dysmorphic RBC<br>Urine & Serum PEP/IEP<br>Kappa/Lambda free light chain ratio |

처음 History taking 시 myalgia로 판단했던 증상에 대해 자세히 물어보자 arthralgia에 더 합당하였고 systemic vasculitis 가능성을 더욱 뒷받침하였다.

#16. Arthralgia

| | |
|---|---|
| S) | 지금 손으로 물건 쥐거나 걷기 어려울 정도로 통증 심합니다.<br>1달 전부터 무릎부터 팔꿈치, 손목, 어깨가 아팠습니다. |
| O) | Peri-articular pain during active movement<br>No pain on passive movement<br>Joint swelling / heatness / redness (-/-/-)<br>CK 33 IU/L, Myoglobin 90 ng/mL |
| A) | Symptom of systemic vasculitis<br>Rhabdmyolysis, less likely<br>Rheumatoid arthritis, less likely |

# Hospital day #8

#1. Sore throat, Odynophagia
#2. Fever
#3. Normocytic normochromic anemia
#5. Azotemia
#6. Elevation of CRP
#7. Hematuria, albuminuria
#8. Increased opacity in Rt. Lower lung zone on chest x-ray
#14. h/o Scleritis, OU (3 months ago)
#15. Hemoptysis
#16. Arthralgia

O)
BAL culture: no growth
Urine albumin/creatinine ratio 784.0 mg/g
Dysmorphic RBC 1%
Urine & Serum PEP: no abnormal zone of restriction
Kappa/Lambda free light chain ratio: 1.2

A)
Systemic vasculitis with involvment of upper & lower airway, kidney and eyes

P)
Antinuclear antibody, Anti-neutrophil cytoplasmic antibody 확인

3개월 전 발생한 scleritis 부터 이번 입원 시 확인된 여러 문제를 연관지어 판단하면, Systemic vasculitis를 의심할 수 있었고, ANA, ANCA 확인하기로 하였다.

# Hospital day #9

#1. Sore throat, Odynophagia
#2. Fever
#3. Normocytic normochromic anemia
#5. Azotemia, FENa 0.5% → Intrinsic azotemia, FENa 4.8%
#6. Elevation of CRP
#7. Hematuria, albuminuria
#8. Increased opacity in Rt. Lower lung zone on chest x-ray
#14. h/o Scleritis, OU (3 months ago)
#15. Hemoptysis
#16. Arthralgia

S)
열이 계속 되어 힘들고, 근육통도 비슷합니다.
가래에서 피는 더 이상 나오지 않았습니다.

O)
BP 126/ 80mmHg - HR 109/min - RR 24/min - BT 38.3℃
ANA 〈1:40, c-ANCA (+, PR3)

A)
c-ANCA associated vasculitis
: Granulomatosis with polyangiitis

P)
Kidney or Lung biopsy
High dose steroid (mPD 1mg/kg) 투여
Biopsy 결과 확인 후 Cytotoxic agent 투여

환자는 Eosinophillia 있지만 Allergic manifestation 없고 c-ANCA + 인 점, 그 외 여러 임상상이 Granulomatosis with polyangitis에 더 합당하다. (Eosinophillic granulomatosis polyangitis의 경우 90% 이상에서 asthma, allergic rhinitis를 동반한다.)

Vasculititis 의심되나 세부 카테고리가 불분명할 때 steroid 먼저 시작할 수 있고, 이후 진단이 확실해지고 침범 장기 및 중증도에 따라 immunosuppressant 투여, Steroid는 감량 및 중단 고려한다.

# Hospital day #10

Lung biopsy 의 진단적 가치가 높지만 alveolar hemorrhage 동반된 상태로 위험이 적은 kidney biopsy 시행하기로 결정하였다.

갑작스러운 Respiratory distress 보였고, chest x-ray 상 multifocal consolidation 급격하게 진행하였다.

| | |
|---|---|
| S) | 신장 조직 검사하고 돌아오는데 갑자기 몸이 떨리고 숨이 찹니다. |
| O) | BP 112/ 67mmHg - HR 133/min - RR 36/min - BT 38.0℃<br>SpO2 75% on room air<br>Coarse breathing sound c crackle, whole lung<br>Hb 7.6 g/dL (← 9.5 g/dL at 8 am)<br>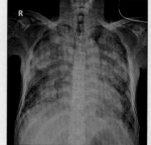 |
| A) | Diffuse alveolar hemorrhage due to c-ANCA associated vasculitis |
| P) | Intubation, transfer to ICU<br>Antibiotics escalation (meropenem + vancomycin)<br>mPD 1mg/kg iv<br>Plsamapheresis |

# Hospital day #16

S) 열 떨어졌습니다. 어제 발관했습니다.

BP 125/ 60mmHg - HR 66/min - RR 21/min - BT 36.5℃
Cr 4.15 → 1.85mg/dL, CRP 18.26 → 2.85mg/dL

Plasmapheresis 4차례 시행, mPD 1mg/kg 유지하며 Fever소실, O2 requirment 감소하여ICU 입실 5일째 extubation하였다. Cr 및 CRP도 빠르게 호전되었다.

O)

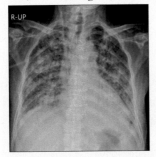

전형적으로 necrotizing granulomatous vascultitis 소견이 관찰되는 Lung pathology와 달리 Renal biopsy에서는 Immune complex deposit이 없는 FSGN 또는 RPGN 형태로 보이며 Granuloma 형성은 드물다.

Kidney biopsy pathology report
: Diffuse extracapillary proliferative and focal necrotizing glomerulonephritis with
　　1) diffuse fibrocellular crescent formation ( 14/22 ).
　　2) focal fibrinoid necrosis ( 5/22 ).
　　3) severe chronic tubulointerstitial change.

A) c-ANCA associated vasculitis
: Granulomatosis with polyangiitis

P) mPD 1mg/kg iv + Cyclophosphamide 50mg qd

# Updated problem list

#1. Sore throat, Odynophagia → Tonsilitis or manifestation of #2
#2. Fever → Granulomatosis with polyangitis, involving upper airway, lung, kidney and eyes
#3. Normocytic normochromic anemia → see #2
#4. Peripheral eosinophilia → Resolved
#5. Azotemia, → see #2
#6. Elevation of CRP → see #2
#7. Hematuria, albuminuria → see #2
#8. Increased opacity in Rt. Lower lung zone on chest x-ray → see #2
#9. h/o Acute myocardial infarction
　　s/p Stent insertion at RCA (20 years ago)
　　h/o Stable angina, 3VD, diffuse in-stent-restenosis at RCA
　　s/p CABG (12 years ago)
#10. Recurrent episodes of idiopathic anaphylaxis & urticaria (20 years ago)

Granulomatosis with polyangitis 의 임상 양상
1) fever, weight loss
2) sinusitis 〉85%
3) Laryngotracheal disease
　: hoarseness, stridor
4) Pulmonary disease:
　hemoptysis, cough, pleuritis
　〉85%
5) Renal disease 77%
6) Joint involvement: myalgia, arthralgia
7) Neurologic disease:
　polyneuropathy, monoeuritis complex
8) GI manifestations: abdominal pain, diarrhea, bleeding
9) Skin: palpable purpura, subcutaneous nodules
10) Ocular: keratoconjunctivitis, scleritis (52%)

#11. Hyperlipidemia (18 years ago)

#12. Hypertension (14 years ago)

#13. Diabetes mellitus (3 years ago)

#14. h/o Scleritis, OU (3 months ago) → see #2

#15. Hemoptysis → see #2

#16. Arthralgia → see #2

## Clinical course

Methyprednisolone 및 Cyclophosphamide 유지하며 Leukocytosis, CRP elevation, Azotemia, Alveolar hemorrhage 등의 임상 경과 호전되었다. 외래 추적 관찰하며 약물 유지 기간 결정하기로 하고 퇴원하였다.

## Lesson of the case

내원 시 Fever, sore throat, myalgia를 호소하였고 Diffuse GGO in Rt. lung field, Azotemia, Hematuria, Albuminuria 동반하였으나 각각을 별개의 문제로 인식하여 치료 시작하였다. Vasculitis 가능성이 늦게 제기되어 치료 시기가 늦어졌고, 임상 경과 급격하게 악화되어 중환자실 치료로 이루어진 증례로 환자가 지닌 여러 문제를 연관 지어 생각하는 것의 중요성을 보여준다.

Vasculitis는 Infectious disease, Drug, Neoplasm 등과 감별이 쉽지 않기 때문에 잘 설명되지 않는 전신 증상을 지닌 환자에게서 의심하는 것이 진단에 특히 중요하다. Palpable purpura, pulmonary infiltrates, microscopic hematuria, unexplained ischemic events 등의 임상 상을 보일 경우 감별 진단으로 vasculitis를 고려할 필요가 있다.

* Life threatening 한 경우 pulse mPD + immunosuppressant 사용
* Non-life threatening 하거나 cyclophosphamide toxicity 있는 경우 methotrexate + glucocorticoids 투여한다. (Glucocorticoids 단독 치료는 증상 호전에 도움되나 전반적인 경과에는 영향을 주지 못한다. Cyclophosphamide 치료에 도입되며 outcome이 향상되었다. )

# 2개월 전 시작된 흑색변으로 내원한 41세 남자

## Chief Complaints

Melena, started 2 months ago

## Present Illness

2개월 전부터 2-3일에 한차례씩 대변이 검게 나와 2일전 OO병원 방문함. OO병원에서 시행한 혈액검사에서 Hb 5.6 g/dL 확인되어 위내시경 시행하였고 위 체부에 gastric fold thickening 소견 확인됨. 복부 전산화 단층촬영에서 Borrmann type IV의 위암 의심 소견 보여 추가 검사 위해 본원 내원함.

Associated Sx : Weight. loss(-) Hematemesis(-) Hematochezia(-)

## Past History

Hypertension (-)
Diabetes mellitus (-)
Hepatitis (-)
Tuberculosis (-)

## Family History

Malignancy (+): 부 - 후두암
Hypertension (-)
Diabetes mellitus (-)
Hepatitis (-)
Tuberculosis (-)

## Social History

Smoking (+) 1갑/일, 20년 간 흡연
Alcohol (+) 소주 5병/주 × 10년

## Review of Systems

### General

| | |
|---|---|
| Weight loss (-) | Sweating (-) |

### Head / Eyes / ENT

| | |
|---|---|
| Headache (-) | Visual disturbance (-) |
| Hearing disturbance (-) | Postnasal drip (-) |
| Sore throat (-) | |

### Respiratory

| | |
|---|---|
| Cough (-) | Sputum (-) |
| Rhinorrhea (-) | Dyspnea (-) |

### Cardiovascular

| | |
|---|---|
| Chest pain (-) | Palpitation (-) |
| Orthopnea (-) | |

### Gastrointestinal

| | |
|---|---|
| Abdominal pain (-) | |
| Heartburn (-) | Dyspepsia (-) |

### Genitourinary

| | |
|---|---|
| Dysuria (-) | Frequency (-) |
| Hematuria (-) | Flank pain (-) |

### Neurologic

| | |
|---|---|
| Motor weakness (-) | Sensory change (-) |

# Physical Examination

Height 171 cm, Weight 65.3 kg, BMI 22.2 kg/m$^2$

## Vital Signs

BP 119/75 mmHg - HR 90/min - RR 18/min - BT 36.5℃

## General Appearance

Looking not ill          Alert and oriented to time, person, place

## Skin

Rash (-)

Palmar erytherma (-)          Spider angioma (-)

## Head / Eyes / ENT

Whitish sclera          Anemic conjunctivae (+)

Pharyngeal injection (-)          Tonsilar hypertrophy (-)

Neck vein engorgement (-)          Palpable lymph node (-)

## Chest

Normal contour, symmetric expansion without retraction

Clear breath sound without wheezing or crackle

Regular heart beats s murmur

## Abdomen

Soft & flat abdomen          Normoactive bowel sound

Shifting dullness (-)          Fluid wave (-)

Abdominal tenderness (-)          Rebound tenderness (-)

## Neurology

Motor weakness (-)          Sensory disturbance (-)

Flapping tremor (-)          neck stiffness (-)

## Initial Laboratory Data

### CBC

| WBC $4\sim10\times10^3/mm^3$ | 6,500 | Hb (13~17 g/dl) | 8.7 |
|---|---|---|---|
| MCV(81~96 fl) | 77.9 | MCHC(32~36 %) | 30.4 |
| WBC differential count | neutrophil  57.7% lymphocyte 29.8% monocyte    8.6% | platelet $(150\sim350\times10^3/mm^3)$ | 313 |

### Chemical & Electrolyte battery

| Ca (8.3~10 mg/dL) /P (2.5~4.5 mg/dL) | 8.7/3.8 | glucose (70~110 mg/dL) | 100 |
|---|---|---|---|
| protein (6~8 g/dL)/ albumin (3.3~5.2 g/dL) | 5.9/3.1 | aspartate aminotransferase (AST)(~40 IU/L) /alanine aminotransferase (ALT)(~40 IU/L) | 18  13 |
| alkaline phosphatase (ALP)(40~120 IU/L) | 43 | total bilirubin (0.2~1.2 mg/dL) | 0.3 |
| BUN(10~26mg/dL) /Cr  (0.7~1.4mg/dL) | 7/0.77 | C-reactive protein (~0.6 mg/dL) | 0.1 |
| Na(135~145mmol/L) / K(3.5~5.5mmol/L) / Cl(98~110mmol/L) | 139/4.3/104 | total $CO_2$ (24~31mmol/L) | 25.5 |

### Coagulation battery

| prothrombin time (PT) (70~140%) | 124.7 | PT (INR) (0.8~1.3) | 0.86 |
|---|---|---|---|
| activated partial thromboplastin time (aPTT) (25~35 sec) | 23.3 | | |

## Urinalysis without microscopy

| | | | |
|---|---|---|---|
| specific gravity (1.005~1.03) | 1.025 | pH (4.5~8) | 5.0 |
| albumin (TR) | - | glucose (-) | - |
| ketone (-) | - | occult blood (-) | - |
| bilirubin (-) | - | Urobilinogen | - |
| WBC (-) | - | nitrite (-) | - |

## Chest X-ray

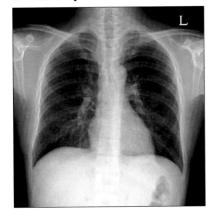

| 흉부 X-ray는 정상이다.

## EKG

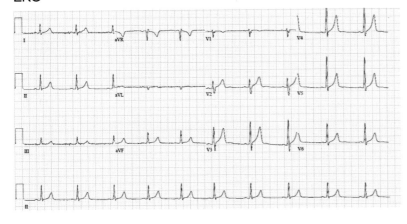

HR 60회 정도의 normal sinus rhythm 이다.

311

## Initial Problem List

#1. Melena

#2. Abnormal findings on outside EGD, APCT

#3. Microcytic hypochromic anemia

## Initial Assessment and Plan

#1. Melena
#2. Abnormal findings on outside EGD, APCT

| | |
|---|---|
| A) | Malignancy(AGC B-IV, Lymphoma)<br>Menetrier's disease<br>Zollinger-Ellison syndrome<br>Hypertrophic gastritis |
| P) | Diagnostic plan<br>Review outside EGD and APCT<br>EGD with Bx, CLO test, H.pylori serologic test<br>Serum gastrin concentration |

#3. Microcytic hypochromic anemia

| | |
|---|---|
| A) | IDA, most likely |
| P) | Diagnostic plan<br>PB smear, Reticulocyte, serum iron TIBC, Ferritin |

# Hospital day #2-3

#1. Melena
#2. Abnormal findings on outside EGD, APCT

S)   특별히 불편한 것은 없어요

H.pylori IgG Ab: positive (6.9 U/mL)

EGD(본원)

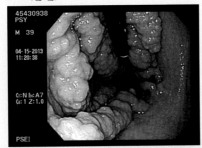

O)

APCT(외부)

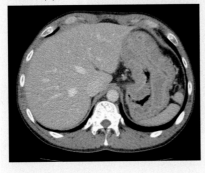

〈EGD〉
Antrum을 제외한 전위벽의 gastric fold thickening 이 확인됨.

〈APCT〉
Stomach의 fundus와 body를 주로 involve하면서 상대적으로 antrum은 sparing하는 diffuse enhancing fold thickening이 있고 wall은 enhancement를 보이는데 상대적으로 inner layer에만 enhancement를 보이고 있음. perigastric infiltration은 뚜렷하지 않으며 stomach의 obstruction 소견은 없음.. 뚜렷한 peritoneal seeding nodule 이나 omental infiltration은 보이지 않음.

A)   Malignancy (AGC B-IV, Lymphoma)
     Menetrier's disease
     Zollinger-Ellison syndrome
     Hypertrophic gastritis

     Bx 결과 확인
P)   EUS
     EMR Bx 고려

#3. Microcytic hypochromic anemia

| | |
|---|---|
| O) | PB smear : Microcytic hypochromic anemia, Anisopoikolocytosis |
| | Iron 40 ug/dL    TIBC 535 ug/dL    Ferritin 11.9 ng/mL |
| A) | IDA associated with upper GI bleeding |
| P) | PO Iron supplement, treat underlying disease. |

# Hospital day #4-6

〈EUS〉
Stomach cancer 의 경우 EUS를 하였을 때 각 층들의 경계가 불분명해지기 때문에 EUS 를 통해 cancer 진단에 도움을 받을 수 있어 EUS를 시행하였다. 결과는 체부의 점막 주름들이 두꺼워진 양상으로 관찰되었고 1-2층들이 주로 두꺼워진 양상이며 각층의 경계는 명확하였다. 이와 같은 finding은 cancer와는 맞지 않는 소견으로 cancer는 배제하였다.

조직검사 결과 chronic active gastritis 가 확인되었으나 Menetrier's disease를 진단하기 위해서는 mucosa의 full thickness 가 필요하였고 AGC B-IV의 경우에 submucosal spread를 잘 하는 특징이 있어 EMR Bx를 시행하기로 하였다.

EMR결과 cancer는 배제하였고 조직검사 결과가 Menetrier's disease에 완벽히 일치하지는 않았으나 임상적으로 Menetrier's disease로 assess 하였다.

Serum gastrin은 normal로 Zollinger-Ellison syndrome은 배제할 수 있었다.

#1. Melena
#2. Abnormal findings on outside EGD, APCT

| | |
|---|---|
| S) | 특별히 불편한 것은 없어요 |
| | Serum gastrin : 7.56 pmol/L (1-25) |
| | EUS |
| O) | 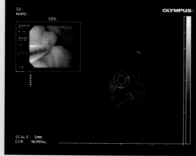 |
| | Bx : Chronic active gastritis with atrophy |
| | EMR Bx : |
| | Hyperplastic gastric mucosa with |
| |    1) Severe inflammation |
| |    2) Cystically dilated proper glands |
| |    3) Smooth muscle proliferation with branching |
| A) | Menetrier's disease |
| | Hypertrophic gastritis |
| P) | H.pylori eradication |
| | UBT f/u at 3 months later |

## Updated problem list

#1. Melena → d/t #2

#2. Abnormal findings on outside EGD, APCT → Menetrier's disease, clinically diagnosed

#3. Microcytic hypochromic anemia → IDA d/t #2

# 2nd Admission

## Chief Complaints

Dyspnea, general weakness, started 2months ago

## Present Illness

2년전 Melena 로 OO병원 내원하여 시행한 위내시경에서 gastric fold thickening, R/O AGC Borrmann type IV 확인되어 본원 refer 되었고 본원에서 시행한 검사에서 최종적으로 Menetrier's disease로 생각하고 H.pylori eradication 후 opd f/u 예정이었으나 f/u loss 됨.

이후 특이 증상 없이 지내던 중 3개월 전에 melena 있었다고 하며 2개월 전부터 fatigue, dyspnea, general weakness 있어 내원 7일전 OO병원 방문하여 시행한 혈액검사에서 Hb 4.4 g/dL 확인됨.

Anemia 에 대한 w/u으로 시행한 위내시경에서 2년 전과 비교하여 위 체부의 fold thickening 은 비슷했으나 위 체부 후벽에 궤양이 보이며 복부 전산화 단층 촬영에서 위암 의심소견 보여 본원에서 추가 검사 및 치료 위해 본원 내원함.

## Review of Systems

### General

| | |
|---|---|
| Weight loss (-) | Sweating (-) |

### Head / Eyes / ENT

| | |
|---|---|
| Headache (-) | Visual disturbance (-) |
| Hearing disturbance (-) | Postnasal drip (-) |
| Rhinorrhea (-) | Sore throat (-) |

### Respiratory

| | |
|---|---|
| Cough (-) | Sputum (-) |
| | Dyspnea (-) |

### Cardiovascular

| | |
|---|---|
| Chest pain (-) | Palpitation (-) |
| Orthopnea (-) | |

### Gastrointestinal

| | |
|---|---|
| Abdominal pain (-) | Hematemesis/Hematochezia (-/-) |
| Heartburn (-) | Dyspepsia (-) |

### Genitourinary

| | |
|---|---|
| Dysuria (-) | Frequency (-) |
| Hematuria (-) | Flank pain (-) |

### Neurologic

| | |
|---|---|
| Motor weakness (-) | Sensory change (-) |

## Physical Examination

Height 171.4 cm, Weight 65.4 kg, BMI 22.2 kg/m²

### Vital Signs

BP 93/61 mmHg - HR 92/min - RR 18/min - BT 36.5℃

### General Appearance

| | |
|---|---|
| Looking not ill | Alert and oriented to time, person, place |

### Skin

| | |
|---|---|
| Rash (-) | |
| Palmar erytherma (-) | Spider angioma (-) |

### Head / Eyes / ENT

| | |
|---|---|
| Whitish sclerae | Anemic conjunctivae (+) |
| Pharyngeal injection (-) | Tonsilar hypertrophy (-) |
| Neck vein engorgement (-) | Palpable lymph node (-) |

### Chest

| |
|---|
| Normal contour, symmetric expansion without retraction |
| Clear breath sound without wheezing or crackles |
| Regular heart beats s murmur |

## Abdomen

Soft & flat abdomen          Normoactive bowel sound

Shifting dullness (-)         Fluid wave (-)

Abdominal tenderness (-)      Rebound tenderness (-)

## Neurology

Motor weakness (-)           Sensory disturbance (-)

Flapping tremor (-)          neck stiffness (-)

# Initial Laboratory Data

## CBC

| | | | |
|---|---|---|---|
| WBC<br>$4\sim10\times10^3$/mm³ | 9,500 | Hb (13~17 g/dl) | 9.1 |
| MCV(80 ~ 100 fl) | 77.8 | MCHC(32~36 %) | 27.7 |
| WBC<br>differential count | Neutrophil 57.7%<br>lymphocyte 22.8% | platelet<br>(150~350×10³/mm³) | 402 |

## Chemical & Electrolyte battery

| | | | |
|---|---|---|---|
| Ca (8.3~10 mg/dL)<br>/P (2.5~4.5 mg/dL) | 8.7/3.5 | glucose<br>(70~110 mg/dL) | 90 |
| protein (6~8 g/dL)/<br>albumin (3.3~5.2 g/dL) | 6.2/3.3 | aspartate aminotransferase<br>(AST)(~40 IU/L) | 21 |
| | | /alanine aminotransferase<br>(ALT)(~40 IU/L) | 15 |
| alkaline phosphatase<br>(ALP)(40~120 IU/L) | 38 | total bilirubin<br>(0.2~1.2 mg/dL) | 0.3 |
| BUN(10~26mg/dL)<br>/Cr (0.7~1.4mg/dL) | 16/0.83 | | |
| Na(135~145mmol/L)<br>/ K(3.5~5.5mmol/L)<br>/ Cl(98~110mmol/L) | 140/4.5/103 | total $CO_2$<br>(24~31mmol/L) | 23.9 |

### Coagulation battery

| prothrombin time (PT) (70~140%) | 125.5 | PT (INR) (0.8~1.3) | 0.90 |
|---|---|---|---|
| activated partial thromboplastin time (aPTT) (25~35 sec) | 23.9 | | |

### Urinalysis without microscopy

| specific gravity (1.005~1.03) | 1.025 | pH (4.5~8) | 5.0 |
|---|---|---|---|
| albumin (TR) | - | glucose (-) | - |
| ketone (-) | - | occult blood (-) | - |
| bilirubin (-) | - | Urobilinogen | - |
| WBC (-) | - | nitrite (-) | - |

### Chest X-ray

흉부 X-ray는 정상이다

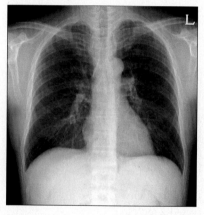

## Initial Problem List

#2. Menetrier's disease

#3. IDA d/t #2

#4. Gastric ulcer on Low body-posterior wall side

## Initial Assessment and Plan

#4. Gastric ulcer on LB PW side

A)  Gastric cancer
    Benign gastric ulcer

P)  Diagnostic plan
        Outside APCT review
        EGD with Bx

## Hospital day #2-4

#4. Gastric ulcer on LB PW side

S)  특별히 불편한 것은 없어요

    Urea breath test : Negative

    EGD

O)

A)  Gastric cancer, benign gastric ulcer

P)  조직검사 결과 확인
    EUS

〈EGD〉
High to low body,
circumferential rugal hypertrophy
Low body LC side에 hyperemia
를 동반한 shallow ulceration
(0.5cm)과 deep stiff ulceration
(1.5cm)이 관찰되었고 궤양이 있는
부분에서 조직검사 결과를 하였다.

# Hospital day #5-6

〈EUS〉
Gastric wall 1~3층의 thickening이 관찰되며, 4th proper muscle layer는 비교적 intact 함. 각 층간의 경계가 불분명하지 않은 점은 cancer를 의심할 수 있는 소견이었음.

Cancer가 확인되어 PET 시행하였다.

〈PET〉
1) Hypermetabolic mass in stomach, mid body lesser curvature side
   Stomach cancer, most likely
2) Isometabolic enlarged lymph nodes in left gastric area
   Reactive hyperplasia vs. metastasis
3) Multifocal iso~mild hypermetabolic peribronchial infiltration in both lungs: Inflammatory change 〉

내시경적으로 AGC B-IV 의심되었기 때문에 total gastrectomy 시행하였고 수술장 소견에서 pancreas capsule invasion 및 spleen hilum LN enlargement 소견 보여 distal pancreatectomy with splenectomy 함께 시행하였다.

#4. Gastric ulcer on LB PW side

S) 특별히 불편한 것은 없어요

EUS

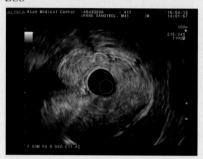

Bx : Adenocarcinoma, moderately differentiated

O) PET

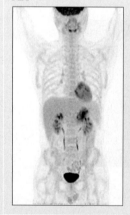

A) AGC

P) Total gastrectomy

## OP (2015.4.24)

Total gastrectomy, distal pancreatectomy with splenectomy

Diagnosis :

〉 ADVANCED GASTRIC CARCINOMA, BORRMANN TYPE 4,

    SINGLE,

    POSTERIOR WALL OF BODY

    TUBULAR ADENOCARCINOMA, WELL DIFFERENTIATED,

    INTESTINAL TYPE, 8 x 7 x 3 cm,

    with

        - penetration to serosa

        - no involvement of distal and proximal resection margin(s)

         ( distances to margin: distal, 6 cm; proximal, 4 cm )

        - lymphovascular invasion : present

        - perineural invasion : present

        no metastasis in 31 lymph node(s)

   〉 Extensive gastritis cystica profunda

## Updated problem list

#2. Menetrier's disease, clinically diagnosed

#3. IDA d/t #2

#4. Gastric ulcer on LB PW side

    → AGC B-IV in the background of extensive gastritis cystica profunda

#5. s/p total gastrectomy, distal pancreatectomy with splenectomy d/t #4

## Clinical course

Gastritis Cystica Profunda에서 발생한 Stomach cancer 환자로 total gastrectomy 후 종양내과에서 경구항암제 복용하며 외래 f/u 중이다.

## Lesson of the case

위내시경에서 large gastric fold 를 보이는 질환으로는 AGC B-IV, Lymphoma 들을 포함하는 malignancy 이외에도 Menetrier's disease, Zollinger-Ellison syndrome 등과 같은 benign disease 를 생각 할 수 있다. 조직검사를 통해 malignancy 를 배제한다고 하더라도 추후 malignancy 가 발생할 수 있기 때문에 정기적인 f/u 이 필요하다.

# 3시간 전 시작된 흉통으로 내원한 35세 여자

## Chief Complaints

Chest pain, started 3 hours ago

## Present Illness

3시간 전 머리감기 위해 허리 숙이고 있던 중 갑자기 chest pain 발생하였고 diaphoresis가 동반되어 OO 병원 응급실 방문하여 시행한 심전도 검사에서 lead I, aVL 에 ST segment elevation 소견 보여 coronary angiogram (CAG) 시행 받았다. Left main bifurcation site 의 occlusion 소견 관찰되었으며, 바로 percutaneous coronary intervention (PCI) 고려하던 중 보호자 본원에서 치료 받기 원하여 다음 날 전원 되었다. 본원 내원시에는 chest pain이 호전된 상태였다.

Associated Sx : palpitation (-), dyspnea (-), dizziness (-)

## Past History

Hypertension (-)
Diabetes mellitus (-)
Hepatitis (-)
Tuberculosis (-)

## Family History

Malignancy (-)
Hypertension (-)
Diabetes mellitus (-)
Hepatitis (-)
Tuberculosis (-)

## Social History

Smoking (-)

Alcohol (-)

## Parity

Married, para : 2-0-0-2

(50일 전 normal spontaneous vaginal delivery 하였다)

## Review of Systems

### General

| | |
|---|---|
| Weight loss (-) | Sweating (+) |

### Head / Eyes / ENT

| | |
|---|---|
| Headache (-) | Visual disturbance (-) |
| Hearing disturbance (-) | Postnasal drip (-) |
| Rhinorrhea (-) | Sore throat (-) |

### Respiratory

| | |
|---|---|
| Cough (-) | Sputum (-) |
| Rhinorrhea (-) | Dyspnea (-) |

### Cardiovascular

| | |
|---|---|
| Orthopnea (-) | |

### Gastrointestinal

| | |
|---|---|
| Abdominal pain (-) | Hematemesis/Melena/Hematochezia (-/-/-) |
| Heartburn (-) | Dyspepsia (-) |

### Genitourinary

| | |
|---|---|
| Dysuria (-) | Frequency (-) |
| Hematuria (-) | Flank pain (-) |

### Neurologic

| | |
|---|---|
| Motor weakness (-) | Sensory change (-) |

## Physical Examination

Height 161 cm, Weight 60 kg, BMI 23.15 kg/m$^2$

### Vital Signs

BP 128/86 mmHg - HR 76/min - RR 18/min - BT 36℃

### General Appearance

Looking not ill          Alert and oriented to time, person, place

### Skin

Rash (-)

Palmar erytherma (-)          Spider angioma (-)

### Head / Eyes / ENT

Whitish sclerae          Pinkish conjunctivae

Pharyngeal injection (-)          Tonsilar hypertrophy (-)

Neck vein engorgement (-)          Palpable lymph node (-/-)

### Chest

Normal contour, symmetric expansion without retraction

Clear breathing sound without wheezing or crackles

Regular heart beats without murmur

### Abdomen

Soft & flat abdomen          Normoactive bowel sound

Shifting dullness (-)          Fluid wave (-)

Abdominal tenderness (-)          Rebound tenderness (-)

### Neurology

Motor weakness (-)          Sensory disturbance (-)

Flapping tremor (-)          neck stiffness (-)

## Initial Laboratory Data

### CBC

| | | | |
|---|---|---|---|
| WBC 4~10×10³/mm³ | 10,600 | Hb (13~17 g/dl) | 14.2 |
| MCV(80~100 fl) | 77.9 | MCHC(32~36 %) | 30.4 |
| WBC differential count | neutrophil 86.2% lymphocyte 29.8% monocyte 8.6% | platelet (150~350×10³/mm³) | 223 |

### Chemical & Electrolyte battery

| | | | |
|---|---|---|---|
| Ca (8.3~10 mg/dL) /P (2.5~4.5 mg/dL) | 9.1/3.2 | glucose (70~110 mg/dL) | 96 |
| protein (6~8 g/dL)/ albumin (3.3~5.2 g/dL) | 7.3/4.2 | aspartate aminotransferase (AST)(~40 IU/L) | 55 |
| | | /alanine aminotransferase (ALT)(~40 IU/L) | 12 |
| alkaline phosphatase (ALP)(40~120 IU/L) | 48 | total bilirubin (0.2~1.2 mg/dL) | 0.6 |
| BUN(10~26 mg/dL) /Cr (0.7~1.4 mg/dL) | 12/0.54 | C-reactive protein (~0.6 mg/dL) | 0.1 |
| Na (135~145 mmol/L) / K (3.5~5.5 mmol/L) / Cl (98~110mmol/L) | 142/4.7/104 | total $CO_2$ (24~31 mmol/L) | 25.5 |

### Coagulation battery

| | | | |
|---|---|---|---|
| prothrombin time (PT) (70~140%) | 83.1 | PT (INR) (0.8~1.3) | 1.11 |
| activated partial thromboplastin time (aPTT) (25~35 sec) | 46.9 | | |

### Urinalysis without microscopy

| | | | |
|---|---|---|---|
| specific gravity (1.005~1.03) | 1.025 | pH (4.5~8) | 5.0 |
| albumin (TR) | - | glucose (-) | - |
| ketone (-) | - | occult blood (-) | - |
| bilirubin (-) | - | Urobilinogen | - |
| WBC (-) | - | nitrite (-) | - |

## Cardiac enzyme

|  | CK (50~120 IU/L) | CK-MB (~5 IU/L) | Troponin-I (~1.5 ng/mL) |
| --- | --- | --- | --- |
| 내원 1일전 | 88 | 1.0 | 0.01 |
| 내원 당일 | 561 | 47.6 | 18.31 |
| 4시간후 | - | 62.7 | 36.5 |
| 10시간후 | - | 49.1 | 29.48 |

## Chest X-ray

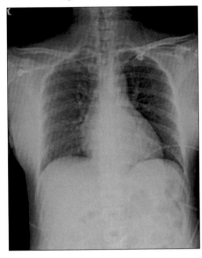

흉부 x-ray 에서 CT ratio 0.56으로 약간의 cardiomegaly 소견 보이고 있었다.

## EKG

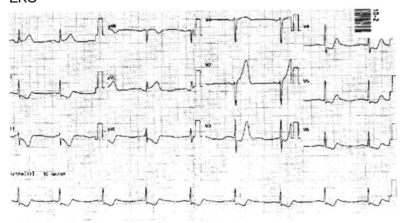

타원에서 찍은 initial EKG로 rate 53bpm 의 Sinus rhythm 이다. lateral lead 의 I, aVL 에서 ST elevation, inf lead인 II,III,aVF에서 Reciprocal change 로 ST depression및 T inversion 관찰되었다.

본원 내원시의 EKG 이며 66bpm 의
Sinus rhythm 이다. 이전에 보였던,
ST elevation는 없어진 소견이다.

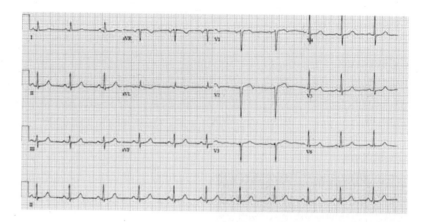

## Initial Problem List

#1. Chest pain

#2. s/p normal spontaneous vaginal delivery (NSVD) 50 days ago

## Initial Assessment and Plan

| #1. Chest pain | | |
|---|---|---|
| A) | Variant angina<br>ST-segment elevation myocardial infarction (STEMI) | |
| P) | Diagnostic plan<br>2D echocardiography, Coronary angiogram | |

# Hospital day #1

#1. Chest pain

S)   흉통이나 가슴 답답함 같은 건 없어요.

2D echocardiography
LV의 apex, mid anteroseptum에 akinesia 관찰되어 LAD territory의
ischemic insult를 시사하며 global LV EF 49%로 mild LV dysfunction
소견 보였다.
Coronary Angiogram

O)

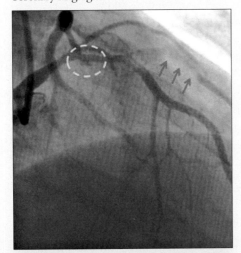

< Coronary Angiogram〉
LM-pLAD luminal narrowing
보이며 LAD ostium에 dye staining
확인된다.

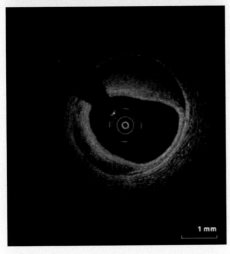

〈IVUS〉
Intimal teat site 하방으로
dissection 이 진행하면서
pseudoaneurysm 보이며
False lumen 내에 차있는
heamtoma가 True lumen을
compression 하고 있다.

## Updated problem list

#1. Chest pain

⇨ Spontaneous coronary artery dissection at LM on CAG

#2. s/p normal spontaneous vaginal delivery (NSVD) 50 days ago

# Hospital day #2-9

| #1. Spontaneous coronary artery dissection at LM on CAG | |
| --- | --- |
| S) | 흉통이나 가슴 답답함 같은 건 없어요. |
| O) | BP 103/54 mmHg- HR 86/min- RR 18/min- BT 36.8℃ |
| | EKG - NSR<br>Cardiac enzyme - CK-MB 1.7 ng/mL / TnI 0.238 ng/mL |
| P) | Close observation 이후 follow up CAG or coronary CT 하여 수술 여부 상의하기로 함.<br>IV isoket, aspirin, ticagrelor, nebivolol |

# Hospital day #10

| #1. Spontaneous coronary artery dissection at LM on CAG | |
| --- | --- |
| S) | 가슴이 답답해요. 체한 것 같기도 해요. 병동을 돌아 다니고 나니까 괜찮아졌어요. |
| O) | BP 102/69 mmHg- HR 76/min- RR 20/min- BT 36.8℃ |
| | EKG - NSR<br>Cardiac enzyme - CK-MB 0.6 ng/mL / TnI 0.48 ng/mL |
| P) | - Coronary care unit 전동하여 close monitoring<br>- Coronary CT 및 f/u CAG check |

## Coronary CT(HD #10)

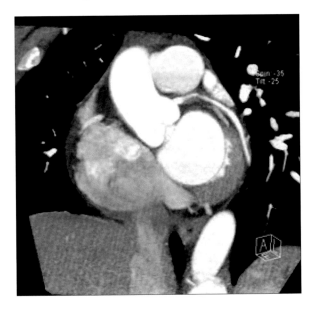

LM, pLCX의 trifurcation site에
10~20 mm, moderate degree
stenosis가 있는데 이는 coronary
artery dissection에 의한 소견으로
생각된다.

## Coronary Angiogram (HD #13)

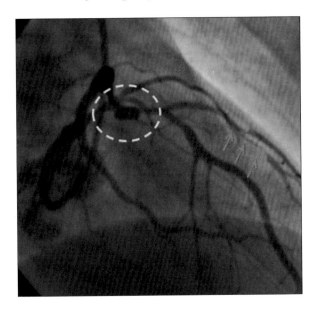

이전 study 와 비교시
pseudoaneurysm size 커진 소견
이었다.

## Operation (HD #15)

Off-pump coronary artery bypass graft (OPCAB) (LIMA to LAD, SVG to OM)

## Clinical course

7개월 후 외래 f/u 시 환자는 흉통 등의 증상 없이 잘 지내고 있었다.

## Lesson of the case

임상증상, EKG, cardiac enzyme 검사 소견으로 STEMI 가 가장 먼저 생각 되었던 case 이지만, acute coronary syndrome 의 risk factor 가 전혀 없던 젊은 환자에서 이러한 manifestation을 보일 경우 STEMI외에도 다른 감별 진단을 한번쯤 고려해 봐야 한다.

## 2주 전 시작된 호흡곤란으로 내원한 64세 남자

## Chief Complaints

Dyspnea, started 2 weeks ago

## Present Illness

7년 전 Rt. tonsil cancer (cT2N3) 에 대해 Rt. Tonsillectomy 및 adjuvant concurrent chemoradiotherapy 시행 받았다.

4년 전 solitary lung metastasis 에 대하여 wedge resection 시행 받았다.

2년 전 mediastinal lymph node에서 재발 확인되어 chemotherapy 시작 후 현재 3rd line 진행 중이었다.

2주 전 얼굴 및 양측 팔이 붓기 시작하였고 호흡곤란 동반되었으며 점차 악화되어 응급실 내원하였다.

## Associated Sx

Resting dyspnea (+), orthopnea (+) ,

Both arms swelling (+)

Chest pain (-) cough (-) sputum (-) hemoptysis (-)

Fever (-) chills (-)

## Past History

Cerebellar infarction due to vertebral artery stenosis, s/p stenting (3년전)

Hypertension (+)

Diabetes mellitus (-)

Hepatitis (-)

Tuberculosis (-)

## Family History

Malignancy (+) : 부 - 식도암, 형 - 간암

Hypertension (-)

Diabetes mellitus (-)

Hepatitis (-)

Tuberculosis (-)

## Social History

Smoking (+) 1갑/일, 20년 간 흡연, 17년 전 금연

Alcohol (+) 맥주 1잔/주 x 15년, 8년 전 금주

Occupation: none

## Review of Systems

### General

| | |
|---|---|
| Weight loss (-) | Sweating (-) |

### Head / Eyes / ENT

| | |
|---|---|
| Headache (-) | Visual disturbance (-) |
| Hearing disturbance (-) | Postnasal drip (-) |
| Rhinorrhea (-) | Sore throat (-) |

### Respiratory

| | |
|---|---|
| Rhinorrhea (-) | Hemoptysis (-) |

### Cardiovascular

| | |
|---|---|
| Dizziness (-) | Palpitation (-) |

### Gastrointestinal

| | |
|---|---|
| Abdominal pain (-) | Hematemesis/Melena/Hematochezia (-/-/-) |
| Heartburn (-) | Dyspepsia (-) |

### Genitourinary

| | |
|---|---|
| Dysuria (-) | Frequency (-) |
| Hematuria (-) | Flank pain (-) |

### Neurologic

| | |
|---|---|
| Motor weakness (-) | Sensory change (-) |

# Physical Examination

Height 163 cm, Weight 70kg, BMI 27.3 kg/m²

## Vital Signs

BP 122/78 mmHg - HR 99/min - RR 26/min - BT 37.1℃

## General Appearance

Acute ill-looking          Alert and oriented to time, person, place

## Skin

Rash (-)

Palmar erytherma (-)          Spider angioma (-)

## Head / Eyes / ENT

Icteric sclera (-)          Pinkish conjunctivae (+)

Pharyngeal injection (-)          Tonsilar hypertrophy (-)

Thyroid enlargement (-)          Palpable lymph node (-)

Facial, neck swelling with plethora(+)

## Chest

Normal contour, symmetric expansion without retraction

Clear breathing sound without wheezing or crackles

Regular heart beats s murmur

## Abdomen

Soft & flat abdomen          Normoactive bowel sound

Shifting dullness (-)          Fluid wave (-)

Abdominal tenderness (-)          Rebound tenderness (-)

## Neurology

Motor weakness (-)          Sensory disturbance (-)

Flapping tremor (-)          Neck stiffness (-)

## Initial Laboratory Data

### CBC

| | | | |
|---|---|---|---|
| WBC<br>$4\sim10\times10^3/mm^3$ | 4,300 | Hb (13~17 g/dl) | 11.7 |
| MCV(80~100 fl) | 88.7 | MCHC(32 ~ 36 %) | 33.1 |
| WBC<br>differential count | neutrophil 65.0%<br>lymphocyte 25.3%<br>monocyte 7.1% | platelet<br>$(150\sim350\times10^3/mm^3)$ | 206 |

### Chemical & Electrolyte battery

| | | | |
|---|---|---|---|
| Ca (8.3~10 mg/dL)<br>/P (2.5~4.5 mg/dL) | 8.3/3.2 | glucose<br>(70~110 mg/dL) | 110 |
| protein (6~8 g/dL)/<br>albumin (3.3~5.2 g/dL) | 5.9/2.9 | aspartate aminotransferase<br>(AST)(~40 IU/L)<br>/alanine aminotransferase<br>(ALT)(~40 IU/L) | 23<br><br>25 |
| alkaline phosphatase<br>(ALP)(40~120 IU/L) | 120 | total bilirubin<br>(0.2~1.2 mg/dL) | 0.5 |
| BUN(10~26 mg/dL)<br>/Cr (0.7~1.4 mg/dL) | 7/0.7 | C-reactive protein<br>(~0.6 mg/dL) | 0.6 |
| Na (135~145 mmol/L)<br>/ K (3.5~5.5 mmol/L)<br>/ Cl (98~110mmol/L) | 135/3.5/98 | total $CO_2$<br>(24~31 mmol/L) | 24.5 |

### Coagulation battery

| | | | |
|---|---|---|---|
| prothrombin time (PT)<br>(70~140%) | 104.9 | PT (INR) (0.8~1.3) | 0.99 |
| activated partial<br>thromboplastin time<br>(aPTT)<br>(25~35 sec) | 24.9 | | |

### Urinalysis without microscopy

| | | | |
|---|---|---|---|
| specific gravity<br>(1.005~1.03) | 1.010 | pH (4.5~8) | 7.0 |
| albumin (TR) | - | glucose (-) | - |
| ketone (-) | - | occult blood (-) | - |
| bilirubin (-) | - | Urobilinogen | - |
| WBC (-) | - | nitrite (-) | - |

## Chest X-ray

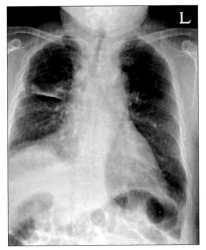

흉부 X-ray에서 tracheal narrowing을 유발하는 mediastinal mass가 관찰된다.
Lung parenchyme에 lymphangitic metastasis 및 fibrotic sequelae로 보이는 병변들은 이전에도 관찰되는 소견들로 변화는 없었다.

## EKG

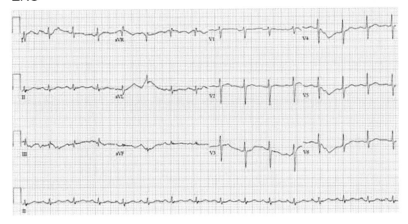

HR 92회 정도의 normal sinus rhythm 이다.

## Initial Problem List

#1. Rt. tonsil cancer, squamous cell, moderately differentiated (cT2N3)

    s/p Rt. tonsilectomy (7YA)

    s/p adjuvant concurrent chemoradiotherapy (7YA)

  Lung solitary metastasis, SqCC, Moderately differentiated

    s/p RUL wedge resection (4YA)

  Mediastinal lymph node recurrence (2YA)

    s/p TS-CDDP #9 → docetaxel #3 → on weekly MTX

#2. HTN on medication

#3. Cerebellar infarction due to VA stenosis s/p stenting (3YA)

#4. Dyspnea with facial & both arms swelling

## Initial Assessment and Plan

| #4. Dyspnea with facial & both arms swelling | |
| --- | --- |
| A) | SVC syndrome |
| P) | Diagnostic plan<br>    Chest CT with enhance<br>Therapeutic plan<br>    Head elevation, O2 supply<br>    Diuretics 투여 고려<br>    IV dexamethasone 사용 |

## Hospital day #1

#4. Dyspnea with facial & both arms swelling

S)   산소랑 약 맞고 나서 숨찬 건 덜해요.

Vital Signs BP 135/79 mmHg HR 95회/분 RR 18회/분 BT36.5도
Saturation 98%(O2 : 2L)

Chest CT with enhance

O)

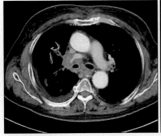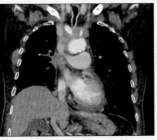

A)   Malignancy related SVC syndrome

SVC stenting 고려

P)   Chemo-therapy regimen change (4th line)
Dexamethasone taper off

Rt. Supraclavicular, upper mediastinum, Lt. retrocrural, Rt. cardiophrenic, upper abdomen 의 전이성 림프절들이 있으면서 Rt. subclavian a. 및 mediastinal vascular structure를 싸고 있으며, 이는 SVC의 luminal narrowing을 유발하고 있음.

## Updated problem list

#1. Rt. tonsil cancer, squamous  cell, moderately differentiated (cT2N3)

s/p Rt. tonsilectomy (7YA)

s/p adjuvant concurrent chemoradiotherapy (7YA)

Lung solitary metastasis, SqCC, Moderately differentiated

s/p RUL wedge resection (4YA)

Mediastinal lymph node recurrence (2YA)

s/p TS-CDDP #9 → docetaxel #3 → on weekly MTX

#2. HTN on medication

#3. Cerebellar infarction due to VA stenosis s/p stenting (3YA)

#4. Dyspnea with facial & both arms swelling

⇨ Malignancy related SVC syndrome

# Hospital day #2

### SVC stent insertion 시행함.

혈관조영술 상 Rt. Brachiocephalic
v.이 SVC로 합류하는 부분에서
abrupt한 narrowing이 관찰되며,
pressure gradient 17mmHg (Rt.
BCV:23, SVC:6) 확인되어 stent
insertion 및 balloon dilatation
시행함. Stenting 이후에 측정한
pressusre gradient는 0으로 성공
적으로 stenting됨.(Rt. BCV:5,
SVC:5)

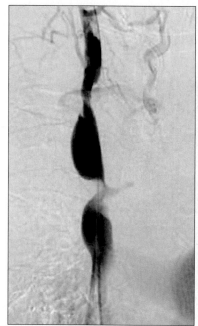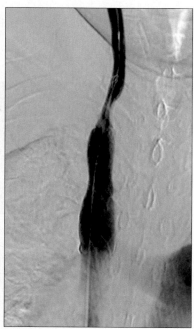

# Hospital day #3

#4. Malignancy related SVC syndrome

S) 이제 숨 안 차요

O) Vital Signs BP 112/64 mmHg HR 94회/분 RR 18회/분 BT36.8도
Saturation 97%(Room air)
P/E : stridor (-)   wheezing (-)
Arterial blood gas analysis (ABGA)
: (Room air) pH  7.430    pCO2  37.2 mmHg    pO2 97.0 mmHg
HCO3  28.9 mmEq/L

A) Malignancy related SVC syndrome, s/p stent insertion

P) Chemo-therapy regimen change (4th line)

## Clinical course

퇴원 후 외래 follow up 하면서 현재까지 증상 없이 지내는 중이다.

## Lesson of the case

암 환자에서 갑작스런 호흡곤란과 상지 및 얼굴 부종이 발생하는 경우, SVC syndrome 을 의심해야 한다.

최근에는 Malignancy related SVC syndrome 에서 stent insertion을 시행하는 경우, 치료 성적이 우수한 것으로 확인되고 있다. 따라서 SVC syndrome이 진단된 경우, stent  insertion을 적극적으로 고려해볼 수 있다.

# 20일전 시작된 발열로 내원한 76세 남자

## Chief Complaints

Fever, started 20 days ago

## Present Illness

20일 전부터 발열 및 좌측 흉부 통증 발생하였고 oo병원에서 chest x-ray 및 CT촬영하여 left upper lung mass 발견되어 내원 12일전 oo병원 입원하여 percutaneous needle biopsy 시행하였다.

조직검사결과 chronic granulomatous inflammation with necrosis 소견 관찰되어 내원8일 전부터 pulmonary tuberculosis 진단하에 항결핵약제(isoniazid, rifampin, ethambutol) 시작하였다.

항결핵약제 복용에도 발열 지속되고 skin nodule이 발생하였으며, 내원 6일 전에는 좌측 흉수가 발생하여 left percutaneous drainage tube 삽입하였다. 내원 5일 전 우측 흉수가 새로 발생하여 right percutaneous drainage tube를 추가로 삽입하였다. 이후에도 발열이 지속되고, 내원 1일전에는 흉수가 pus 양상으로 변해서 본원 방문하였다.

## Associated symptom

Chilling sense, fatigue
Pleuritic chest pain on left anterior thorax

## Past History

Hypertension (30년전)
Early gastric cancer s/p Distal gastrectomy (6년전)
Herpes zoster (5 개월전)
Diabetes/hepatitis/tuberculosis (-/-/-)

## Family History

부: gastric cancer      모: stroke

Diabetes /hypertension/tuberculosis/hepatitis: (-/-/-/-)

## Social History

Occupation : 무

Smoking : never smoker

Alcohol : social drink

## Review of Systems

### General

| | |
|---|---|
| general weakness (-) | weight loss (-) |

### Skin

| | |
|---|---|
| nodule (+) | pruritus (-) |

### Head / Eyes / ENT

| | |
|---|---|
| headache (-) | hearing disturbance (-) |
| dry eyes (-) | tinnitus (-) |
| rhinorrhea (-) | oral ulcer (-) |
| sore throat (-) | |

### Respiratory

| | |
|---|---|
| dyspnea (-) | hemoptysis (-) |
| cough (-) | sputum (-) |

### Cardiovascular

| | |
|---|---|
| chest pain (-) | palpitation (-) |
| orthopnea (-) | |

### Gastrointestinal

| | |
|---|---|
| anorexia (-) | nausea (-) |
| vomiting (-) | diarrhea (-) |
| hematochezia (-) | hematemesis (-) |
| melena (-) | |

## Genitourinary

urinary frequency (-)          gross hematuria (-)

genital ulcer (-)              voiding difficulty (-)

flank pain (-)

## Neurologic

seizure (-)                    memory impairment (-)

psychosis (-)                  motor-sensory change (-)

## Musculoskeletal

pretibial pitting edema (-)    tingling sense (-)

back pain (-)                  muscle pain (-)

# Physical Examination

Height  170cm    Weight  63kg

Body mass index  21.8kg/m$^2$

## Vital Signs

BP 160/90mmHg - HR 107/min - RR 18/min - BT 37.8℃

## General Appearance

chronically ill-looking appearance    drowsy (+)

oriented to time, person, place

## Skin

normal skin color and texture    ecchymosis (-)

multiple tender, erythematous cutaneous postules on trunk, extremities

## Head / Eyes / ENT

whitish sclerae               pinkish conjunctivae

palpable lymph nodes (-)      neck vein engorgement (-)

tongue dehydration (-)

## Chest

inspection:

    symmetric expansion without retraction

    2 percutaneous drainage tubes in the both thorax

    multiple pustules on thorax

palpation:

    no tenderness on left upper anterior thorax

    no palpable mass

percussion:

    dullness on bilateral lower anterior thorax

auscultation

    decreased breathing sound in left anterior lower thorax

## Heart

| | |
|---|---|
| regular rhythm | normal heart sound without murmur |

## Abdomen

| | |
|---|---|
| distended abdomen | normoactive bowel sound |
| hepatomegaly (-) | splenomegaly (-) |
| tenderness (-) | shifting dullness (-) |

## Back and extremities

| | |
|---|---|
| flapping tremor (-) | costovertebral angle tenderness (-) |
| pretibial pitting edema (-/-) | |

## Neurology

| | |
|---|---|
| motor weakness (-) | sensory disturbance (-) |
| gait disturbance (-) | neck stiffness (-) |

## Initial Laboratory Data

| WBC | 13,600 | Hb (13~17 g/dl) | 10.1 |
| $4{\sim}10\times10^3/mm^3$ | | | |
| WBC differential count | neutrophil 83.2% lymphocyte 8.4% monocyte 0.6% | platelet $(150{\sim}350\times10^3/mm^3)$ | 246,000 |

### Chemical & Electrolyte battery

| Ca (8.3~10 mg/dL) /P (2.5~4.5 mg/dL) | 9.1/3.7 | glucose (70~110 mg/dL) | 164 |
|---|---|---|---|
| protein (6~8 g/dL)/ albumin (3.3~5.2 g/dL) | 7.0/2.7 | aspartate aminotransferase (AST)(~40 IU/L) | 17 |
| | | /alanine aminotransferase (ALT)(~40 IU/L) | 13 |
| alkaline phosphatase (ALP)(40~120 IU/L) | 73 | gamma-glutamyltranspeptidase (r-GT)(11~63 IU/L) | 13 |
| total bilirubin (0.2~1.2 mg/dL) | 1.4 | direct bilirubin (~0.5mg/dL) | 1.0 |
| BUN(10~26mg/dL) /Cr (0.7~1.4mg/dL) | 19/0.62 | estimated GFR ($\geq$60ml/min/1.7m²) | >90 |
| Na(135~145mmol/L) / K(3.5~5.5mmol/L) / Cl(98~110mmol/L) | 133/3.8/92 | total $CO_2$ (24~31mmol/L) | 152 |
| C-reactive protein (~0.6mg/dL) | 19.15 | | |

### Coagulation battery

| prothrombin time (PT) (70~140%) | 77 | PT (INR) (0.8~1.3) | 1.14 |
|---|---|---|---|
| activated partial thromboplastin time (aPTT) (25~35 sec) | 29.3 | | |

## Urinalysis

| specific gravity (1.005~1.03) | 1.020 | pH (4.5~8) | 6.0 |
|---|---|---|---|
| albumin (TR) | TR | glucose (-) | TR |
| ketone (-) | TR | bilirubin (-) | TR |
| occult blood (-) | (-) | nitrite (-) | (-) |
| Urobilinogen | (-) | | - |

## Chest PA

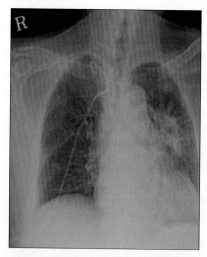

## Skin lesion

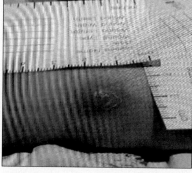 

## Electrocardiogram

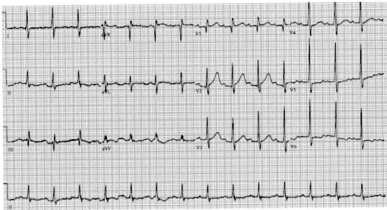

## Initial Problem List

#1. Hypertension

#2. h/o early gastric cancer s/p distal gastrectomy

#3. h/o herpes zoster

#4. Left upper lung mass with bilateral pleural effusion

#5. Multiple tender, erythematous pustules on trunk, extremities

#6. Drowsy mental status without focal neurologic symptoms

#7. Elevated fasting blood glucose level

#4. Left upper lung mass with bilateral pleural effusion

|   |   |
|---|---|
| A) | Infectious disease (pulmonary tuberculosis, fungal infection, nocardiosis) Malignant disease |

    Diagnostic plan :
        Follow up chest x-ray
        Blood culture , Urine culture
        Sputum culture, Sputum AFB stain/culture, Tb PCR
        Mycoplasma pneumonia PCR, Legionella pneumonia PCR
        Chlamydia pneumoniae PCR, Respiratory virus PCR
P)     Pneumococcal & Legionella urinary antigen
        Pleural effusion analysis, Serum aspergillus Ag.
        외부병원 CT 및 biopsy review

    Therapeutic plan :
        Anti-tuberculosis medication 유지
        Empirical antibiotics (Piperacillin/tazobactam + Levofloxacin)

#5. Multiple tender, erythematous pustules on trunk, extremities

| A) | Skin lesion due to disseminated infection, most likely<br>Drug eruption, less likely |
|----|----|
| P) | Dermatology consult for skin biopsy |

#6. Drowsy mental status without focal neurologic symptoms

| A) | A) Drowsy mental status due to medical problem<br>(metabolic endocrine, medication, toxin)<br>due to infectious disease<br>due to structural brain lesion |
|----|----|
| P) | 전신상태 호전 되어도 drowsy mental status가<br>호전되지 않을 경우 brain 에 대한 image work up 고려 |

#7. Elevated fasting blood glucose level

| A) | Stress hyperglycemia due to infection<br>Diabetes mellitus |
|----|----|
| P) | Follow up blood glucose level<br>Check HbA1c |

# Hospital day # 1 - 2

#4. Left upper lung mass with bilateral pleural effusion

S)    가슴은 좀 답답해요.

Chest CT (2015.07.08):

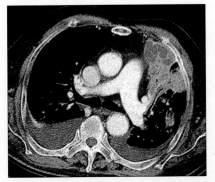

Left upper lung에서
보이는 mass 안은 necrotizing
되어 있고 periphery는 enhancing
되는 양상이었다.

O)

Blood culture (2015.07.14) : 2 day no growth
Pleural fluid culture (2015.07.14) : no growth
외부자문판독 (Biopsy) : Chronic granulomatous inflammation with
necrosis

Rt. pleural effusion〉
Gross finding : serous  ⇨ Exudate, neutrophil dominant

Lt. pleural effusion〉
Gross finding : serous  ⇨ Exudate, neutrophil dominant

Infectious disease
A)      (pulmonary tuberculosis, fungal infection, nocardiosis)
Malignant disease

Transbronchial lung biopsy시행
이유:
Tb medication 하고 있는 중에도
발열 지속되고 임상경과가 호전
더디어다시 검체를 얻기 위하여
transbronchial lung biopsy 시행
하기로 결정함.

Diagnostic plan :
Lung mass에 대해서 bronchoscopy with washing and
transbronchial lung biopsy시행
P)

Therapeutic plan :
Anti-tuberculosis medication 유지

#5. Multiple tender, erythematous pustules on trunk, extremities

| | |
|---|---|
| S) | 크기나 모양은 아직 비슷한 것 같아요 |
| O) | Dermatology reply 〉<br>현재 새로 발생하는 병변 없이 유지되고 있는 상태로,<br>현재 있는 병변에 대해 치료하면서 observation 하시기 바랍니다.<br>새로 병변 발생하면서 물집 갯수 늘어나는 양상이면 skin biopsy 등<br>의 evaluation이 필요할 수 있겠습니다. |
| A) | Skin lesion due to disseminated infection, most likely<br> Drug eruption, less likely |
| P) | 임상경과 악화시 biopsy 고려 |

#7. Elevated fasting blood glucose level

| | |
|---|---|
| S) | 목이 마르거나 소변량이 많다는 것을 느낀적은 없었어요. |
| O) | 입원하여 시행한 random glucose level 이 지속적으로<br>150 mg/dL에서 200mg/dL사이에 있음.<br>다음/다뇨/다갈 (- / - / -) |
| A) | Stress hyperglycemia due to infection<br>Diabetes mellitus |
| P) | Check HbA1C |

# Hospital day # 3 - 4

#4. Left upper lung mass with bilateral pleural effusion

| | |
|---|---|
| S) | 여전히 숨이 좀 차네요. |
| O) | Bronchoscopic findings〉<br> - No endobronchial lesion.<br> - Left upper lung의ant. segment에서<br>  ① Washing<br>   AFB culture : pending<br>    Liquid based cytology : negative<br>   TB(PCR) : negative<br>  ② Bronchoscopic Bx:<br>   Non-neoplastic lung parenchyma with mild inflammation |
| A) | Infectious disease<br> (pulmonary tuberculosis, fungal infection, nocardiosis)<br>Malignant disease |
| P) | Anti-tuberculosis drugs 유지<br>AFB culture결과까지 확인 |

# Hospital day # 5 - 7

#4. Left upper lung mass with bilateral pleural effusion

S) 아직도 열이 나고 힘들어요

BP 156/80 mmHg  PR 74회/min  RR 20회/min  BT 38.9℃
AFB culture : pending

Slide review with department of pathology〉
: Chronic granulomatous inflammation with necrosis
타원에서 시행한 조직검사 slide 결과는 neutrophil dominant하여

O) bacterial infection일 가능성이 높으며, nocardia 가능성 있음.
TB, fungal infection 가능성은 낮으며, vasculitis, sarcoidosis 역시 가능성 낮으나 CMV infection의 동반 가능성은 배제할 수 없음.
남은 조직이 있다면 special stain 통해 CMV infection, nocardiosis 감별을 시도 해 볼 수 있다고 함.
본원에서 시행한 TBLB 는 lymphocyte dominant 이고 진단에 큰 도움이 되지 않음.

A) Nocardiosis, most likely

Nocardiosis에 준해
Trimethoprim/sulfamethoxazole + imipenem투약

P)

Consultation  to department of laboratory medicine〉
Nocardia가능성 있어 검체 배양을 2주이상 하도록 요청함.

결핵약 유지중이나 호전이 되지 않고 추가적으로 검사한 Bronchoscopy 및 TBLB에서 진단이 명확치 않아서 타원 조직검사결과를 병리과와 review하였음.

TB 외에도 fungus나 nocardia가 이런 조직소견을 보이는데, 이 환자는 underlying immunity가 정상이라 fungus라고 생각하기에는 어려워서 nocardia의 가능성이 높은 것으로 assessment 했음

Nocardiosis는 천천히 자라므로 2주이상의 배양기간이 필요함.

#5. Multiple tender, erythematous pustules on trunk, extremities

S) 피부에 물집이 다시 생기네요.

Skin lesion 호전 없어서 skin biopsy  시행하기로 함.

O)
Skin Bx:
    Abscess with squamous epithelial nests, consistent with furuncle

A) Disseminated infection 과 관련된 skin lesion일 가능성이 높고, nocardiosis에 의한 skin lesion 이라고 판단함.

P) Nocardiosis 치료 유지

#6. Drowsy mental status without focal neurologic symptoms

S) 여전히 잠을 많이 자요.

Drowsy mental status가 지속되어 disseminated infection 의심되는
상황으로 이로 인한 brain problem 발생 가능성 높아서 brain MRI 촬
영하기로 함.

Physical examination〉
Mental status: drowsy
Motor : intact
Sensory : intact
Neck stiffness / Kernig sign / Brudzinski sign (-/-/-)

Brain MRI:
Multiple scattered rim-enhancing or tiny nodular enhancing nodular
lesions with conglomeration and perilesional edema in both

O)  cerebral hemispheres and both cerebellum.
⇨ r/o Nocardiosis, more likely.
r/o Metastic brain lesion, less likely.

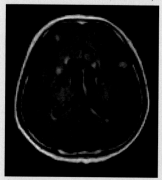

A) Brain lesions d/t disseminated infection

P) Nocardiosis에 대한 치료 유지하면서 경과관찰 하겠음.

#7. Elevated fasting blood glucose level

S) 당뇨가 있는 건가요?

O) HbA1C: 10.1%

A) Diabetes mellitus

P) DM medication 시작

## Updated Problem List

#1. Hypertension

#2. h/o early gastric cancer s/p distal gastrectomy

#3. h/o herpes zoster

#4. Left upper lung mass with bilateral pleural effusion

⇨ #4. Disseminated nocardiosis (involvement of CNS, lung and skin)

#5. Multiple tender, erythematous pustules on trunk, extremities

: See #4

#6. Drowsy mental status without focal neurologic symptoms

: See #4

#7. Elevated fasting blood glucose level

⇨ #7. Diabetes mellitus

## Hospital course

환자 nocardiosis에 준해 trimethoprim/sulfamethoxazole + imipenem을 유지하였고 nocardiosis가 배양되지 않았지만 증상(skin lesion, mental status, 발열) 과 혈액검사, 영상 의학적으로도 호전되는 경과를 보여 치료를 지속하였다.

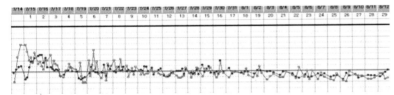

V/S sheet으로파란색은 body temperature, 붉은색은 pulse rate을 말함.

## Lesson of the case

Lung mass biopsy에서 chronic granulomatous inflammation with necrosis를 보이는 가장 흔한 질환은 결핵이지만, 결핵 외에도 다른 드문 감염증들이 이런 소견을 보일 수 있으므로, 환자의 임상경과가 결핵과 잘 맞지 않는다면 항상 다른 감염증의 가능성을 생각해야 된다.

## CASE 28

# 6주 전 시작된 구토로 내원한 48세 남자

## Chief Complaints

Vomiting, started 6 weeks ago

## Present Illness

6주 전 복통, 구역, 구토 시작되어 □□병원 복부초음파검사에서 전반적인 소장마비 및 복수소견 보여 급성복막염 가능성으로 ㅇㅇ병원 전원하였다.

ㅇㅇ병원에서 시행한 복부전산화 단층촬영검사에서 불규칙한 장간막종양 관찰되며 발열, 야간발한 등의 증상 없어 경화성 장간막염 가능성 높다고 듣고 특별한 치료 없이 지냈다.

5주 전 다른 의견 듣기 위하여 ㅇㅇ병원 외과 방문하여 경화성 장간막염 의증 하에 prednisolone 40mg 및 tamoxifen 10mg bid 경구투여 하기로 계획하였다.

4주 전 ㅇㅇ병원에서 prednisolone 40mg, tamoxifen 10mg bid를 처방 받아서 실제로 경구 복용시작 하였다.

3주 전 prednisolone 35mg 으로 5mg/week씩 감량하고 tamoxifen은 10mg bid로 유지하기로 하였다.

2일 전부터 구역, 구토 악화되어 본원 외래 경유하여 입원하였다.

## Associated symptom

Poor oral intake (+), diarrhea (-), constipation (-)
Weight loss: 10 kg/45 days

## Past History

diabetes/hypertension/tuberculosis/hepatitis: (-/-/-/-)

## Family History

diabetes/hypertension/tuberculosis/hepatitis: (-/-/-/-)

## Social History

Occupation: 사무직 회사원

Alcohol: 소주 1병 주 4회 30년간

Smoking: ex-smoker, 11 pack-years, 15년 전 금연

## Review of Systems

### General

dizziness (-)

### Skin

| | |
|---|---|
| rash (-) | pruritus (-) |

### Head / Eyes / ENT

| | |
|---|---|
| headache (-) | hearing disturbance (-) |
| dry eyes (-) | tinnitus (-) |
| rhinorrhea (-) | oral ulcer (-) |
| sore throat (-) | dizziness (-) |

### Respiratory

| | |
|---|---|
| dyspnea (-) | hemoptysis (-) |

### Cardiovascular

| | |
|---|---|
| orthopnea (-) | palpitation (-) |

### Genitourinary

| | |
|---|---|
| flank pain (-) | gross hematuria (-) |
| genital ulcer (-) | |

### Neurologic

| | |
|---|---|
| seizure (-) | memory impairment (-) |
| psychosis (-) | motor-sensory change (-) |

### Musculoskeletal

| | |
|---|---|
| pretibial pitting edema (-) | tingling sense (-) |
| back pain (-) | muscle pain (-) |

## Physical Examination

height 174 cm, weight 70 kg
body mass index 23.3 kg/m²

### Vital Signs

BP 120/82 mmHg - HR 68/min - RR 18/min - BT 36.8°C

### General Appearance

chronically ill-looking appearance    alert

oriented to time, person, place

### Skin

| | |
|---|---|
| normal skin color and texture | ecchymosis (-) |
| rash (-) | purpura (-) |
| spider angioma (-) | palmar erythema (-) |
| warm and dry | |

### Head / Eyes / ENT

| | |
|---|---|
| visual field defect (-) | pinkish conjunctivae |
| whitish sclerae | neck vein engorgement (-) |

### Chest

| | |
|---|---|
| symmetric expansion without retraction | normal tactile fremitus |
| percussion : normal resonance | clear lung sound |

### Heart

| | |
|---|---|
| regular rhythm | normal hearts sounds without murmur |

### Abdomen

| | |
|---|---|
| distended abdomen | normoactive bowel sound |
| hepatomegaly (-) | splenomegaly (-) |
| tenderness (+): whole abdomen | rebound tenderness (-) |

## Back and extremities

| | |
|---|---|
| flapping tremor (-) | costovertebral angle tenderness (-/-) |
| pretibial pitting edema (-/-) | |

## Neurology

| | |
|---|---|
| motor weakness (-) | sensory disturbance (-) |
| gait disturbance (-) | neck stiffness (-) |

# Initial Laboratory Data

| WBC $4{\sim}10\times10^3/mm^3$ | 7,100 | Hb (13~17 g/dl) | 14.6 |
|---|---|---|---|
| WBC differential count | neutrophil 39.5% lymphocyte 28.8% monocyte 31.0% | platelet $(150{\sim}350\times10^3/mm^3)$ | 211,000 |

## Chemical & Electrolyte battery

| Ca (8.3~10 mg/dL) /P (2.5~4.5 mg/dL) | 9.0/3.2 | glucose (70~110 mg/dL) | 103 |
|---|---|---|---|
| protein (6~8 g/dL)/ albumin (3.3~5.2 g/dL) | 6.7/3.8 | aspartate aminotransferase (AST)(~40 IU/L) /alanine aminotransferase (ALT)(~40 IU/L) | 30 17 |
| alkaline phosphatase (ALP)(40~120 IU/L) | 48 | gamma-glutamyltranspeptidase (r-GT)(11~63 IU/L) | 29 |
| total bilirubin (0.2~1.2 mg/dL) | 0.5 | direct bilirubin (~0.5mg/dL) | 0.3 |
| BUN(10~26mg/dL) /Cr (0.7~1.4mg/dL) | 14/0.98 | estimated GFR ($\geq$60ml/min/1.7m$^2$) | >90 |
| Na(135~145mmol/L) / K(3.5~5.5mmol/L) / Cl(98~110mmol/L) | 140/4.3/102 | total $CO_2$ (24~31mmol/L) | 25.7 |

## Coagulation battery

| | | | |
|---|---|---|---|
| prothrombin time (PT) (70~140%) | 94.2 | PT (INR) (0.8~1.3) | 1.11 |
| activated partial thromboplastin time (aPTT) (25~35 sec) | 30.7 | | |

## Urinalysis

| | | | |
|---|---|---|---|
| specific gravity (1.005~1.03) | 1.013 | pH (4.5~8) | 6.0 |
| albumin (TR) | (-) | glucose (-) | (-) |
| ketone (-) | (-) | bilirubin (-) | (-) |
| occult blood (-) | (-) | nitrite (-) | (-) |
| Urobilinogen | (-) | | |

## Chest PA

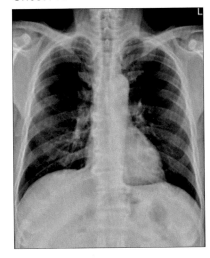

〈입원 당시 Chest x-ray〉
Chest X-ray에서 이상소견은 보이지 않았다

### Electrocardiogram

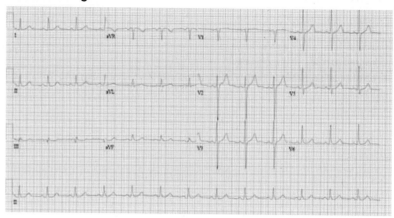

## Initial Problem List

#1. Vomiting

#2. Ill-defined lobulated mesenteric mass on AP-CT

#3. Monocytosis on CBC

---

#1. Vomiting
#2. Ill-defined lobulated mesenteric mass on AP-CT
#3. Monocytosis on CBC

| | |
|---|---|
| A) | Lymphoma<br>Sclerosing mesenteritis<br>Mesenteric fibromatosis<br>Hidden gastrointestinal malignancy |
| P) | Diagnostic plan 〉<br>Lymphoma work-up<br>    Abdomen-Pelvic CT, Chest CT, neck CT, PET-CT<br>    Bone marrow biopsy<br>    Laparoscopic biopsy<br>Esophagogastroduodenoscopy, colonoscopy<br><br>Treatment plan 〉<br>    Hold current medication<br>    Nutritional support |

# Hospital day #1-3

#1. Vomiting
#2. Ill-defined lobulated mesenteric mass on AP-CT
#3. Monocytosis on CBC

S)  미식거리고 구토나서 잘 못 먹겠어요.

O)  Abdomen-pelvic CT
Fusion whole body PET

A)  Lymphoma
Sclerosing mesenteritis
Mesenteric fibromatosis
Hidden gastrointestinal malignancy

P)  Laparoscopic biopsy
Esophagogastrodudenoscopy, colonoscopy

# Abdominal & pelvis CT

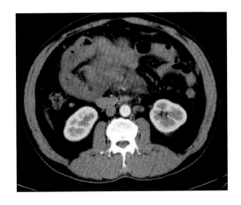

1달 전 oo병원 CT 소견
Mesenteric mass and
lymphadenopathy involving
small bowel mesentery,
retroperitoneum, and jejunum
소견이 보인다

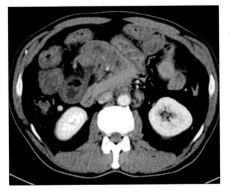

〈HD #1 Abdominal & pelvis CT
with enhance 〉
외부 CT와 비교할 때 tumor extent
약간 더 증가한 소견이 보인다.

〈HD#1 Whole body PET CT〉
Hypermetabolic mesentery mass around SMA and hypermetabolic enlarged lymph nodes in small bowel mesentery, retroperitoneum and both retrocrural area 소견보여 low grade lymphoma가능성 있어 보인다.

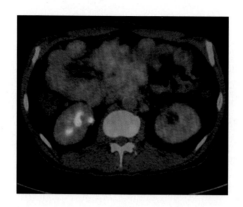

# Hospital day #4

#4. fever

| | |
|---|---|
| S) | 열 나고 숨쉬기도 힘들어요. |
| O) | BP 80/50mmHg - BT 38.2℃ - HR 150 /min - RR 34 /min<br>SpO₂ 75%<br>WBC : 8 x10³ /mm³, CRP : 8.37 mg/dL<br>P/E : crackle on both lower anterior chest |
| A) | Septic shock d/t hospital acquired pneumonia |
| P) | Diagnostic plan 〉<br>Sputum gram stain/culture, Blood culture<br>Respiratory virus PCR, Pneumococcal/Legionella urinary antigen<br>Chest x-ray follow-up<br><br>Treatment plan 〉<br>Early goal-directed therapy<br>  Meropenem + teicoplanin + levofloxacin<br>O2 supply |

〈HD #4 Chest x-ray〉
Both lower lung field에 increased opacity소견이 보인다.

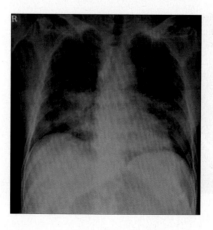

## Updated Problem List

#1. Vomiting

#2. Ill-defined lobulated mesenteric mass on AP-CT

#3. Monocytosis on CBC

#4. Fever

⇨ Septic shock d/t hospital acquired pneumonia

## Hospital day #5

#4. Septic shock d/t hospital acquired pneumonia

S)   숨찬 건 좀 나아졌어요

O)
BP 115/86mmHg - BT 38.3 ℃ - HR 105 /min - RR 28 min    SpO2 97%
P/E : crackle on both lower anterior chest
CT, chest with enhancement
CT, neck with enhancement

A)   Septic shock d/t hospital acquired pneumonia

P)
Chest x-ray follow-up
Tapering O2 및 vasopressor
환자 상태가 critical 하므로 일단 항생제는 현재대로 유지

Chest x-ray상 pulmonary edema가능성 있어 chest CT 시행하였으며 lymphoma가능성으로 neck CT도 같이 시행하였다.

## Chest CT

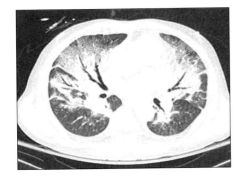

## Neck CT

〈HD#5 Neck CT with enhance〉
Lymph node enlargement소견은
없어 보인다.

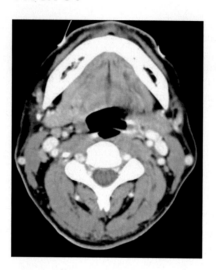

## Hospital day #6

#1. Vomiting
#2. Ill-defined lobulated mesenteric mass on AP-CT
#3. Monocytosis on CBC

| | |
|---|---|
| S) | 아랫배가 간헐적으로 아파요 |
| O) | BP 130/73mmHg - BT 38℃ - HR 95 /min - RR 20 min<br>P/E: tenderness/rebound tenderness (+/-): whole abdomen |
| A) | Lymphoma<br>Sclerosing mesenteritis<br>Mesenteric fibromatosis<br>Hidden gastrointestinal malignancy |
| P) | Pneumonia 호전 되고 laparoscopic biopsy 고려 |

#4. Septic shock d/t hospital acquired pneumonia

S)   폐렴 검사결과는 어떤가요?

O)   Respiratory virus PCR (-)
     Blood / sputum culture (-)
     Legionella urinary antigen (-)
     Pneumococcus urinary antigen (-)

A)   Septic shock d/t hospital acquired pneumonia

P)   Tapering O₂
     현재 항생제 유지
     적절한 항생제 사용에 대해 감염내과 상의

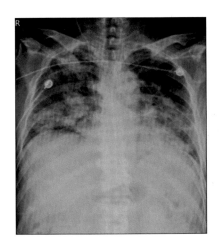

〈HD#6 Chest x-ray〉
Both lung의 increased opacity
증가소견이 보인다.

#5. Pancytopenia on CBC (new problem)

S)   치료는 잘 되고 있나요?

O)   WBC $3.8 \times 10^3$ /mm3 Hb 11.6 g/dl Platelet 101,000/mm³

A)   DIC with septic shock d/t hospital acquired pneumonia

P)   Diagnostic plan 〉
     PT , aPTT, Fibrinogen, FDP, D-dimer, Antithrombin III check
     Peripheral blood smear

     Treatment plan 〉
     Current management 유지
     PRN) transfusion

## Hospital day #7-11

#4. Septic shock d/t hospital acquired pneumonia

| | |
|---|---|
| S) | 열도 떨어지고 컨디션은 좀 낫습니다. |
| O) | BP 133/81mmHg - BT 37.2℃ - HR 72 /min - RR 26 min SpO2 98% |
| A) | Septic shock d/t hospital acquired pneumonia |
| P) | Tapering O2<br>임상경과 호전되는 추세로 teicoplanin은 중단하고, meropenem은 Piperacillin/tazobactam으로 변경 및 levofloxacin 유지 |

〈HD#10 Chest x-ray〉
Both lung의 increased opacity
호전추세이다.

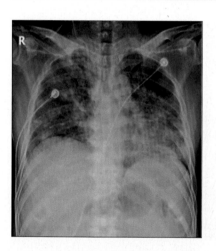

DIC score 5점으로 DIC의 가능성
높을 것으로 생각된다

#5. Pancytopenia on CBC

| | |
|---|---|
| S) | 피검사가 결과는 어떤가요? |
| O) | PT(INR) : 38.1%(1.9)　　　aPTT : 33.2 sec<br>Fibrinogen : 616 mg/dL　　D-dimer : 4.18 ug/mL<br>FDP : 14.5 ug/mL　　　　Antithrombin III : 60%<br>Peripheral blood smear : normocytic normochromic anemia<br>Anisopoikilocytosis, moderate thrombocytopenia |
| A) | DIC with septic shock d/t hospital acquired pneumonia |
| P) | Current management 유지<br>PRN) transfusion |

# Hospital day #12

#4. Septic shock d/t hospital acquired pneumonia

S) 숨찬 증상 많이 좋아졌어요

O) High flow nasal cannular FiO2 35% ⇨ SpO2 : 94%
CRP : 28.8(HD #5) ⇨ 1.3mg/dL

A) Septic shock d/t hospital acquired pneumonia

P) Tapering O2
발열, elevated CRP 등의 소견 좋아지는 것으로 판단되어
Piperacillin/tazobactam + levofloxacin 유지

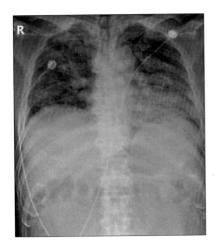

〈HD#12 Chest x-ray〉
Both lung의 increased opacity
호전소견 보인다.

# Hospital day #18

#1. Vomiting
#2. Ill-defined lobulated mesenteric mass on AP-CT
#3. Monocytosis on CBC

S) 조직검사는 언제 하나요?

O) BP 138/79mmHg - BT 36.2℃ - HR 88회/min - RR 18회/min

A) Lymphoma
Sclerosing mesenteritis
Mesenteric fibromatosis
Hidden gastrointestinal malignancy

P) 폐렴 치료 후 전신마취까지 1~2주 간격 두는 것이 권장되어
재입원하여 laparoscopic biopsy 시행예정

〈HD#18 Chest x-ray〉
Both lung의 increased opacity
호전소견 보인다.

#4. Septic shock d/t hospital acquired pneumonia

| | |
|---|---|
| S) | 기침도 별로 없고, 숨쉬기도 편해졌어요 |
| O) | CRP : 28.44 ⇨ 0.14mg/dL |
| A) | Septic shock d/t hospital acquired pneumonia |
| P) | 염증 수치 및 환자 임상증상 호전되었으며 항생제는 2주간 충분히 사용하여 중단 후 경과관찰 |

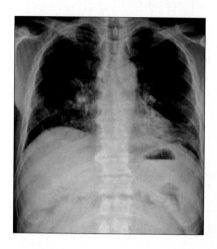

#5. Pancytopenia on CBC

| | |
|---|---|
| S) | 피검사가 수치가 좋아지고 있다 |
| O) | WBC : 3700 ⇨ 4300 ⇨ 7500<br>Hb : 11.5 ⇨ 11.8 ⇨ 12.5<br>PLT : 65k ⇨ 75k ⇨ 109k |
| A) | Improving DIC with septic shock d/t hospital acquired pneumonia |
| P) | CBC f/u |

## Updated Problem List

#1. Vomiting

#2. Ill-defined lobulated mesenteric mass on AP-CT

#3. Monocytosis on CBC

#4. Septic shock d/t hospital acquired pneumonia

⇨ Resolved

#5. Pancytopenia on CBC

⇨ DIC with septic shock d/t hospital acquired pneumonia

# 2nd admission

## Hospital course

10주전 시작된 복통, 구역, 구토로 oo병원 복부전산화단층촬영상에서 경화성 장간막염 가능성에 대해 prednisolone+tamoxifen 복용후에도 증상호전 없어 진단 위하여 본원 입원하였다.

4주전 입원하여 검사진행중 septic shock d/t hospital acquired pneumonia로 치료 후 호전되어 퇴원하였다.

퇴원 10일 후 laparoscopic biopsy 시행 위해 재입원하였다.

CBC상 WBC 3000 /mm3, Hb 10.2 g/dl, platelet 115,000 /mm3 로 다시 pancytopenia악화되어 monocytosis와 함께 lymphoma bone marrow involvement의 가능성을 고려하였다.

HD #2 복강경 조직검사 시행하였고, 수술 소견에서 Treitz ligament 부터 jejuneum 전체로 small bowel mesentery enlargement가 보이고 mid small bowel mass 의해 obstruction 야기시킬만한 lesion관찰되어 small bowel resection and anastomosis시행하였다.

HD #11 조직검사결과 myeloid sarcoma 확인 되어 bone marrow biopsy 시행 및 치료계획에 대해 혈액내과 상의하기로 하였다.

HD #12 bone marrow biopsy 결과 acute myeloid leukemia 확인되어

HD #15 induction chemotherapy: cytarabine + daunorubicin 시행하였다.

## Updated Problem List

#1. Vomiting
  ⇨ myeloid sarcoma
  ⇨ acute myeloid leukemia

#2. Ill-defined lobulated mesenteric mass on AP-CT
  ⇨ see #1

#3. Monocytosis on CBC
  ⇨ see #1

#4. Septic shock d/t hospital acquired pneumonia
  ⇨ Resolved

#5. Pancytopenia on CBC
  ⇨ see #1

Mesenteric mass의 감별진단으로는 Lymphoma, carcinoid tumor, carcinomatosis, liposarcoma, mesenteric fibromatosis 등을 감별해야 한다. Lymphoma의 경우 대개 retroperitoneal lymphadenopathy가 동반되고, Carcinoid tumor는 mass의 경계가 불분명하며, carcinomatosis는 복수와 여러 개의 장막결절 소견이 동반된다. Mesenteric fibromatosis는 bowel의 muscularis propria를 침범하며 multifocal involvement를 보인다.

## Clinical courses

Post chemotherapy #28 골수검사상 complete remission확인되어
Consolidation chemotherapy 후 동종조혈모세포이식 시행예정이다.

## Lesson of the case

Mesenteric mass에 대한 감별 진단으로 다양한 질환을 고려할 수 있으며 본
증례의 경우 mesenteric and retroperitoneal lymphadenopathy가 동반 되어
감별진단 중 lymphoma의 가능성을 가장 높게 생각할 수 있었다.

본 증례는 mesenteric mass의 조직 검사를 통하여 myeloid sarcoma가 진단된
경우로 Mesenteric mass의 경우 다양한 원인질환이 가능한데 동반된 image
finding을 통하여 감별진단을 좁혀나갈 수 있지만 정확한 진단을 위해서는 빠
른 조직검사를 통하여 확인이 필요할 것으로 생각된다.

Monocytosis는 monocyte가 WBC의
10%이상으로 정의하며
다양한 원인에 의해 발생할 수 있다.
*감염질환 : tuberculosis
infectious mononucleosis,
brucellosis, listeriosis, syphlis 등

*혈액질환 : chronic neutropenia,
myeloproliferative disorders

*자가면역질환: SLE, RA, IBD

*악성종양: leukemia, Hodgkin's
lymphoma

# 3달 전 시작된 복통으로 내원한 43세 여자

## Chief Complaints

Abdominal pain, started 3months ago

## Present Illness

이전에 특이병력 없던 자로 내원 3개월 전부터 RLQ area에 하루 2-3번 정도 쑤시는 듯한 양상으로 5-10분 가량 지속되는 통증이 발생하였고 최근 악화되어, 내원 5일 전 OO병원 내원하여 시행한 abdomen CT에서 rt. ovary에 9.5cm septated cystic lesion 확인되었다.

상기 CT 소견으로 수술적 치료 계획하여 시행한 echocardiography에서 interatrial septum에 large defect 확인되어 수술이 어렵다는 이야기 듣고 본원 내원 하였다.

## Past History

Dyslipidemia: 3년 전 진단받고 atorvastatin 20mg qd 복용 중
Diabetes/hypertension/tuberculosis/hepatitis: (-/-/-/-)

## Gynecologic & Obstetric history

Unmarried
Para: 0-0-0-0
Last menstrual period: 3weeks ago
　　　　　　　　　regular interval
　　　　　　　　　moderate amount
　　　　　　　　　duration: 6-7days
　　　　　　　　　dysmenorrheal: tolerable

## Family History

Maternal atrial septal defect history (+)

Diabetes/hypertension/tuberculosis/hepatitis: (-/-/-/-)

## Social History

Occupation: 간호사

Alcohol (-)

Smoking (-)

## Review of Systems

### General

| | |
|---|---|
| dizziness (-) | weight loss (-) |

### Skin

| | |
|---|---|
| rash (-) | pruritus (-) |

### Head / Eyes / ENT

| | |
|---|---|
| headache (-) | hearing disturbance (-) |
| dry eyes (-) | tinnitus (-) |
| rhinorrhea (-) | oral ulcer (-) |
| sore throat (-) | dizziness (-) |

### Respiratory

| | |
|---|---|
| dyspnea (-) | hemoptysis (-) |
| cough (-) | sputum (-) |

### Cardiovascular

| | |
|---|---|
| orthopnea (-) | palpitation (-) |
| chest pain (-) | dyspnea on exertion (+) |

### Gastrointestinal

| | |
|---|---|
| abdominal pain (-) | nausea / vomiting (-/-) |
| hematemesis (-) | melena (-) |
| diarrhea (-) | constipation (-) |

## Genitourinary

flank pain (-)

dysuria (-)

gross hematuria (-)

menorrhagia (-)

## Neurologic

seizure (-)

psychosis (-)

memory impairment (-)

motor-sensory change (-)

## Musculoskeletal

pretibial pitting edema (-)

back pain (-)

cyanosis (-)

muscle pain (-)

# Physical Examination

Height 158.0cm, weight 48.0 kg

body mass index 19.23 kg/m²

## Vital Signs

BP 94/58 mmHg - HR 70 /min - RR 19 /min - BT 36.3℃

## General Appearance

acutely ill-looking appearance

oriented to time, person, place

alert

## Skin

normal skin color and texture

rash (-)

warm and dry

ecchymosis (-)

purpura (-)

## Head / Eyes / ENT

visual field defect (-)

whitish sclerae

palpable neck node (-)

pinkish conjunctivae

neck vein engorgement (-)

pharyngeal injection (-)

## Chest

symmetric expansion without retraction

crackle (-)

normal tactile fremitus

wheezing (-)

### Heart

| regular rhythm | normal hearts sounds without murmur |
| thrill (-) | fixed S2 splitting (+) |

### Abdomen

| not distended abdomen | normoactive bowel sound |
| hepatomegaly (-) | splenomegaly (-) |
| psoas/rovsing sign (-/-) | shifting dullness (-) |

### Back and extremities

| flapping tremor (-) | costovertebral angle tenderness (-/-) |
| pretibial pitting edema (-/-) | clubbing (-) |

### Neurology

| motor weakness (-) | sensory disturbance (-) |
| gait disturbance (-) | neck stiffness (-) |

## Initial Laboratory Data

| WBC $4\sim10\times10^3/mm^3$ | 19,500 | Hb (13~17 g/dl) | 14.0 |
|---|---|---|---|
| MCV(81~96 fl) | 89.0 | MCHC(32~36 %) | 32.7 |
| WBC differential count | neutrophil 84.8% lymphocyte 9.5% eosinophil 0.1% | platelet $(150\sim350\times10^3/mm^3)$ | 29,400 |

## Chemical & Electrolyte battery

| | | | |
|---|---|---|---|
| Ca (8.3~10 mg/dL) /P (2.5~4.5 mg/dL) | 9.3/3.4 | glucose (70~110 mg/dL) | 91 |
| protein (6~8 g/dL)/ albumin (3.3~5.2 g/dL) | 6.7/3.8 | aspartate aminotransferase (AST)(~40 IU/L) | 21 |
| | | /alanine aminotransferase (ALT)(~40 IU/L) | 15 |
| alkaline phosphatase (ALP)(40~120 IU/L) | 55 | gamma-glutamyltranspeptidase (r-GT)(11~63 IU/L) | 24 |
| total bilirubin (0.2~1.2 mg/dL) | 0.5 | direct bilirubin (~0.5mg/dL) | - |
| BUN(10~26mg/dL) /Cr (0.7~1.4mg/dL) | 17/0.72 | estimated GFR ($\geq$60ml/min/1.7m$^2$) | >90 |
| Na(135~145mmol/L) / K(3.5~5.5mmol/L) / Cl(98~110mmol/L) | 138/4.2/104 | total $CO_2$ (24~31mmol/L) | 17.1 |

## Coagulation battery

| | | | |
|---|---|---|---|
| prothrombin time (PT) (70~140%) | 86.3 | PT (INR) (0.8~1.3) | 1.08 |
| activated partial thromboplastin time (aPTT) (25~35 sec) | 28.6 | | |

## Urinalysis

| | | | |
|---|---|---|---|
| specific gravity (1.005~1.03) | 1.020 | pH (4.5~8) | 5.0 |
| albumin (TR) | (-) | glucose (-) | (-) |
| ketone (-) | (-) | bilirubin (-) | (-) |
| occult blood (-) | (-) | nitrite (-) | (-) |

## Chest PA, Lateral

〈 Chest PA〉
Prominent pulmonary trunk shadow, cardiac apex의 superior displacement 소견이 관찰된다

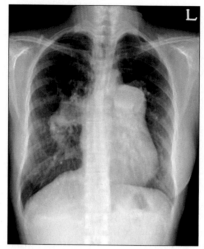

〈Chest Lateral〉
Retrosternal space에 공기음영 없이 cardiac shadow로 가려져 있어 RVH 가 의심되는 소견이다.

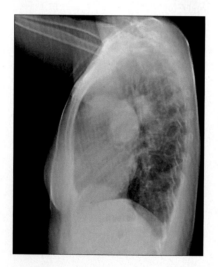

## Electrocardiogram

Peaked P wave, incomplete RBBB 소견이 관찰된다.

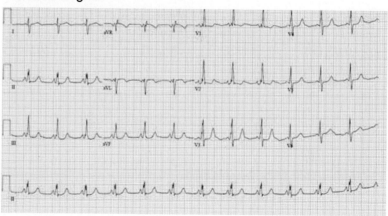

# Initial Problem List

#1. Right ovarian cyst

#2. Atrial septal defect

#3. Prominent pulmonary vascular shadow with RVH

#4. RBBB on EKG

#5. Dyslipidemia

#1. Right ovarian cyst

A) Benign ovarian cystic neoplasm, rt.
Malignant ovarian cystic neoplasm, rt.

P) Diagnostic plan 〉
외부병원 abdominal and pelvic CT, pelvic MR review
CA 125
산부인과 협진 의뢰

Treatment plan 〉
통증 조절
수술적 치료 고려

#2. Atrial septal defect

#3. Prominent pulmonary vascular shadow with RVH

#4. RBBB on EKG

A) ASD with Eisenmenger syndrome

P) Diagnostic plan 〉
Transthoracic, transesophageal echocardiography

# Hospital day #1

## Abdominal and pelvic CT, pelvic MRI

〈Abdominal and pelvic CT with enhancement〉
골반 강에 10cm 가량의 cystic mass가 관찰되며, 4.5cm subserosal uterine myoma가 의심되는 소견도 보인다 (화살표 표시 부분).

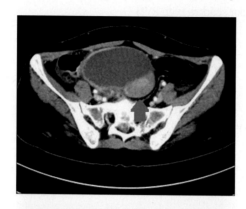

〈Pelvic MRI〉
T2 weighted image에서 unilocular cyst가 관찰되며 mucinous cystadenoma가 가장 의심되며 malignancy가 완전히 배제되지 않는다.

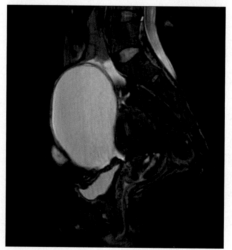

| #1. Right ovarian cyst | |
|---|---|
| S) | 오른쪽 아랫배가 아파요. |
| O) | 94/65mmHg - 89/min - 18/min - 36.0 ℃<br>CA 125(0-35U/mL) : 54.6U/mL |
| A) | Rt. mucinous cystadenoma, more likely<br>malignant disease, less likely<br>Lt. subserosal myoma |
| P) | transvaginal, transabdominal ultrasonography<br>consider surgical resection |

# Echocardiography

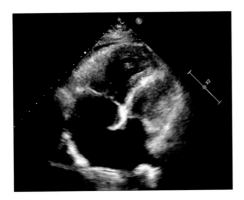

심초음파 소견에서 Large ASD와
함께 bidirectional shunt 의심
소견이 관찰되어 Eisenmenger
syndrome이 가능할 수 있는
소견이다.
심초음파는 폐동맥 압력의
추정치만 구할 수 있으며 정확한
압력은 diagnostic cardiac
catheterization을 통한 혈역학적
측정을 통해 정확한 압력값을 얻을
수 있다. 정확한 폐동맥 압력 측정을
위해서 catheterization을
진행하기로 하였다

#2. Atrial septal defect

#3. Prominent pulmonary vascular shadow with RVH

#4. RBBB on EKG

S)  움직이지 않으니 크게 숨차지는 않아요.

O)  Transthoracic, Transesophageal echocardiography :
    - Large secundum type ASD
      with suspicious of bidirectional shunt
    - Moderate functional TR
      with severe resting pulmonary hypertension

A)  Secundum type ASD with Eisenmenger syndrome
Tricuspid regurgitation with pulmonary hypertension

P)  Diagnostic cardiac catheterization

# Hospital day #2

**#1. Right ovarian cyst**

| | |
|---|---|
| O) | Transvaginal, transabdominal ultrasonography<br>- 89x92x63mm rt. cystic mass with internal echo(+)<br>- 30x27x14mm lt. cystic mass |
| A) | Rt. mucinous cystadenoma, more likely<br>Malignant disease, less likely<br>Lt. subserosal myoma |
| P) | 수술적 제거에 대하여 산부인과 및 마취과 상의하였고 심장 문제에 대해 먼저 치료 후 수술 고려 하기로 하였다. |

〈Diagnostic cardiac catheterization〉
Qp/Qs ratio 〉 2 이면서 PVR 〈5 Wood units으로 Eisenmenger syndrome은 아니며 수술적 치료가 가능한 상태이다.

**#2. Atrial septal defect**
**#3. Prominent pulmonary vascular shadow with RVH**
**#4. RBBB on EKG**

| | |
|---|---|
| O) | Diagnostic cardiac catheterization<br>- Qp/Qs 3.57<br>- Pulmonary vascular resistance 2.83 wood units<br>- Rp/Rs 0.16<br>- Main pulmonary arterial pressure 63/12/40mmHg |
| A) | Secundum type ASD with secondary pulmonary hypertension<br>Tricuspid regurgitation |
| P) | 수술적 치료 고려 |

# Hospital day #3

## Coronary CT

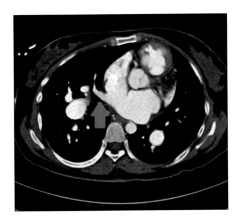

〈Coronary CT〉
ASD에서는 sinoseptal anomaly가
동반될 수 있어 이에 대한 확인 위해
coronary CT 시행하였다.
CT에서는 Large ASD와 함께
partial anomalous pulmonary
venous return이 관찰된다.(화살표
표시부분)

#2. Atrial septal defect
#3. Prominent pulmonary vascular shadow with RVH
#4. RBBB on EKG

O)   92/56mmHg - 86/min - 18/min - 36.8 ℃

Secundum type ASD with secondary pulmonary hypertension

A)   Tricuspid regurgitation
Partial anomalous pulmonary venous return

P)   흉부외과에 수술적 치료 문의

## Updated Problem List

#1. Right ovarian cyst

#2. Atrial septal defect

⇨ ASD with secondary pulmonary hypertension,
partial anomalous pulmonary venous return

#3. Prominent pulmonary vascular shadow with RVH

⇨ see #2

#4. RBBB on EKG

⇨ see #2

#5. Dyslipidemia

#6. Subserosal uterine myoma, left.

## Clinical course

Atrial septal defect, tricuspid regurgitation, partial anomalous pulmonary venous return으로 patch closure, venous switch, tricuspid annuloplasty 수술을 시행 받았고 호흡곤란은 호전된 상태로 외래에서 경과관찰 중이다. 우측 난소 낭종에 대해서는 향후 수술 예정이다.

## Lesson of the case

심방 중격 결손증은 비교적 흔한 선천적 심장 기형이며 다수가 영유아기에 진단되나 본 증례와 같이 중 장년에 이르러 진단되는 경우도 드물지는 않다. Eisenmenger syndrome은 VSD에서는 비교적 잘 동반될 수 있으나 ASD에서는 상대적으로 드물다. 따라서 ASD 환자에서 폐동맥 고혈압이 있는 경우에는 diagnostic cardiac catheterization과 같은 정확한 진단적 검사를 통하여 Eisenmenger syndrome을 감별하는 것이 중요하다.

# 6개월 전 악화된 멍이 잘 드는 증상으로 내원한 36세 여자

## Chief Complaints

Easy bruising, started 6 months ago

## Present Illness

내원 9년 전, 멍이 잘 드는 증상으로 내원하여 SLE 에 의한 secondary ITP 진단 되었다. 당시 steroid 투여하면서 platelet count 호전되었다.

이 후 hydroxychloroquine 200mg BID 투여 하면서 외래 추적관찰 중, 내원 6년 전, 내원 2년 전, 두 차례 thrombocytopenia 진행하여 steroid 투여하였으며, steroid 투여 후에는 platelet count가 정상으로 회복됨에 따라 prednisolone 5mg QD로 감량하여 유지하였다.

내원 6개월 전부터 다시 멍이 잘 드는 증상이 발생하였고, platelet count 30k/uL까지 감소되어서 IVIG 투여 위하여 입원하였다.

## Past History

Diabetes/hypertension/tuberculosis/hepatitis (-/-/-/-)

Operation history: laparoscopic appendectomy d/t acute appendicitis (5 years ago)

## Family History

Diabetes/hypertension/tuberculosis/hepatitis (-/-/-/-)

어머니가 32세에 SLE로 사망

## Social History

Occupation: 무

Alcohol: 맥주 1병/주 × 10년

Smoking (-)

## Review of Systems

### General

| | |
|---|---|
| dizziness (-) | weight loss (-) |

### Skin

| | |
|---|---|
| rash (-) | pruritus (-) |

### Head / Eyes / ENT

| | |
|---|---|
| headache (-) | hearing disturbance (-) |
| dry eyes (-) | Tinnitus (-) |
| rhinorrhea (-) | oral ulcer (-) |
| sore throat (-) | dizziness (-) |

### Respiratory

| | |
|---|---|
| dyspnea (-) | hemoptysis (-) |

### Cardiovascular

| | |
|---|---|
| orthopnea (-) | palpitation (-) |

### Gastrointestinal

| | |
|---|---|
| abdominal pain (-) | nausea/vomiting (-/-) |
| hematemesis (-) | melena (-) |

### Genitourinary

| | |
|---|---|
| flank pain (-) | gross hematuria (-) |
| genital ulcer (-) | |

### Neurologic

| | |
|---|---|
| seizure (-) | memory impairment (-) |
| psychosis (-) | motor-sensory change (-) |

### Musculoskeletal

| | |
|---|---|
| pretibial pitting edema (-) | tingling sense (-) |
| back pain (-) | muscle pain (-) |

## Physical Examination

164 cm, 66 kg (BMI 24 kg/m²)

### Vital Signs

136/85mmHg-88/min-18/min-36.1℃

### General Appearance

Not so ill-looking appearance          alert
oriented to time, person, place

### Skin

normal skin color and texture          ecchymosis (-)
rash (-)                               purpura (-)
spider angioma (-)                     palmar erythema (-)

### Head / Eyes / ENT

visual field defect (-)                pinkish conjunctivae
whitish sclerae                        neck vein engorgement (-)

### Chest

symmetric expansion without retraction    normal tactile fremitus
percussion : resonance                 vesicular breathing sound

### Heart

regular rhythm                         normal hearts sounds without murmur

### Abdomen

flat abdomen                           normoactive bowel sound
Hepatomegaly (-)                       Splenomegaly (-)
Tenderness (-)                         shifting dullness (-)

### Back and extremities

flapping tremor (-)                    costovertebral angle tenderness (-/-)
pretibial pitting edema (-/-)
multiple ecchymosis on both arms, legs.

## Neurology

| | |
|---|---|
| motor weakness (-) | sensory disturbance (-) |
| gait disturbance (-) | neck stiffness (-) |

# Initial Laboratory Data

| WBC<br>$4{\sim}10\times10^3/mm^3$ | 4,000 | Hb (13~17 g/dl) | 11.6 |
|---|---|---|---|
| WBC<br>differential count | Neutrophil 53.7%<br>lymphocyte 32.8%<br>monocyte 12.2% | platelet<br>$(150{\sim}350\times10^3/mm^3)$ | 30,000 |

## Chemical & Electrolyte battery

| Ca (8.3~10 mg/dL)<br>/P (2.5~4.5 mg/dL) | 8.8/2.8 | glucose<br>(70~110 mg/dL) | 101 |
|---|---|---|---|
| protein (6~8 g/dL)/<br>albumin (3.3~5.2 g/dL) | 6.8/3.9 | aspartate aminotransferase<br>(AST)(~40 IU/L)<br>/alanine aminotransferase<br>(ALT)(~40 IU/L) | 21<br><br>17 |
| alkaline phosphatase<br>(ALP)(40~120 IU/L) | 61 | gamma-glutamyltranspeptidase<br>(r-GT)(11~63 IU/L) | - |
| total bilirubin<br>(0.2~1.2 mg/dL) | 0.4 | direct bilirubin<br>(~0.5mg/dL) | - |
| BUN(10~26mg/dL)<br>/Cr (0.7~1.4mg/dL) | 8/0.77 | estimated GFR<br>(≥60ml/min/1.7m²) | 85 |
| C-reactive protein<br>(~0.6mg/dL) | 0.1 | cholesterol | 152 |
| Na(135~145mmol/L)<br>/ K(3.5~5.5mmol/L)<br>/ Cl(98~110mmol/L) | 140/4.0/108 | total $CO_2$<br>(24~31mmol/L) | 25.7 |

## Coagulation battery

| prothrombin time (PT) (70~140%) | 107.6 | PT (INR) (0.8~1.3) | 0.93 |
|---|---|---|---|
| activated partial thromboplastin time (aPTT) (25~35 sec) | 30.3 | | |

## Urinalysis

| specific gravity (1.005~1.03) | 1.015 | pH (4.5~8) | 6.0 |
|---|---|---|---|
| albumin (TR) | (-) | glucose (-) | (-) |
| ketone (-) | (-) | bilirubin (-) | (-) |
| occult blood (-) | (-) | nitrite (-) | (-) |
| Urobilinogen (-) | | | |

## Chest PA

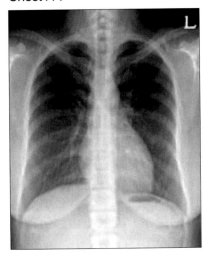

| Normal chest x-ray

## Electrocardiogram

Heart rate 69/min의 normal sinus rhythm

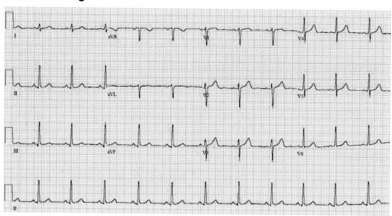

## Initial Problem List

#1. s/p Appendectomy (5 years ago)

#2. Secondary ITP due to SLE

## Hospital day #1

Immune thrombocytopenic purpura의 first-line therapy로는 steroid, IVIG 가 있으며, second-line therapy로는 splenectomy가 있다.
Case 환자의 경우 steroid에 dependent하게 발생하는 thrombocytopenia에 대하여 splenectomy를 고려하기 전 IVIG를 투여해 보기로 하였다.

| #2. Secondary ITP due to SLE | |
|---|---|
| S) | 살짝만 부딪혀도 멍이 잘 든다. |
| O) | Vital sign: 136/85mmHg-88/min-18/min-36.1℃ |
| A) | Secondary ITP due to SLE |
| P) | 총 4일간 IVIG 0.5g/kg/day 투여 |

## Hospital day #2-4

| #2. Secondary ITP due to SLE | |
|---|---|
| S) | 이제 면역글로불린 3번 맞았다. 아직까지 크게 불편한 거 없다. |
| O) | Vital sign: 115/80 mmHg - 79/min - 18/min - 36.2℃ |
| A) | Secondary ITP due to SLE |
| P) | 총 4일간 IVIG 0.5g/kg/day 투여 |

# Hospital day #5

#3. Fever with headache

S)  어제 저녁부터 머리가 아프다, 아침에 구토도 한 번 했다.

O)  Vital sign: 137/84mmHg - 100/min - 18/min - 39.4℃
    Alert, oriented mental status
    isocoric pupil, light reflex (+/+)
    meningeal irritation sign (-)
        neck stiffness(-)
        brudzinski/kernig sign(-/-)
    CBC 13,300/uL(neutrophil 84%)-10.8g/dL-160k/uL
    CRP 0.1 mg/dL    ESR 58mm/hr

A)  meningitis
    CNS lupus

P)  Diagnostic plan :
        Blood culture
        Complement level check
        CSF study
        Brain imaging study
    Therapeutic plan :
        IVIG Day 4투여 중단
        Empirical antibiotics 투여
            : Ceftriaxone 2g q 12hr iv, Vancomycin 15mg/kg q 12hr iv
        Dexamethasone iv 10mg q 6hr

# Hospital day #6

CSF에서 neutrophil count가 높으나 protein이 많이 증가하지 않았고, glucose도 많이 감소하지 않아, 일반적인 bacterial meningitis의 CSF 소견과 잘 맞지 않기 때문에 비감염성 원인의 meningitis의 가능성을 함께 고려해야 한다.

**#3. Fever with headache**

| | |
|---|---|
| S) | 두통 많이 나아졌다. 열도 이제 안 나는 것 같다. |
| O) | Vital sign: 126/88 mmHg - 68/min - 16/min - 37.4℃<br>Complement<br>    C3 90.4mg/dL(90-180)  C4 8.7mg/dL(10-40)<br>Brain MRI: No meningeal enhancement, focal lesion<br>CSF study: opening pressure 27cmH2O, colorless, mild turbid<br>        analysis - RBC 9/uL, WBC 1350/uL<br>        (neutrophil 89%, lymphocyte 1%, monocyte 9%, basophil 1%)<br>        protein 131.9mg/dL  glucose 61mg/dL<br>        Gram stain: negative |
| A) | meningitis due to<br>    non-infectious origin: drug (e.g. IVIG)<br>    infectious origin: bacterial, viral 〉 fungal, tuberculosis |
| P) | Empirical antibiotics, Dexamethasone 유지<br>Blood, CSF culture 결과 및 PCR 결과 확인,<br>CSF study follow-up<br>알레르기 내과, 감염내과 협진 의뢰 |

# Hospital day #7

#3. Fever with headache

S) 열도 안 나고, 머리 아픈 것도 괜찮다. 퇴원하고 싶다.

Vital sign: 122/81 mmHg - 73/min - 16/min - 36.6℃
Initial blood culture: 2 day no growth
1st CSF study: culture - 2day no growth
    M.Tb PCR(-) HSV/EBV/CMV PCR(-/-/-)
f/u CSF study: opening pressure 19cmH2O, colorless, clear
    analysis - RBC 9/uL, WBC 110/uL
        (neutrophil 16%, lymphocyte 35%, monocyte 49%)

O)     protein 35.1mg/dL  glucose 88mg/dL
    bacteria : no organisms seen
감염내과 협진 결과: CSF study 결과가 2일 사이에 많이 호전 되었는데, Bacterial meningitis 의 경우도 간혹 치료에 따라 경과가 빠르게 호전 되는 경우도 있지만, 드물다.
알레르기내과 협진 결과: 흔하지는 않지만, 환자의 임상경과 및 투약력과의 관계를 고려하였을 때 IVIG에 의한 aseptic meningitis 가능성이 있다.

A)     Aseptic meningitis due to IVIG

P)     IVIG Day 4투여 중단
환자 퇴원을 하기 원하는 상태로 bacterial meningitis가 완전히 배제되지는 않아서 Moxifloxacin 400mg QD로 변경해 7일간 더 투여하기로 함.


# Updated Problem List

#1. s/p Appendectomy (5 years ago)

#2. Secondary ITP due to SLE

#3. Fever with headache
    ⇨ Aseptic meningitis due to IVIG

## Hospital day #8-9

#2. Secondary ITP due to SLE
#3. Aseptic meningitis due to IVIG

| | |
|---|---|
| S) | 크게 불편한 거 없다 |
| O) | Vital sign: 138/96 mmHg - 67/min - 17/min - 37.2℃<br>2nd CSF study: culture - 2day no growth<br>　　M.Tb PCR(-) HSV/EBV/CMV PCR(-/-/-) |
| A) | Aseptic meningitis due to IVIG |
| P) | Moxifloxacin 유지 |

## Hospital day #10

#3. Aseptic meningitis due to IVIG
#4. Fever

| | |
|---|---|
| S) | 열이 다시 난다고 한다. 별로 불편한 건 없다. |
| O) | Vital sign: 148/95 mmHg - 99/min - 20/min - 37.7℃<br>meningeal irritation sign (-)<br>　　neck stiffness(-)<br>　　brudzinski/kernig sign(-/-) |
| A) | aggravation of aseptic meningitis<br>other new infection<br>drug fever (e.g. moxifloxacin) |
| P) | Moxifloxacin 투여 중단<br>항생제 투여 없이 경과 관찰<br>CSF study 재시행<br>혈액 배양, 뇌척수액 배양 결과 확인 |

#5. Azotemia

| | |
|---|---|
| S) | 소변 잘 본다. 붓지 않았다. |
| O) | BUN/Cr 30/2.33 mg/dL |
| A) | Acute kidney injury due to IVIG<br>Vancomycin induced acute kidney injury, less likely |
| P) | Diagnostic plan:<br>Routine urinalysis<br>Check FENa<br>Vancomycin TDM 측정<br>Therapeutic plan:<br>Normal saline hydration (80cc/hr)<br>소변양, 체중 및 혈액검사 follow-up |

# Hospital day #11

#3. Aseptic meningitis due to IVIG

#4. Fever

S) 열은 금방 떨어졌다.

Vital sign: 148/95 mmHg - 99/min - 20/min - 36.8℃
CSF study: opening pressure 14.8cmH2O, colorless, clear

O)     analysis - RBC 1/uL, WBC 2/uL
             (lymphocyte 61%, monocyte 14%)
             protein 23.2mg/dL glucose 48mg/dL

A)     Drug fever (e.g. moxifloxacin)

P)     Moxifloxacin 투여 중단

#5. Azotemia

S)     소변 잘 보고 있다.

    BUN/Cr 17/2.05 mg/dL
    Routine Urinalysis
O)        albumin(-) glucose(-) ketone(-) bilirubin(-) OB(-) nitrite(-)
    Vancomycin TDM(trough) 7.7mg/L
    Urine Na 47mmol/L, Urine Cr 57mg/dL
       ⇨ FENa(%) : 1.4%

A)     Acute kidney injury due to IVIG

P)     Normal saline hydration (80cc/hr)

# Updated Problem List

#1. s/p Appendectomy (5 years ago)

#2. Secondary ITP due to SLE

#3. Aseptic meningitis due to IVIG

#4. Fever
    ⇨ Drug fever due to moxifloxacin

#5. Azotemia (FENa 1.4%)
    ⇨ Acute kidney injury due to IVIG

## Hospital day #14-19

#2. Secondary ITP due to SLE
#3. Aseptic meningitis due to IVIG
#4. Drug fever due to moxifloxacin
#5. Acute kidney injury due to IVIG

| | |
|---|---|
| S) | 열 안 나고 소변 잘 본다. 혈소판 수치도 많이 올랐다고 한다. 퇴원하고 싶다. |
| O) | Vital sign: 136/94 mmHg - 82/min - 18/min - 36.6℃<br>Daily urine output 2500~2800cc<br>CBC 11,900/uL(neutrophil 68%)-10.5g/dL-136k/uL<br>Chemistry<br>BUN/Cr 10/1.12 mg/dL<br>CRP 0.16 mg/dL  ESR 53mm/hr |
| A) | Secondary ITP due to SLE<br>Aseptic meningitis due to IVIG<br>Drug fever due to moxifloxacin<br>Acute kidney injury due to IVIG |
| P) | 퇴원 후 외래에서 경과 관찰 |

## Lesson of the case

IVIG 의 작용 기전이 명확히 밝혀진 것은 아니나, 면역 저하자에서의 감염증, 이식 후 거부 반응, 자가면역 질환 등에서 최근 점차 그 사용 범위가 확대되고 있다.

IVIG 투여 후 infusion reaction, 두통, 고혈압, 알레르기 반응, 구토 등의 부작용이 가끔 발생하는 경우가 있으나, 본 환자에서와 같이 무균성 뇌수막염 및 급성 신손상을 나타내는 경우는 극히 드물다.

환자의 경과 중 새로운 문제가 발생하는 경우, 기존에 투여하던 약물에 의한 드문 합병증은 아닐 지 고려를 해 보아야 한다.

# 2일전 시작된 의식변화로 내원한 55세남자

## Chief Complaints

Altered mental status, started 2 days ago

## Present Illness

5일 전 부터 전신 위약감과 발열, 구역이 있었으나 스스로 체한 것으로 생각하고 경과관찰 하였다.

2일 전 부르면 대답은 잘 하였으나 자꾸 자려고 하는 양상보여 연고지 병원 방문하였다. OO병원 에서 brain CT 및 abdominal CT 시행한 결과 brain CT 에서는 특이소견 없었으나, abdominal CT에서 간 농양 의심되는 소견 보여 percutaneous pigtail catheter 삽입 후 ceftizoxime, metronidazole 투약 시작 하였다.

그럼에도 불구하고 통증 자극에만 반응하는 정도로 의식 저하되며, 1일 전 Rt. hemiparesis 동반되어 본원 응급실로 전원되었다.

## Associated symptoms

Chilling sense (-)

Headache (+)          dizziness (-)

Abdominal pain (-)    vomiting (-)        diarrhea (-)

## Past History

Diabetes / hypertension / tuberculosis / hepatitis (-/-/-/-)

Laparoscopic cholecystectomy d/t acute cholecystitis (2 years ago)

## Family History

Diabetes / hypertension / tuberculosis / hepatitis (-/-/-/-)

Malignancy (+): 아버지, 폐암

## Social History

Occupation: 하수 처리장 사무직

Alcohol (-)

Smoking (-)

## Review of Systems

내원 당시 의식이 stuporous 하여 증상 호소는 불가능한 상태로, 가족들에 의하면 앞에 기술된 내용 이외에는 특이소견이나 증상 호소는 없었다.

### General

| | |
|---|---|
| weight loss (-) | easy fatigability (-) |

### Skin

| | |
|---|---|
| purpura (-) | erythema (-) |

### Head / Eyes / ENT

| | |
|---|---|
| visual disturbance (-) | hearing disturbance (-) |
| rhinorrhea (-) | sore throat (-) |

### Respiratory

| | |
|---|---|
| cough (-) | sputum (-) |
| dyspnea (-) | hemoptysis (-) |

### Cardiovascular

| | |
|---|---|
| chest pain (-) | palpitation (-) |
| orthopnea (-) | dyspnea on exertion (-) |

### Genitourinary

| | |
|---|---|
| flank pain (-) | gross hematuria (-) |

### Neurologic

| | |
|---|---|
| seizure (-) | psychosis (-) |

### Musculoskeletal

| | |
|---|---|
| arthralgia (-) | myalgia (-) |

# Physical Examination

Height 163 cm, weight 66 kg, body mass index 24.8 kg/m²

## Vital Signs

BP 138/78 mmHg - HR 101 /min - RR 20 /min - BT 36.9℃

## General Appearance

acutely ill-looking appearance          stuporous mental status

## Skin

rash (-)          bruise (-)

## Head / Eyes / ENT

pinkish conjunctivae          anicteric sclerae

palpable cervical lymph nodes (-)          jugular venous distension (-)

## Chest

symmetric expansion without retraction

clear breath sound without crackles

## Heart

regular rhythm          normal heart sound without murmur

## Abdomen

soft and flat abdomen          normoactive bowel sound

hepatomegaly (-)          splenomegaly (-)

tenderness (-)          rebound tenderness (-)

## Back and extremities

costovertebral angle tenderness (-/-)          pretibial pitting edema (-/-)

## Neurology

| | |
|---|---|
| mental status: stuporous | obey command: none |
| cranial nerve exam<br>isocoric pupils with prompt light reflex<br>grossly no facial weakness<br>vestibule ocular reflex: intact<br>corneal reflex: intact<br>grossly no facial weakness | |
| motor system<br>Rt.side weakness, grade 2<br>neck stiffness (+) | ensory system<br>평가 불가능함.<br>Kernig' s sign (+) |
| Glasgow Coma Scale: 8/15<br>Eye opening: to pain - 2/4<br>Best motor response: withdraws from pain - 4/6<br>Verbal response: incomprehensible sound - 2/5 | |

# Initial Laboratory Data

## CBC

| WBC<br>$4{\sim}10 \times 10^3/mm^3$ | 13,700 | Hb (13~17 g/dl) | 11.6 |
|---|---|---|---|
| WBC<br>differential count | neutrophil 91.7%<br>lymphocyte 3.1% | platelet<br>$(150{\sim}350 \times 10^3/mm^3)$ | 72 |

## Chemical & Electrolyte battery

| | | | |
|---|---|---|---|
| Ca (8.3~10 mg/dL) /P (2.5~4.5 mg/dL) | 7.7/3.4 | glucose (70~110 mg/dL) | 154 |
| protein (6~8 g/dL)/ albumin (3.3~5.2 g/dL) | 4.5/2.5 | aspartate aminotransferase (AST)(~40 IU/L) | 78 |
| | | /alanine aminotransferase (ALT)(~40 IU/L) | 79 |
| alkaline phosphatase (ALP)(40~120 IU/L) | 83 | gamma-glutamyltranspeptidase (r-GT)(11~63 IU/L) | 86 |
| total bilirubin (0.2~1.2 mg/dL) | 2.2 | direct bilirubin (~0.5mg/dL) | 1.3 |
| BUN(10~26mg/dL) /Cr  (0.7~1.4mg/dL) | 27/0.98 | estimated GFR ($\geq$60ml/min/1.7m$^2$) | 87 |
| C-reactive protein (~0.6mg/dL) | 9.35 | cholesterol | 264 |
| Na(135~145mmol/L) / K(3.5~5.5mmol/L) / Cl(98~110mmol/L) | 144/3.5/112 | total $CO_2$ (24~31mmol/L) | 20.7 |

## Coagulation battery

| | | | |
|---|---|---|---|
| prothrombin time (PT) (70~140%) | 66.7 | PT (INR) (0.8~1.3) | 1.21 |
| activated partial thromboplastin time (aPTT) (25~35 sec) | 28.9 | | |

## Urinalysis

| | | | |
|---|---|---|---|
| specific gravity (1.005~1.03) | 1.015 | pH (4.5~8) | 6.5 |
| albumin | TR | glucose (-) | (-) |
| ketone | (-) | bilirubin (-) | (+) |
| occult blood | (++++) | urobilinogen | (++) |
| nitrite | (-) | WBC (stick) | (+) |

타원 배양 검사

Urine culture: No growth

Blood culture: G (-) bacilli on peripheral blood culture  (2/2 sets)

## Chest X-ray

〈 내원 당시 Chest PA 〉
Both lung field에서 vascular
marking이 증가되어 있어
pulmonary congestion이 있고
both lower lung에 atelectasis가
동반되어 있다.
누워 찍은 사진으로 mediastinum과
cardiac silhouette이 커져 보이는
것으로 생각된다.

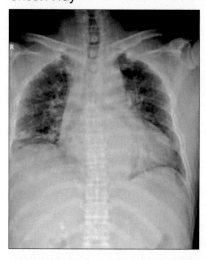

## CT , abdomen (외부병원)

〈 2일전 타원 복부 CT 〉
Right hepatic lobe 주로
segment VIII에 장경 6.1 cm
크기의 low density를 보이는 liver
abscess가 있다.

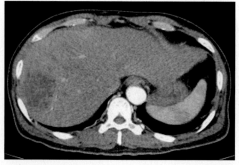

## Electrocardiogram

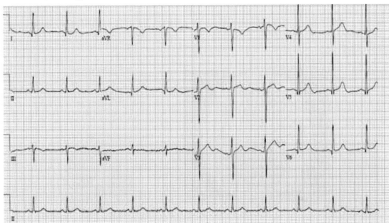

| Ventricular rate 66/min의
| normal sinus rhythm

## Initial Problem List

#1. Liver abscess with G (-) rod bacteremia

#2. Stuporous mental status with Rt. hemiparesis

## Assessment and Plan

#1. Liver abscess with G (-) rod bacteremia

A)  Liver abscess with G (-) rod bacteremia

Diagnostic plan 〉
타원 혈액 배양 최종 결과 확인
Blood & abscess drainage culture

P)

Treatment plan 〉
Percutaneous catheter drainage 유지
Empirical antibiotics: Ceftriaxone + Metronidazole

#2. Stuporous mental status with Rt. hemiparesis

A)  Bacterial meningitis
Acute cerebrovascular event
Acute cerebral infarction or embolic infarction
Intracerebral hemorrhage, less likely

P)  Diagnostic plan〉
Brain imaging ⇨ Mass lesion 확인 후 CSF tapping
Blood culture
Treatment plan〉
Empirical antibiotics: Ceftriaxone 2 gram q 12 hr 로 증량

# At the Emergency room

#2. Stuporous mental status with Rt. hemiparesis

조영 증강하지 않은 brain CT에서 hemorrhage를 시사하는 소견은 없었다.

Brain CT

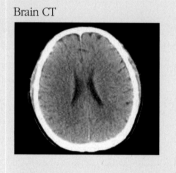

A. FLAIR image〉
Left basal ganglia에 high signal intensity를 보이는 병변이 있으며 acute infarction 에 부합하는 소견 이다.
Both lateral ventricle에 fluid-fluid level이 있으며 이는 empyema 로 추정된다.

B. MR, angiography〉
혈관의 기형이나 좁아진 부분은 없었다.

Brain MR

O)

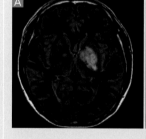 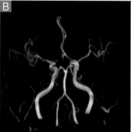

응급실 내원 8시간 경과 후 39.7℃ 의 발열과 분당 30회의 tachypnea 발생하여 intubation 시행하였다.

CSF analysis
- Yellow, turbid
- Opening pressure 34 cmH2O
- RBC 320 /uL      WBC 7520 /uL  (N: 93%  L: 5%  M: 2%)
- Protein 97.9 mg/dL
- Glucose 4 mg/dL  (serum glucose 154 mg/dL)
- ADA 24.5 U/L

* CSF/Serum glucose ratio : 0.02
* Gram smear : no organism seen

환자가 CVA의 risk factor가 없고 MR, angiography에서 steno-occlusive lesion 이 관찰되지 않아 심초음파를 이용하여 embolic source를 확인하기로 하였다.

A)  Bacterial meningitis with ventriculitis
Acute cerebral infarction d/t septic emboli, possible
                                atherosclerosis, less likely

P)  IICP control & fever control
Empirical antibiotics &  Check final culture report
Transthoracic echocardiography to search embolic source

# Hospital day #1

**#2. Stuporous mental status with Rt. hemiparesis**

S)   Sedated

Follow up CSF analysis
- Colorless, clear
- Opening Pressure 18 cmH2O
- RBC 0 /uL          WBC 110 /uL  (N: 71%  L: 22%  M: 7%)

O)   - Protein 63.5 mg/dL
- Glucose 44 mg/dL  (serum glucose 200 mg/dL)

\* CSF/Serum glucose ratio : 0.22
\* Gram smear : no organism seen

Bacterial meningitis with ventriculitis
A)   Acute cerebral infarction d/t septic emboli, possible
atherosclerosis, less likely

Keep current antibiotics
Taper sedatives
P)   Daily neurologic examination
Start weaning from mechanical ventilator

# Hospital day #2

**#1. Liver abscess with G (-) rod bacteremia**
**#2. Stuporous mental status with Rt. hemiparesis**

S)   Sedated.

Eye opening in response to speech
1 step obey
PCD drain: 130 cc/day
O)   외부병원 혈액배양검사 ⇨ K. pneumoniae
CSF culture : 2 day no growth
Blood culture : 2 day no growth
Drainage culture : 2 day no growth

A)   K. pneumoniae liver abscess with meningitis, ventriculitis
Acute cerebral infarction d/t septic emboli, possible

Antibiotics (ceftriaxone + ciprofloxacin)
P)   안과 진료 의뢰 ⇨ 안내염 소견은 없었음.
Transthoracic echocardiography

| Klebsiella pneumoniae | |
| --- | --- |
| Amikacin | ⟨=2 S |
| Amoxicillin/CA | ⟨=2 S |
| Ampicillin | ⟩=32 R |
| Aztreonam | ⟨=1 S |
| Ciprofloxacin | ⟨=0.25 S |
| Cefazolin | ⟨=4 S |
| Ertapenem | ⟨=0.5 S |
| Cefepime | ⟨=1 S |
| Cefoxitin | ⟨=4 S |
| Gentamicin | ⟨=1 S |
| Imipenem | 0.5 S |
| TMP/SMX | ⟨=20 S |
| Cefotaxime | ⟨=1 S |
| Ceftazidime | ⟨=1 S |
| Tigecycline | ⟨=0.5 S |
| Piperacillin/tazobactam | ⟨=4 S |
| ESBL | Neg |

# Hospital day #3

#1. Liver abscess with G (-) rod bacteremia
#2. Stuporous mental status with Rt. hemiparesis

| | | |
|---|---|---|
| S) | Sedated. | |
| O) | Neurologic exam<br>    eye opening in response to speech<br>    follow commands 〉2 step<br>    pupil 3/3           light reflexes (+/+)       full EOM<br>    nystagmus (+ , downbeat nystagmus)<br>    motor IV+/IV+     ataxia +/+ (finger to nose)<br>    Babinski sign (-/-)   ankle clonus (-/-)<br>    nuchal rigidity +      Kernig' s sign+<br><br>Transthoracic echocardiography<br>    1. Moderate ASR ; R/O rheumatic pathology<br>    2. Normal LV systolic function with dilated LV<br>    3. No vegetation seen | |
| A) | K. pneumoniae liver abscess with meningitis, ventriculitis<br>Acute cerebral infarction d/t septic emboli, possible | |
| P) | 현재 항균제 치료 유지<br>Brain MRI & Follow-up neurologic examination | |

# Updated Problem List

#1. Liver abscess with G (-) rod bacteremia.

    ⇨ K.pneumoniae liver abscess

#2. Stuporous mental status with Rt. hemiparesis

    ⇨ Acute cerebral infarction with meningitis, ventriculitis

#3. Moderate aortic stenosis, aortic regurgitation

# Hospital day #5

#1. K. pneumoniae liver abscess
#2. Acute cerebral infarction with meningitis, ventriculitis

S) 병원이네요, 아픈 곳은 없어요.
팔 힘은 여전히 떨어지고, 혼자 걷기는 힘듭니다.

Brain MR

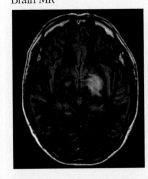 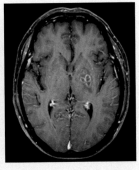

O)

1. Newly appeared diffusion restriction at right globus pallidus.
   ⇨ r/o Acute infarction
2. Diffusion restirction with mutliple ring enhancement at left
basal ganglia
   ⇨ r/o Progression of acute infarction in the left basal ganglia and
   corona radiata
   r/o Multiple abscess formation

A) K. pneumoniae liver abscess
Acute cerebral infarction with meningitis, ventriculitis, abscess

P) 현재 항균제 치료 유지

# Hospital day #7

| | | |
|---|---|---|
| **#A. Fever** | | |
| | S) | 간혹 오한이 듭니다. 배는 아프지 않고 가래가 조금 있어요. |
| | O) | Vital Signs<br>  BP 96/64 mmHg - HR 106 /min - RR 20 /min - BT 39.4℃<br>Physical examination<br>  soft abdomen<br>  tenderness / rebound tenderness (-/-)<br>Liver abscess drainage<br>  190 cc (HD 5) → 80 cc (HD 6) → 47 cc (HD 7)<br>  : 100 cc 이상 유지되었으나 점차 감소하는 양상 |
| | A) | Ineffective liver abscess drainage |
| | P) | Chest X-ray<br>CT, abdomen & pelvis<br>Blood / sputum / liver abscess culture |

# Hospital day #8

#A. Fever

S)    배에 있는 관에서 나오는 양이 줄어든 것 같아요.

Chest X-ray

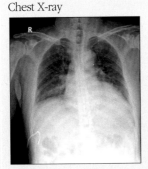

O)

CT, abdomen & pelvis

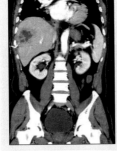 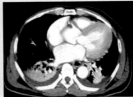

A)    Ineffective liver abscess drainage

P)    Reposition pigtail catheter

Liver abscess 의 크기가 6cm 정도로 처음과 크기변화가 거의 없었고 catheter 의 tip이 abscess 안이 아닌 rt. perihepatic space에 위치하고 있었다.

Bilateral pleural effusion이 있었고 both lower lobe에 atelectasis가 동반되어 있다.

## Updated Problem List

#1. Liver abscess with G (-) rod bacteremia.

    ⇨ #1. K.pneumoniae liver abscess

#2. Stuporous mental status with Rt. hemiparesis

    ⇨ #2. Acute cerebral infarction with meningitis, ventriculitis, abscess

#3. Moderate aortic stenosis, aortic regurgitation

#A. Fever → Ineffective liver abscess drainage

## Hospital day #20-21

#1. K. pneumoniae liver abscess
#2. Acute cerebral infarction with meningitis, ventriculitis, abscess
#3. Moderate aortic stenosis, aortic regurgitation
#B. New fever

S) 밥도 잘 먹고, 걷거나 양 팔 쓰는데 불편함이 전혀 없어요.

Vital Signs
  BP 91/67 mmHg - HR 103 /min - RR 20 /min - BT 39.3℃
Physical examination
  soft and flat abdomen
  tenderness/Rebound tenderness (-/-)
  clear lung sound
  costovertebral angle tenderness (-/-)
  neck stiffness (-)
  no motor weakness
  systolic ejection murmur at Rt.upper sterna border, apex
  diastolic murmur at Erb's area
CT, abdomen & pelvis

O)

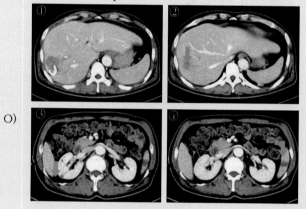

Liver abscess 는 더 줄어들었으나(①) 새롭게 Right hepatic vein branch에 thrombus 가 확인되었고(②) renal abscess 의 가능성이 있어 보이는 low density 병변(③)과 splenic infarction 이 새롭게 확인되었다(④).
Transesophageal echocardiography
1. Bicuspid aortic valve .
2. Aortic valve cusp의 tip을 주로 involve하는 multiple mobile echogenic mass가 관찰되며, 크기는 약 5~6 mm에 달함. 이는 vegetation의 가능성이 높음.
3. Moderate aortic regurgitation, aortic stenosis
심장내과 협진 의뢰
① 현재 severe regurgitation 에 의한 조절되지 않는 congestive heart failure, perivalvular complication 등은 없는 것으로 보입니다.

새롭게 murmur가 발생하여 원인 파악을 위해 transesophageal echocardiography 를 시행하기로 하였다.

O) ② Large vegetation에 의한 추가적인 embolic risk 는 크지 않습니다만 현재 valve vegetation 의 burden이 많고 fever가 subside되지 않는 점등을 고려시 수술을 진행하는 것이 좋겠습니다.

A) Infective endocarditis d/t K. pneumoniae

P) 응급 수술의 적응증에는 해당되지 않아 우선 항균제 유지

## Updated Problem List

#1. Liver abscess with G (-) rod bacteremia.

⇨ #1. K.pneumoniae liver abscess

#2. Stuporous mental status with Rt. hemiparesis

⇨ #2. Acute cerebral infarction with meningitis, ventriculitis, abscess associated with #4

#3. Moderate aortic stenosis, aortic regurgitation

#A. Fever → Ineffective liver abscess drainage : resolved

#4. Infective endocarditis

#B. Fever → See #4.

## Hospital day #32

#4. Infective endocarditis

S) 간혹 열이 나도 증상이 전혀 없어요. 수술을 해야 하나요? 약물 치료로 하고 싶습니다.

O) Transesophageal echocardiogrpahy
: No significant interval change compared to previous study

A) Infective endocarditis d/t K. pneumoniae

P) If fever persists or intracardiac Cx. develops → Operation
If fever subsides → Medical treatment

# Hospital day #41

#4. Infective endocarditis

| | |
|---|---|
| S) | 열이 일주일 넘게 안 나고 있어요. 갑자기 오른 발바닥이 아파요. |
| O) | Rt. foot plantar pain (+)<br>　　dorsalis pedis a. : intact　　posterior tibial a. : intact<br>　　swelling / redness / heating sense / tenderness (+/-/-/+)<br>Transesophageal echocardiography<br>　　1. Multiple echogenic shaggy masses involving bicuspid aortic<br>　　　valve with aortic valve perforation and paravalvular<br>　　　complications<br>　　　; slightly decreased size and increased echogenecity of<br>　　　vegetation but slight progression of paravalvular inflammation<br>　　　compared with previous study<br>　　2. Severe AR; increased AR severity<br>심장내과<br>　　금일 TEE 결과 AR degree가 severe가 되었고 MAIVF (Mitral-<br>　　Aortic Intervalvular Fibrosa) abscess formation의 심되어 수술의<br>　　absolute indication에 해당 합니다.<br>　　수술 진행하는 것이 좋겠습니다.<br>흉부외과<br>　　Aortic valve replacement 시행하겠습니다.<br>　　MAIVF 는 수술장에서 확인하겠습니다. |
| A) | Infective endocarditis d/t K. pneumoniae |
| P) | 수술 진행 |

# Hospital day #42

#4. Infective endocarditis

S) 이제 수술을 받아들이기로 했어요. 오늘 수술이죠?

Operation
Aortic valve replacement (AVR)
Peri-aortic annular abscess pocket curettage and
bovine pericardial patch closure (MAIVF, anterior annulus)

O) Operation findings
Aortic valve : leaflet destruction with abscess formation bicuspid
valve
MAIVF involvement with aortic wall involvement
Another abscess pocket at the opposite site

A) Infective endocarditis d/t K. pneumonia
s/p AVR

Post op care & Anticoagulation
P) Biopsy tissue culture
Antibiotics

# Hospital day #45-59

#4. Infective endocarditis

S) 일상 생활 하는데 전혀 지장이 없어요.

Aortic valve pathology
Fibromyxoid valvulopathy with microabscess formation and
dystrophic calcification
Tissue culture (Aortic valve)
O) No growth / 2 days
Brain MR
Improved state of brain abscess, ventriculitis, meningitis
Transthoracic echocardiography
Well functioning prosthetic valve

A) Infective endocarditis d/t K. pneumoniae
s/p AVR

Anticoagulation
P) 전원하여 정주 항균제 유지 후 외래 추적 관찰

## Updated Problem List

#1. Liver abscess with G (-) rod bacteremia.

⇨ #1. K.pneumoniae liver abscess

#2. Stuporous mental status with Rt. hemiparesis

⇨ #2. Acute cerebral infarction with meningitis, ventriculitis, abscess associated with #4

#3. Moderate aortic stenosis, aortic regurgitation: See #5

#4. Infective endocarditis due to #1

#5. s/p AVR d/t #4

## Clinical course

전원하여 10일간 정주 항균제 유지 후 외래 내원했고 퇴원 후 발열이나 새로운 증상 없이 일상 생활을 하였다. 신체 진찰 상에서도 특이소견이 없었고 신경학적 후유증도 남아있지 않았다. 이에 4주간 경구 항균제로 변경하여 투약 유지하고 인공 판막에 대한 항 응고 치료를 지속하기로 하였다.

## Lesson of the case

Klebsiella pneumoniae에 의한 liver abscess의 경우 lung, eye, CNS 로의 metastatic infection 을 잘 일으키는 것으로 알려져 있으나 이번 증례에서와 같이 infective endocarditis 를 일으키는 경우는 매우 드물다.

본 증례는 적절한 항균제의 투약에도 불구, 발열과 embolic event 가 반복적으로 발생하며 신체 진찰에서 새롭게 murmur가 들려 시행한 transesophageal echocardiography를 통해 infective endocarditis 를 진단할 수 있었던 경우이다. Klebsiella bacteremia 에서는 metastatic infection을 항상 염두에 두고, 전형적인 패턴이 아니라면 반복적인 신체진찰과 적극적인 검사를 통해 흔치 않은 장기로의 metastatic infection을 조사하는 것이 진단 및 치료에 도움이 될 것으로 보인다.

# 2주 전 악화된 호흡곤란으로 내원한 36세 여자

## Chief Complaints

dyspnea, started 1 years ago
aggravated 2 weeks ago

## Present Illness

1년 전 일상생활 중 호흡곤란 및 기침 발생하여 상기도 감염으로 판단하고 약물 복용 하였으나 증상 호전되지 않았다.

9개월 전 호흡곤란 MRC grade 3으로 악화되어 OO병원에서 chest CT 시행 후 좌상엽 및 좌하엽에 병변이 관찰되었다. Bronchoscopy로 좌상엽 병변에 대해 transbronchial lung biopsy시행하였고, cryptogenic organizing pneumonia 진단받고 prednisolone 복용 시작하였다. 이후 호흡곤란은 호전되었으나, MRC grade 2 정도의 호흡곤란이 계속 남아 있었다.

5개월 전 추적검사에서 시행한 CT에서 폐좌하엽에 patch consolidation 증가 확인되었으나 호흡곤란은 이전과 큰 차이 없어 prednisolone는 지속적으로 감량하였고, 3주 전까지 최종 8개월간 투약 후 종료 하였다.

2주 전 발열, 기침, 가래 발생하고 호흡곤란 MRC grade 3로 다시 악화되어, OO병원 재입원하였다. CT에서 좌폐상엽, 좌폐하엽의 병변 악화 확인되어, percutaneous needle aspiration시행하였으나 necrotizing cell 소견 확인되었다. 이에 video-assisted thoracic surgery로 폐 생검 후 본원 진료 원해 내원하였다.

## Associated symptoms

Febrile sense (+), chills (+)
Cough (+), sputum (+) (purulent, scanty)

## Past History

Diabetes/hypertension/tuberculosis/hepatitis: (-/-/-/-)

# Family History

Diabetes/hypertension/tuberculosis/hepatitis: (-/-/-/-)

# Social History

Occupation: 무
Alcohol (-)
Smoking (-)
Not married

# Review of Systems

### General

| | |
|---|---|
| dizziness (-) | weight loss (-) |

### Skin

| | |
|---|---|
| rash (-) | pruritus (-) |

### Head / Eyes / ENT

| | |
|---|---|
| headache (-) | hearing disturbance (-) |
| dry eyes (-) | tinnitus (-) |
| rhinorrhea (-) | oral ulcer (-) |
| sore throat (-) | dizziness (-) |

### Respiratory

| | |
|---|---|
| hemoptysis (-) | |

### Cardiovascular

| | |
|---|---|
| orthopnea (-) | palpitation (-) |

### Gastrointestinal

| | |
|---|---|
| abdominal pain (-) | nausea / vomiting (-/-) |
| hematemesis (-) | melena (-) |

### Genitourinary

| | |
|---|---|
| flank pain (-) | gross hematuria (-) |
| genital ulcer (-) | |

## Neurologic

seizure (-)                          memory impairment (-)

psychosis (-)                        motor-sensory change (-)

## Musculoskeletal

pretibial pitting edema (-)          tingling sense (-)

back pain (-)                        muscle pain (-)

# Physical Examination

height 158.0 cm, weight 49.3 kg

body mass index 19.6 kg/cm$^2$

## Vital Signs

BP 127/60mmHg - HR 86 /min - RR 22/min - BT 38.0℃

## General Appearance

chronically ill-looking appearance      alert

oriented to time, person, place

## Skin

normal skin color and texture           ecchymosis (-)

rash (-)                                purpura (-)

spider angioma (-)                      palmar erythema (-)

warm and dry

## Head / Eyes / ENT

visual field defect (-)                 pinkish conjunctivae

whitish sclerae (-)                     neck vein engorgement (-)

palpable neck node (-)

## Chest

symmetric expansion without retraction   normal tactile fremitus

percussion : dullness on Lt. lower       decreased lung sound on Lt. lower
thorax                                   thorax

## Heart

regular rhythm                          normal hearts sounds without murmur

## Abdomen

| | |
|---|---|
| distended abdomen | normoactive bowel sound |
| hepatomegaly (-) | splenomegaly (-) |
| tenderness (-) | shifting dullness (-) |

## Musculoskeletal

| | |
|---|---|
| flapping tremor (-) | costovertebral angle tenderness (-) |
| pretibial pitting edema (-/-) | palpable axillary nodes (-) |

## Neurology

| | |
|---|---|
| motor weakness (-) | sensory disturbance (-) |
| gait disturbance (-) | neck stiffness (-) |

## Initial Laboratory Data

| WBC $4\sim10\times10^3/mm^3$ | 4,300 | Hb (13~17 g/dl) | 10.8 |
|---|---|---|---|
| MCV(81~96 fl) | 88.3 | MCHC(32~36 %) | 31.9 |
| WBC differential count | Neutrophil 53.2% lymphocyte 32.1% monocyte 13.3% | platelet $(150\sim350\times10^3/mm^3)$ | 364,000 |

## Chemical & Electrolyte battery

| | | | |
|---|---|---|---|
| Ca (8.3~10 mg/dL) /P (2.5~4.5 mg/dL) | 8.6/3.8 | glucose (70~110 mg/dL) | 118 |
| protein (6~8 g/dL)/ albumin (3.3~5.2 g/dL) | 6.5/2.7 | aspartate aminotransferase (AST)(~40 IU/L) | 15 |
| | | /alanine aminotransferase (ALT)(~40 IU/L) | 10 |
| alkaline phosphatase (ALP)(40~120 IU/L) | 66 | gamma-glutamyltranspeptidase (r-GT)(11~63 IU/L) | 19 |
| total bilirubin (0.2~1.2 mg/dL) | 0.1 | direct bilirubin (~0.5mg/dL) | - |
| BUN(10~26mg/dL) /Cr (0.7~1.4mg/dL) | 4/0.50 | estimated GFR ( ≥60ml/min/1.7m$^2$) | >90 |
| C-reactive protein (~0.6mg/dL) | 4.5 | cholesterol | 162 |
| Na(135~145mmol/L) / K(3.5~5.5mmol/L) / Cl(98~110mmol/L) | 145/3.6/106 | total $CO_2$ (24~31mmol/L) | 23.5 |

## Coagulation battery

| | | | |
|---|---|---|---|
| prothrombin time (PT) (70~140%) | 80.3 | PT (INR) (0.8~1.3) | 1.13 |
| activated partial thromboplastin time (aPTT) (25~35 sec) | 35.1 | | |

## Urinalysis

| | | | |
|---|---|---|---|
| specific gravity (1.005~1.03) | 1.015 | pH (4.5~8) | 6.5 |
| albumin (TR) | (-) | glucose (-) | (-) |
| ketone (-) | (+++) | bilirubin (-) | (-) |
| occult blood (-) | (-) | nitrite (-) | (-) |
| Urobilinogen | (-) | | |

## Chest X-ray

〈9개월 전 cryptogenic organizing pneumonia 진단 당시 Chest PA〉
Lt.hilum이 prominent하게 보이는 소견이 관찰되며 lung parenchyme에 특이소견 없음

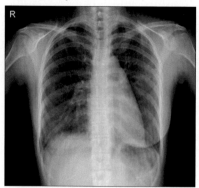

〈5개월 전 Chest PA〉
9개월 전과 동일하게 Lt.hilar prominence가 관찰되며 lung parenchyme에 특이소견 없음

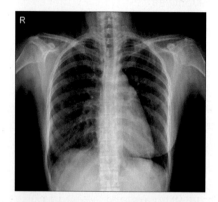

〈내원 당시 Chest PA〉
Prominent Lt.hilum에 동반된 Lt.lower lung field hazziness소견 보임

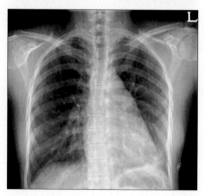

## Electrocardiogram

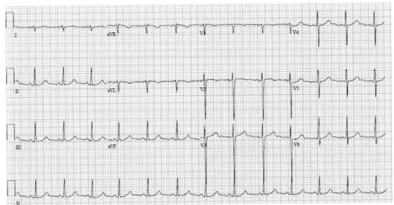

Ventricular rate 78/min의
sinus rhythm 관찰됨

## Initial Problem List

#1. Cryptogenic organizing pneumonia by history

#2. Aggravated dyspnea with fever

#3. Lt. lower lung field hazziness

#4. Prominent Lt. hilum

#1. Cryptogenic organizing pneumonia by history

#2. Aggravated dyspnea with fever, cough, purulent sputum

#3. Lt. lower lung field hazziness

#4. Prominent Lt. hilum

A) Organizing pneumonia, progression
Community acquired pneumonia
: bacterial, viral, atypical pathogen

P)

Diagnostic plan 〉
외부 영상자료 리뷰
외부 Biopsy 자문판독
Sputum stain/culture, AFB stain/culture, fungus stain/culture
Legionella & pneumococci-urine Ag test, 호흡기 virus PCR
외부 영상자료 리뷰
Treatment plan 〉
Empirical antibiotics(piperacillin/tazobactam, levofloxacin)

타원에서 cefotaxime 투여하였으나
반응 없어 항생제 변경하여 투여함

#4. Prominent Lt. hilum

| | |
|---|---|
| A) | LA enlargement<br>    : valvular heart disease, Lt. atrial myxoma<br>Pulmonary artery enlargement |
| P) | Diagnostic plan 〉<br>외부 영상자료 리뷰<br>Echocardiography |

# Hospital day #1-3

## chest CT

〈9개월 전 chest HRCT〉
LUL 및 LLL에 infiltration 소견 보임

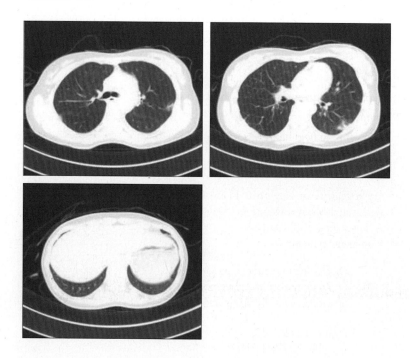

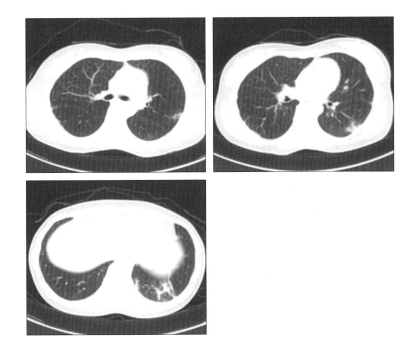

〈5개월 전 Chest CT〉
LLL의 infiltration이 증가된 소견
보임

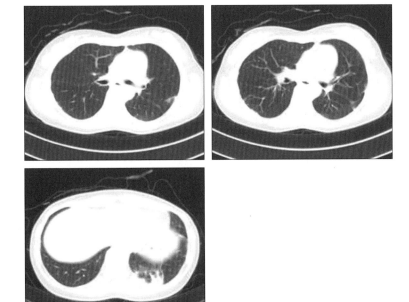

〈내원 당시 Chest CT〉
내원 5개월 전에 비해 Lt.lower
lobe의 infiltration 증가 소견
보인다.

〈내원 당시 Chest CT〉
(위) Lt. main pulmonary artery stenosis소견이 보이며 이에 의해서 main pulmonary artery가 약간 dilatation되어 있다.
(아래) Rt.main pulmonary arter는 정상소견이다.

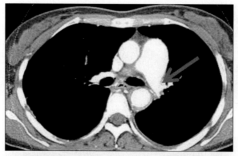

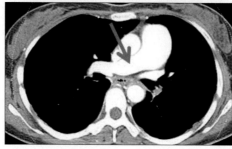

#1. Cryptogenic organizing pneumonia by history
#2. Aggravated dyspnea with fever
#3. Lt. lower lung field hazziness
#4. Prominent Lt.hilum

| | |
|---|---|
| S) | 열감은 감소했다. |
| O) | Blood culture : 2 days no growth<br>Sputum AFB stain : negative<br>Sputum Gram stain culture : no growth<br>Legionella & pneumococci-urine Ag test (-)<br>외부 병리슬라이드 리뷰: pulmonary infarction<br>외부 영상 소견: Lt.main pulmonary artery stenosis<br>Echocardiography<br>　　: normal LV systolic function<br>　　mild TR with mild resting pulmonary HTN (TR max 3.1 m/s)<br>　　normal LA size (28mm) |
| A) | Pulmonary infarction<br>d/t vasculitis, amyloidosis, pulmonary embolism,<br>　　idiopathic mediastinal fibrosis<br>Organizing pneumonia, progression, less likely<br>Community acquired pneumonia, less likely |
| P) | Congo red 염색 시행<br>ANA, ANCA<br>Endobronchial Ultrasonography (EBUS)<br>　　with Transbronchial needle aspiration (TBNA)<br>Empirical antibiotics 중단 |

# Hospital day #4

#1. Cryptogenic organizing pneumonia by history
#2. Aggravated dyspnea with fever
#3. Lt. lower lung field hazziness
#4. Prominent Lt. hilum

O)
    ANCA IF : p-ANCA (+)
    ANCA EIA : MPO-ANCA (-), PR3-ANCA (-)
    FANA ⟨ 1:40
    Congo red 염색(-)
    EBUS-TBNA : anthracofibrosis, malignant cell(-)

A)
    Pulmonary infarction
      : vasculitis, pulmonary embolism
       idiopathic mediastinal fibrosis
    Organizing pneumonia, progression, less likely
    Community acquired pneumonia, less likely

P)
    Vasculitis 증상 확인
    류마티스내과, 심장내과와 협진

# Hospital day #5

#1. Cryptogenic organizing pneumonia by history
#2. Aggravated dyspnea with fever
#3. Lt. lower lung field hazziness
#4. Prominent Lt. hilum

O)
    류마티스내과: lung involvement 외에 skin, hemorrhage 등 다른 vasculitis의 symptom 동반되지 않아 microscopic polyangiitis 보다는 Takayasu arteritis 의심됨.
    심장내과: coronary artery + aortic dissection CT 및 lung perfusion
       image 시행 필요함.

A)
    Pulmonary artery stenosis with pulmonary infarction due to takayasu arteritis

P)
    Coronary artery + aortic dissection CT 시행
    Lung perfusion image 시행

## Updated Problem List

#1. Cryptogenic organizing pneumonia by history

⇨ #1. Lt.main pulmonary artery stenosis with pulmonary infarction due to takayasu arteritis

#2. Aggravated dyspnea with fever, cough, purulent sputum → see #1

#3. Lt. lower lung field haziness → see #1

#4. Prominent Lt. hilum Multiple pulmonary infarction → see #1

## Hospital day #6

#1. Lt.main pulmonary artery stenosis with pulmonary infarction due to takayasu arteritis

| | |
|---|---|
| O) | Coronary artery + aortic dissection CT<br>Lung perfusion image 결과 확인 |
| A) | Same as above |
| P) | Medical treatment 또는 intervention 상의<br>Activity 평가 위해 PET-CT 시행 |

〈Lung perfusion scan〉
양쪽 lung에 multiple large segmental perfusion defects 소견 보임

Perfusion [Processed Perfusion Series] 4/29/2015    Perfusion [Processed Perfusion Series] 4/29/2015

| | Perfusion | |
|---|---|---|
| | POST | |
| (Counts) | Left | Right |
| Upper | 073K | 120K |
| Middle | 076K | 281K |
| Lower | 024K | 241K |
| Total | 173K | 642K |
| | | |
| (% Ratios) | Left | Right |
| Upper | 8.92 | 14.77 |
| Middle | 9.31 | 34.50 |
| Lower | 2.90 | 29.61 |
| Total | 21.12 | 78.88 |
| | ANT | |
| (Counts) | Left | Right |
| Upper | 088K | 160K |
| Middle | 089K | 380K |
| Lower | 026K | 215K |
| Total | 202K | 755K |
| | | |
| (% Ratios) | Left | Right |
| Upper | 9.20 | 16.69 |
| Middle | 9.26 | 39.74 |
| Lower | 2.67 | 22.45 |
| Total | 21.12 | 78.88 |
| | Geometric Mean | |
| (Counts) | Left | Right |
| Upper | 079K | 138K |
| Middle | 081K | 323K |
| Lower | 024K | 225K |
| Total | 185K | 686K |
| | | |
| (% Ratios) | Left | Right |
| Upper | 9.12 | 15.82 |
| Middle | 9.30 | 37.09 |
| Lower | 2.79 | 25.87 |
| Total | 21.22 | 78.78 |

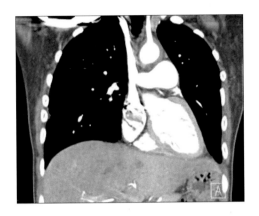

⟨ Coronary artery
+ aortic dissection CT⟩
aortic arch, proximal
descending aorta를 둘러싸는 soft
tissue wall thickening 보임

## Hospital day #7

#1. Lt.main pulmonary artery stenosis with pulmonary infarction
due to takayasu arteritis

O) 심장내과: multiple segment 좁아져 있으나 pulmonary hypertension
심하지 않아 intervention 고려할 필요 없음.
PET-CT : Aortic arch 및 descending thoracic aorta의 wall을 따라
blood pool activity보다 높은 hypermetabolic activity가 있음.

A) Active state of Takayasu arteritis involving aortic arch and
descending thoracic aorta

P) Methyl prednisolone 1 mg/kg.

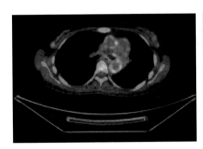
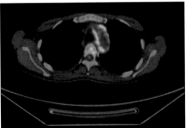

## Medication

(외부병원 prednisolone 투약력)

Prednisolone 30mg qd 2014. 7. 29. ~ 9. 15.
Prednisolone 20mg qd 2014. 9. 16.~ 12. 11.
Prednisolone 10mg qd 2014. 12. 12. ~ 1. 1.
Prednisolone  5 mg qd 2015. 1. 2. ~ 3. 10.

(본원 prednisolone 투약력)

Prednisolone 45 mg qd 2015. 5. 2. ~ 5. 13.

Prednisolone 35 mg qd 2015. 5. 14. ~ 6. 22.

Prednisolone 20 mg qd 2015. 6. 23. ~ 7. 20.

Prednisolone 10 mg qd 2015. 7. 21. ~ 9. 21

Prednisolone  5 mg qd 2015. 9. 22. ~ 11. 23

## Outpatient clinic visiting

2개월 후 외래 내원했고, methylprednisolone 1mg/kg 복용하면서 호흡곤란, 발열, 기침, 가래 등의 증상은 호전되었다. Chest x-ray 도 호전되었다. 추후 methylprednisolone 지속 복용하면서 정기적으로 외래 방문하여 경과 관찰 하기로 하였다.

## Lesson of the case

Cryptogenic organizing pneumonia는 idiopathic interstitial pneumonia의 하나로, prednisolone 에 치료 반응이 좋은 것으로 알려져 있다. 타원에서 chest CT 소견을 바탕으로 cryptogenic organizing pneumonia의심 하에 prednisolone 투여하였다. 치료 반응이 좋지 않았음에도 불구하고 다른 질환을 의심하지 않고 지속적으로 prednisolone 를 감량하면서 환자는 다시 증상이 악화되었다. 본원에서 시행한 검사에서는 cryptogenic organizing pneumonia가 아닌 Takayasu arteritis로 인한 left main pulmonary artery stenosis with pulmonary infarction 으로 판단되어 high-dose prednisolone 치료를 시행하였다. 타원에서 검사된 chest x-ray에서 첫 내원시부터Lt. hilar prominent가 있었던 것이 중요한 진단 소견 이였음에도 불구하고 이에 대해 간과함으로써 진단이 늦어지게 되었다.

본 증례를 통해서 일반적으로 치료에 반응이 좋은 병임에도 치료에 반응이 없다면 다른 질환의 가능성을 반드시 생각해 보고, chest X-ray 이상소견과 같이 중요한 진단 소견을 간과하지 않는 것이 중요하다는 교훈을 얻을 수 있었다.